Histor...

Biografía

Carlos Fisas (Barcelona, 1919) ha desarrollado una brillante carrera de conferenciante por universidades y centros culturales de toda Europa, y se ha especializado en el estudio de las manifestaciones amorosas, religiosas e ideológicas del Occidente europeo a lo largo de la Historia. Entró en el mundo de la radio de la mano de Luis del Olmo, con quien trabajó durante años bajo la rúbrica de Historias de la Historia, que dio título a una serie de libros de gran éxito. Ha publicado, entre otras obras: *Historias de las reinas de España/*La Casa de Austria* y ***La Casa de Borbón*, *Frases que han hecho Historia*, *Palabras que tienen historia*, *Curiosidades y anécdotas de la Historia Universal* (dos series), *Historia de las historias de amor*, *Anecdotario español/1900-1931* y *Las mujeres de Casanova/I, II y III*.

Carlos Fisas

Historias de las reinas de España. La Casa de Borbón

Planeta

© Carlos Fisas, 1989
© Editorial Planeta, S. A., 2004
   Avinguda Diagonal 662, 6.ª planta. 08034 Barcelona (España)

Diseño de la cubierta: Opalworks
Ilustración de la cubierta: Corbis / Cover
Primera edición en esta presentación en Colección Booket: mayo de 2004

Depósito legal: B. 17.124-2004
ISBN: 84-08-05123-7
Impresión y encuadernación: Litografía Rosés, S. A.
Printed in Spain - Impreso en España

Índice

PRÓLOGO

Este libro, como los otros míos, es producto no de investigación, sino de lecturas. Desde pequeño he sido aficionado a la historia y de ella he leído cuanto ha caído en mis manos. El resultado han sido fichas, muchas fichas, montones de fichas, montañas de fichas. Ello explica la abundancia de citas. He procurado dar cuenta puntual de ellas indicando los autores consultados, ya sea en el cuerpo del libro, ya en notas y, por supuesto, en la bibliografía final. He procurado escoger entre todos los autores consultados aquellos que me parecían más fiables. Si alguna vez he omitido la fuente, por descuido, ruego al autor afectado que me lo indique para excusarme y corregir el olvido en próximas ediciones, si las hay.

Queda dicho, pues, que éste no es un libro de erudición. Se titula Historias de las reinas de España, *así en plural, para indicar, desde el comienzo, que se trata de un libro no ya de divulgación, sino de incitación a mayores y mejores lecturas.*

Algún crítico ha dicho de mí que era «la portera de la historia». Dejando aparte lo que de peyorativo puede tener la frase para el honrado gremio porteril, la acepto con sumo gusto. Una portera es la que más chismes y detalles sabe sobre la vida íntima de los inquilinos de la finca que tiene a su cargo. Ella sabe si el vecino del primero le pega a su mujer, si el del segundo izquierda gana menos de lo que gasta su esposa y de dónde saca ella el dinero, conoce los disgustos que el hijo del matrimonio del ático da a sus padres, etc.

No es que yo crea haber desvelado nada oculto. Todo está en los libros, a veces escondido entre párrafos se-

to al embajador, que, creyéndose triunfante y vencedor, había echado, durante los preludios de la conversación, miradas de desdén al representante de Francia. Necesidad tuvo de toda la serenidad para permanecer allí y escuchar la lectura del célebre testamento que destruía todas las esperanzas y proyectos de su augusto soberano.

»Se da por seguro que los embajadores de Austria en las cortes de Madrid y Versalles no tenían noticias exactas respecto al testamento, como parecía natural que las tuviesen. Sin embargo, es posible que afectasen no estar al corriente de lo que pasaba y prefiriesen aparentar que lo ignoraban al verse en el duro trance de confesar su derrota.»

Luis XIV de Francia se entera de la noticia en su residencia de Fontainebleau. Suspendió su partida de caza, dispuso el inmediato regreso de la corte a Versalles y declaró un mes de luto oficial. Parece ser que sentado en su sillico, en el que hacía sus necesidades, comunicó la noticia a sus allegados.

Dos semanas después reúne en un salón de Versalles a los dos principales dignatarios de su corte, a su único hijo el gran delfín y a sus nietos Luis, duque de Borgoña, y Carlos, duque de Berry. El gran delfín, padre del duque de Anjou, era «un hombre sin inteligencia, de humor muy desigual, perezosísimo, increíblemente silencioso, fútil y meticuloso en las cosas pequeñas, completamente insensible a la miseria y al dolor de los demás; malo, sería cruel si no fuera perezoso». Saint-Simon ha dicho de él: «Carecía de luces y conocimientos; radicalmente incapaz de adquirirlos, muy perezoso, incapaz de elegir acertadamente, carecía de discernimiento; había nacido para el aburrimiento, que comunicaba a los demás, y para ser una bola que rodaba al azar, impulsada por otros, excesivamente testarudo y pequeño en todo, absorbido en su grasa y en sus tinieblas.»

Su aburrimiento y melancolía fueron heredados, según veremos, por su hijo Felipe.

Era el 16 de noviembre de 1700. Se abrió la puerta del salón y, mientras todos los caballeros se descubren, entran en él Luis XIV y el segundo de sus nietos, Felipe, duque de Anjou. Llevan el sombrero puesto. Luis XIV se dirige a los cortesanos y a su nieto. A éste le dice:

—El rey de España ha dado una corona a vuestra majestad. Los nobles os aclaman, el pueblo anhela veros, y yo consiento en ello. Vais a reinar, señor, en la monarquía más vasta del mundo, y a dictar leyes a un pueblo esforzado y generoso, célebre en todos los tiempos por su honor y lealtad. Os encargo que la améis y merezcáis su amor y confianza por la dulzura de vuestro gobierno.

Y volviendo la vista hacia el marqués de Castelldosrius, embajador de España en París, le dice:

—Saludad, marqués, a vuestro rey.

Añadió también, dirigiéndose a su nieto:

—Sed buen español. Ése es desde ese momento vuestro primer deber. Pero acordaos que habéis nacido en Francia para que sepáis mantener la unión entre ambos reinos y con ello la felicidad y la paz de Europa.

Al día siguiente el embajador español don Manuel Oms de Santa Pau, marqués de Castelldosrius, fue recibido por el rey Luis XIV y por el todavía duque de Anjou. El marqués pronunció un discurso en castellano que fue entendido por el rey francés, pero no por el futuro rey español, que no conocía dicho idioma y que lo hablaba con dificultades al final de su vida, auque en su ambiente familiar siempre se expresó en lengua francesa. En el discurso, el marqués dijo:

—He aquí un feliz día, pronto partiréis para España en un feliz viaje, pues los Pirineos se han hundido.

Éste es el origen de la célebre frase «Ya no hay Pirineos», tan conocida por todos y que no fue pronunciada jamás. Voltaire, en su libro *Le siècle de Louis XIV*, la reproduce comentando que es la más bella pronunciada jamás por el monarca, pero no la pronunció Luis XIV ni el marqués de Castelldosrius. ¿Quién la pronunció, entonces? Nadie. La frase en cuestión apareció escrita al día siguiente en el *Mercure de France*, una especie de diario oficial de la época. La frase, pues, no fue pronunciada, sino escrita. Y por un periodista anónimo.

El 8 de mayo de 1701, en la iglesia de San Jerónimo el Real de Madrid, don Felipe es jurado solemnemente como rey de España y el mismo día se hace público el compromiso matrimonial del rey con la princesa María Luisa Gabriela de Saboya. El contrato matrimonial se firmó el 23 de agosto, y el 11 de setiembre, en la basílica de la Sábana Santa de Turín, tiene lugar la boda, en la que el rey de España es representado por poderes por un tío de la novia, a la que le faltaban seis días para cumplir trece años, pues había nacido el 17 de setiembre de 1688.

Esta boda iba en contra de la voluntad del último rey de la casa de Austria, Carlos II, que recomendaba que el nuevo rey se casase con una hija del emperador Leopoldo I de Alemania para así asegurar la paz entre Alemania, Francia y España.

Pero Leopoldo I pretendía para su hijo el archiduque Carlos el trono de España, por lo que no estuvo de acuerdo con el proyecto real. Sus pretensiones dieron lugar a la guerra de Sucesión.

Una mujer ha contribuido en gran medida a la boda de Felipe V. Esa dama, que gozaba de la absoluta confianza de Luis XIV, se llamaba María-Ana de la Tremouille de Noirmoutier, viuda en primeras nupcias del príncipe de Chalais y en segundas del príncipe Orsini. En España fue conocida con el nombre de princesa de los Ursinos y tenía en aquella época cincuenta y nueve años, por lo que es de desechar toda especulación sobre una influencia sensual en el joven monarca. Una película española la presentó con los rasgos de Ana Mariscal, entonces en la plenitud de su juventud. Gran falsedad histórica.

¿Cómo era la princesa elegida para esposa de Felipe V? En respuesta a esta pregunta que le había hecho el rey, el marqués de Castel-Rodrigo dijo:

—Posee un cuerpo armónico lleno de encantos y puedo deciros, señor, que, sin ser muy alta que digamos, es sumamente elegante. Cabellos castaños, ojos negros, con toda la vivacidad de los piamonteses y muy inteligente.

Una dama de la nueva reina, la condesa de La Roca, la describió diciendo: «María Luisa era de talla pequeña, pero había en toda su persona una elegancia notable. Sus cabellos eran castaños; sus ojos, casi negros, llenos de fuego y de vivacidad. Su fisonomía conservó largo tiempo una expresión infantil, pero muy inteligente, en una agradable mezcla de ingenuidad y de gracia pueril. Su tez era de notable blancura y, como su hermana la duquesa de Borgoña, tenía las mejillas guesas, talle airoso, pies pequeños y manos encantadoras. En una palabra, ganaba mucho en ser vista y oída, pues sus retratos no dan más que una mediana idea de sus encantos, mientras que su persona estaba tan llena de atractivos, que cuantos hablaban con ella se deshacían en elogios.»

Por su parte, el duque de Grammont, en una carta enviada a Versalles cuando fue embajador en Madrid, dice refiriéndose a María Luisa: «No puede decirse que sea una belleza, pero sí que su figura agradará siempre a cualquier hombre de gusto delicado.»

Dice González-Doria que «el 3 de noviembre celebró el patriarca de las Indias Occidentales la misa de velaciones en la iglesia principal de Figueras. El duque de Saint-Simon cuenta en sus famosas *Memorias* cómo las damas de la corte española quisieron dar una lección a los jóvenes reyes para que comprendieran que tenían el deber de ser, a partir de entonces, españoles por encima de todo, por más que por comprensibles razones alternasen en su trato íntimo el servicio de nobles de España con algunos extranjeros. Se había previsto que en la cena de bodas la mitad de los platos estarían condimentados al estilo español y la otra mitad al gusto francés; pues bien, según Saint-Simon, las damas se las ingeniaron para que solamente estuvieran en condiciones de poder ser presentados a Felipe V y María Luisa Gabriela los platos cocinados a la usanza española. Los jóvenes soberanos entendieron perfectamente la lección, y les bastó este episodio meramente anecdótico para asimilar la idea de que, siendo los reyes de España, era para ellos extranjero todo cuanto no hicieran y aprobaran sus súbditos, y en verdad que nadie podría reprocharles que no supieran aprovechar el tiempo en la tarea a veces nada fácil no ya de hablar, sino de pensar en español».

La reina protestó enérgicamente por la conducta de las damas españolas y el rey no sabía si darle la razón o no. Los dos acabaron gritando. Se presentaba bien la noche de bodas...

¿Cómo fue ésta? Según el doctor Jacoby, a los dieciocho años Felipe V cayó en la más negra melancolía porque María Gabriela de Saboya, con quien se había casado, aún no era núbil. Más melancólico que nunca, sombríamente amoroso, encarnizado en lo imposible, no se separaba jamás de su mujer, esperando la posibilidad de acostarse con ella.

Más verosímil me parece la versión dada por José Antonio Vidal Sales que afirma que la joven reina era ya núbil y describe con gracia lo sucedido aquella noche y dice: «Noche nupcial en el castillo de Figueras: cuando la regia adolescente cruza el dintel de la alcoba, todavía le parece escuchar los delicados consejos y oportunas advertencias de la sabia camarera mayor, relacionados todos ellos con la coyunda, con el papel que ella, como hembra, ha de desempeñar en la ceremonia del himeneo. Pero Felipe no es precisamente un dechado de comedimiento, de tacto, de delicadeza. Y aunque la reina-niña acepte con gusto sobre el tálamo los juegos y escarceos iniciales, muy efímeros, lo cierto es que cuando el joven monarca embiste con dureza irreprimible, ella forcejea y acaba gritando en un supremo deseo de librarse del torpe jadeante.

»A partir de este momento, y durante tres días y tres noches, tendrá que ser la camarera mayor —la princesa de los Ursinos, auténtica celestina regia— quien colabore eficazmente cerca de la arisca piamontesa y del apasionado mancebo... evitando con su intervención que la adolescente aborrezca, ya de entrada, el trato carnal con el rey su esposo.

»Es ella, la de los Ursinos, quien con mimos y suavidades consigue al fin el ansiado acoplamiento del enfebrecido Felipe.

»Función completa la de esta dama, a la que el rey de Francia deberá eternamente gratitud... Puede ya Luis XIV soltar un suspiro de alivio y felicitarse por su afortunada idea de vincularla a su nieto el rey de España. Y será precisamente gracias a ella que María Luisa Gabriela acabará por tomar verdadero gusto al éxtasis orgiástico; hasta tal punto, que los cinco meses que la pareja pasa en Barcelona se convierten en ciento cincuenta jornadas de desenfrenado y exhaustivo placer y de refinada molicie: una prolongada luna de miel a la que Felipe no parece muy dispuesto a dar por finalizada.»

En Barcelona el recibimiento fue frío, pues los catalanes, a pesar de que Felipe V había jurado sus fueros y sus libertades, temían que el joven rey, como así sucedió, implantase en España un sistema centralista al estilo francés, de lo que tenían buenas muestras por la manera como el vecino país trataba las regiones del Rosellón, el Conflent, el Vallespir y la parte de Cerdaña que se les había entregado a consecuencia del nefasto pacto de los Pirineos en tiempos de Felipe IV.

Si en España los partidarios llamados «franceses» están en mayoría, no son pocos —y menos en Cataluña— los que todavía piensan en que las llamadas tradicionalmente «esencias hispánicas» estarían mejor salvaguardadas por los «austríacos», representados por la reina viuda Mariana de Neoburgo, el inquisidor general arzobispo Mendoza, el conde de Oropesa y el duque de Medina de Rioseco. Lo que falta es un partido español.

A todo esto la joven reina sufre la influencia de la princesa de los Ursinos, quien a su vez seguía las directrices marcadas por el rey francés.

Mientras tanto, en Italia, y concretamente en Nápoles, ardía la guerra y Luis XIV incita a su nieto para que se traslade a la ciudad partenopea, y así lo hace Felipe V después de pronunciar en Barcelona un discurso provocador que indigna a los catalanes, lo que en vez de apaciguar los ánimos llevándolos hacia su causa provoca que muchos indecisos se decanten por el bando austríaco.

Como dice Vidal Sales, «la despedida tiene por testigos a cortesanos serviles y a ciudadanos airados. Pero Felipe, haciendo caso omiso de unos y de otros, besa apasionadamente a su joven esposa al pie de la nave, presta ya a zarpar. Hasta ese momento, María Luisa Gabriela ha insistido en acompañarle: "Quiero ir con vos a la guerra." Y el deseo de la reina no ha sido sólo el de no separarse de su esposo, sino también el de aprovechar el viaje para poder ver a su familia. Lo cual desagrada a Felipe, porque siente recelos hacia su suegro debido a la actitud negativa de éste hacia Francia. En suma, que se ha negado en redondo a ser acompañado por la reina.

»Cuando Felipe, desde el castillo de proa, levanta su mano para enviarle con un beso el último adiós, ella no le ve, arrasados sus ojos de lágrimas y angustiado su corazón por sensaciones extrañas nunca sentidas hasta entonces.

»Antes de partir, su marido la ha nombrado regente de España.»

Dice Luciano de Taxonera que «la reina María Luisa, durante el tiempo que ejerció la regencia, trató de vincular sus actos de gobernante a cuanto creía sentido nacional. Para ello no perdió medio ni desaprovechó ocasión. En todo momento estuvo preocupada de observar las personas y ahormar las circunstancias para llevarlas a favor de los intereses de sus vasallos. Sus cuidados mayores, mientras su regio esposo luchaba en los campos de Lombardía, eran los de comprender y adueñarse del carácter español, del que le habían dicho que era entero e indomable. Otras miras muy principales fueron las de no exacerbar a catalanes y aragoneses...»

Pero poco duró esta situación. El 20 de diciembre de 1702 regresaba Felipe V de Italia, entrando en España por Barcelona, que le recibió con un entusiasmo que contrastaba con la frialdad de la despedida. Se traslada a Madrid y la reina María Luisa Gabriela sale al encuentro de su marido en Guadalajara haciendo su entrada en Madrid el 17 de enero de 1703. Por cierto que entraron en la capital cabalgando uno al lado de otro, contraviniendo con esto la tradición de que el rey lo hiciese solo, recibiéndolo la reina en el real alcázar.

Pero la llamada guerra de Sucesión estalla en este momento. En Viena, el archiduque Carlos de Austria se proclama rey de España con el nombre de Carlos III y pocos meses después desembarca en Denia dispuesto a ocupar el trono español.

Un personaje curioso interviene entonces en el ambiente real; se trata del embajador francés cardenal D'Estrées, el cual intenta inmiscuirse hasta tal punto en la política española que produce la indignación de todos los ministros. La reina toma partido por ellos y un día le planta cara diciéndole:

—Señor cardenal, vuestra eminencia olvida que no es un ministro nuestro, sino simplemente un enviado del rey de Francia.

Las cosas llegan a tal punto que Felipe V escribe a su abuelo pidiéndole que destituya al cardenal y sustituya su persona por otro embajador, ya que «cada día de los que permanece en Madrid hace más irreparable el mal que causa a mi reino». Por su parte, la reina añade una apostilla en la que indica que si continúa el cardenal en Madrid injiriéndose en asuntos de España se verían obligados a abdicar.

Al recibir esta carta, el rey francés se indignó, mandó llamar al cardenal y éste, para excusarse, achacó el hecho a intrigas de la princesa de los Ursinos que, según él, se había adueñado de la voluntad de los reyes, y especialmente de la reina.

Luis XIV, cada vez más furioso, mandó llamar a la princesa y sustituyó al cardenal D'Estrées por un sobrino del mismo, llamado como él. Pero Felipe V y su esposa reclaman a la princesa de los Ursinos.

A todo esto las tropas del archiduque Carlos de Austria se iban apoderando del territorio español hasta llegar a Madrid, en donde encuentran un frío recibimiento. Para entusiasmar al populacho hace repartir monedas de oro, pero el pueblo de Madrid responde gritando: «¡Viva Carlos III mientras dure el dinero!»

La corte, junto con los tribunales y demás burocracia, se había trasladado a Burgos, pero sólo por poco tiempo, pues la reacción de las tropas borbónicas hizo que Madrid cayera otra vez en poder de Felipe V.

La princesa de los Ursinos regresa a Madrid, donde fue recibida con alegría por los reyes, lo cual acentuó todavía el poder de la princesa sobre ellos.

A fines de 1706 la reina anuncia que está embarazada y el 25 de agosto de 1707 nace el primer hijo de la real pareja, que es bautizado con el nombre de Luis, como homenaje al rey de Francia, abuelo de Felipe V.

Más tarde, el 2 de julio de 1709, volverá a parir la reina otro hijo, al que se le impuso el nombre de Felipe, pero que vivió solamente seis años.

La guerra continúa, el mariscal duque de Berwick vence en Almansa a las tropas del archiduque Carlos, pero en el verano de 1710 éstas se rehacen y amenazan otra vez Madrid, debiendo trasladarse la corte a Valladolid y María Luisa Gabriela de Saboya, que no ha cumplido todavía los veintidós años, vuelve a hacerse cargo del gobierno con gran eficacia; mientras, Felipe V se pone al frente de sus tropas y derrota a las del archiduque en Brihuega y Villaviciosa, con lo que al pretendiente no le queda más remedio que replegarse hacia Cataluña, que resistirá al Borbón hasta 1714.

Durante la guerra, la pareja real no puede vivir mucho tiempo separada y de vez en cuando uno u otro abandonan sus residencias habituales para encontrarse en un rincón perdido, las más de las veces una casa señorial o un convento, cuando no es una venta o un mesón el que alberga sus efusiones amorosas.

Pero no todo es felicidad, pues la reina empieza a sen-

tir síntomas de la misteriosa enfermedad que la conduci-
rá a la muerte.

Así lo detalla González-Doria: «Comienza María Luisa
a sentir unos molestísimos ganglios que le deforman el
cuello, produciéndole accesos de fiebre, con delirios, y
sobreviniéndole unos tremendos dolores de cabeza. Los
médicos acudieron al pintoresco remedio de raparle la
cabeza y aplicarle en ella sangre de pichón. Y lo curioso
es, afirma Taxonera, que "con esto y otros remedios la
aliviaron notablemente. El mal comenzó a ceder. La reina estaba salvada..." Se le aconsejó, no obstante la mejo-
ría, que era conveniente que convaleciese en Corella, y
allí se la trasladó, haciendo el viaje tendida en el suelo
de una carroza de la que quitaron los asientos, pues aún
estaba débil. Seguía aumentando la hinchazón del cuello
y la palidez del rostro, y María Luisa Gabriela, que además de ser muy femenina, sufría pensando que pudiera
alarmarse el rey cuando acudía a verla en aquellas esca-
padas a las que ya nos hemos referido, disimulaba cuanto podía el mal, anudándose vaporosos chales al cuello
y dándose abundante colorete en las mejillas, y, por supuesto, tuvo que usar peluca para el resto de sus días,
que no fueron muy largos, pues no sabemos si la sangre
de pichón la alivió o no verdaderamente los dolores de
cabeza, pero desde luego María Luisa quedó calva.»

Cuando Felipe V visita a su esposa, ésta se presenta
ante él con el chal en torno al cuello y una peluca en la
cabeza, que no se quita ni cuando está con él en la cama,
pero el mal va avanzando inexorablemente.

Cuando cumple veintiséis años está avejentada, in-
móvil en su sillón, alimentándose sólo con líquidos que
a duras penas puede tragar. Su esposo no se mueve de
su lado apretándole con cariño la mano. A veces la princesa de los Ursinos la visita y ellos dos son las únicas
personas, aparte de los médicos, que la cuidan.

El 14 de febrero de 1714, muere. Momentos antes de
su fallecimiento, el capellán de palacio le administra la
extremaunción sin que pueda recibir el viático, pues la
hinchazón del cuello se lo impide.

Cuando muere, deja viudo a su esposo con dos hijos,
Luis y Fernando, que llegarán a reinar.

Felipe V empezó a dar muestras entonces de la melancolía que le acompañaría hasta la muerte. La prince-

sa de los Ursinos escribe a madame de Maintenon: «... El rey vive inmerso en la más profunda tristeza. No descansa, le parece que el palacio está lleno de sombras y habla de abandonarlo para irse a vivir al palacio del duque de Medinaceli. Llora con frecuencia y no quiere ver a nadie. Desde hace un mes, a partir del momento en que se le dijo que únicamente un milagro podía salvar la vida de la reina, no se ocupa de nada que no sea su íntimo pesar. En el mismo instante de exhalar mi señora el último aliento, su majestad tenía reclinada la cabeza en la misma almohada, muy cerca de la de ella, y las manos se las apretaba con las suyas. Se dio cuenta que su fiel consorte había dejado de existir cuando Brancas, Helvecio y yo, con algunos nobles que apresuradamente entraron en la cámara, nos acercamos en solicitud de que abandonase la estancia. Mi pluma se resiste a describir aquel momento. El rey era dominado por la más sincera y amarga aflicción...»

De María Luisa Gabriela de Saboya queda en Madrid un recuerdo en el nombre de un barrio. Añoraba su Saboya natal y en las afueras de la capital de España encontró un paraje que le recordaba la capital de Saboya, y cuando quería ir allí decía:

—¿Vamos a Chambery?

Y el nombre de Chamberí ha quedado para siempre.

ANEXO

Aunque no corresponden exactamente a la vida de la reina, creo que será de interés para los lectores la transcripción de unos documentos referentes a la guerra de Sucesión que se desarrolló durante su reinado.

Están entresacados de la interesante obra de Fernando Díaz-Plaja *Historia de España en sus documentos. Siglo XVIII*, cuya lectura es indispensable para conocer la historia de esta época desde dentro.

«El rey don Carlos Segundo mi tío (que haya gloria) me instituyó (observando las leyes de la sucesión y de la justicia) por heredero de la corona de España y todos sus reinos, y pasando como legítimo sucesor en ellos a tomar su posesión (como lo ejecuté) en los de Castilla y León, habiéndome aclamado, jurado y hecho pleito homenaje los vasallos de uno y otro Reino y confirmando yo sus fueros, privilegios, usos y costumbres, y deseando observar lo mismo en este Principado, con la mayor brevedad que ha permitido el tiempo, por lo que estimo yo merecen tan buenos y leales vasallos como le componen, el amor, lealtad y esfuerzo con que siempre han servido a mi corona, espero lo continuarán con la misma fineza, mandé convocar estas Cortes, para que en ellas se trate todo lo que pueda ser más útil, conveniente y justicia para su mejor gobierno, conservación y beneficio, mirando por ellos con el gran cuidado y especial y cordialísimo amor que yo les tengo, sin que se les grave por ningún motivo, ni pongan embarazos, que detengan las resoluciones de la mayor equidad, en que deben estar, como lo mandaré continuamente, fiando al mismo tiempo no faltarán a la consideración de este Principado las reflexiones del estado de mi Monarquía que ha tenido hasta aquí y en lo que en sus separados y grandes dominios ocurre y puede sobrevenir y todas las demás circunstancias, tan públicas a su vista, para que correspondiendo a unas y otras debidas obligaciones, se logre el mayor servicio de nuestro señor, la autoridad y permanencia de la justicia, el bien común de este Principado, el alivio de estos vasallos y todos los efectos de mis servicios, en que desde luego mando se trate y considere y se me represente por estos brazos, omitiendo todo lo que embarace con tan loables y principales fines, que son los que han movido mi ánimo a pasar a esta ciudad, como lo ejecutaré en todas las ocasiones que convenga, por lo que aprecio el bien común de estas provincias y de sus particulares individuos.»

Al tomar partido Cataluña por el archiduque Carlos,

Felipe V anuló este juramento aunque como veremos después ofreció perdón e indulto si se unían a su causa.

La conquista de Gibraltar

«Viernes primero de agosto llegó a vista de Gibraltar la poderosa Armada de Inglaterra y Holanda, que consistía de 69 navíos de línea de batalla, 7 de 96 cañones, 5 de 80, y 84 y los demás de 60, y 70 a fuera 16 fragatas de 30 hasta 50 cañones; y en el mismo día entró en la bahía de aquel puerto, siendo al entrar combatida del fuerte nuestra Señora de la Europa, pero sin daño de gentes ni bajeles. En el mismo día a la una de la tarde desembarcaron tres mil soldados ingleses y holandeses a tiro de cañón de la puerta de tierra, amparados de la artillería de las fragatas. Ciento y cincuenta caballos enemigos quisieron impedir el desembarco, pero se retiraron rociados con la artillería. Los ingleses y holandeses acampados en las huertas bajo de la artillería de dicha puerta, de sus muros y vallados, formaron luego trincheras para su defensa. En el mismo día mandó el Príncipe Darmstat un volatín al gobernador, intimándole el último castigo de una desesperada resistencia, si luego no rindiese la plaza, pues era imposible su defensa a vista de tan formidable y poderosa Armada. El gobernador, juzgando que seguramente podía defenderse, por ser la plaza bien fortificada, así por arte como por naturaleza, respondió que en cuanto tuviese municiones, no cedería un punto de su obligación...

»... Lunes salieron dos caballeros de la plaza al campo y del campo a la plaza otros dos nuestros en rehenes: costumbre antigua, y observada en la milicia en el rendimiento de las plazas. Recibió el príncipe con todo agasajo, y grandeza, digna de su real ánimo, a los dos caballeros poniéndoles a su mesa: y a las dos de la tarde marchó todo el campo con el príncipe general a guarnecer la puerta de tierra, donde se firmaron las capitulaciones, que son las siguientes:

»Primera, que la guarnición, oficiales y soldados pudiesen salir con sus armas, y bagaje necesario, y los soldados llevases a sus hombros todo cuanto pudiesen: y que los oficiales, regidores y demás caballeros que tuviesen caballos, saliesen con ellos, y que se diesen embarcaciones a los que no tuviesen bagaje.

»Segunda, que pudiesen llevar de la plaza tres piezas de bronce de diferentes calibres, con doce cargas de pólvora y las balas correspondientes.

»Tercera, que se les diese provisión de pan, y vino, y carne para seis días de marcha.

»Cuarta, que no serían registradas las bagajes en que se hallasen arcas, y cofres de los oficiales, regidores, y más caballeros. Que la guarnición saliese dentro de tres días, y que la ropa que no se pudiese conducir, quedaría en la Plaza mandándose por ella cuando hubiese oportunidad y que no se impidiese salir algunos carros, siendo necesarios.

»Quinta, que a la ciudad y sus moradores, Oficiales y soldados que quisiesen quedar allí, se les concedería los privilegios que gozaban en tiempo de Carlos Segundo y que no hubiese alteración alguna en lo que tocase a la religión y forma de los Tribunales; con condición pero, que diesen juramento de fidelidad a la majestad de Carlos Tercero su legítimo rey señor.

»Sexta, que se manifestasen todos los almacenes de pólvora, y todas las municiones así de guerra como de boca que se hallasen en la ciudad, y las armas que restasen.

»Séptima, que de esta capitulación quedarían excluidos todos los franceses y súbditos del rey cristianísimo y todos sus bienes a disposición de los conquistadores y ellos prisioneros de guerra.

»Todas estas capitulaciones fueron firmadas por el príncipe Jorge de Landgrave de Hassia Darmstat, y por don Diego de Salinas, gobernador de la plaza. Entró el Ejército en la ciudad, en que se hallaron más de diez cañones, grande cantidad de municiones de toda suerte, y doscientos caballos.»

Como se puede ver, la rendición de Gibraltar se hizo a las tropas del archiduque de Austria, pretendiente al trono español. Era, pues, un pleito entre españoles, pero los ingleses, haciendo honor a la tradición de nación pirata, levantaron la bandera del rey de Inglaterra sobre el Peñón y así, a traición, lo ocuparon hasta nuestros días. Ya veremos más adelante la interpretación que dan al Tratado de Utrecht.

FELIPE V SUPRIME LOS FUEROS DE ARAGONESES Y VALENCIANOS

«Considerando haber perdido los reinos de Aragón y Valencia, y todos sus habitadores, por la rebelión que cometieron faltando enteramente al juramento de fidelidad que me hicieron como a su legítimo rey y señor todos los fueros privilegios, exenciones y libertades que gozaban y que con tal liberación mano se les habían concedido así por mí como por los señores reyes mis predecesores particularizándoles en esto de los demás reinos de esta corona; y tocándose el dominio absoluto de los referidos reinos de Aragón y Valencia pues a la circunstancia de ser comprendidos en los demás que tan legítimamente poseo en esta monarquía se añade ahora la del derecho de la conquista que de ellos han hecho últimamente mis armas con el motivo de su rebelión; y considerando también que uno de los principales atributos de la soberanía es la imposición y derogación de las leyes, las cuales con la variedad de los tiempos y mudanza de costumbres podía Yo alterar aun sin los grandes y fundados motivos y circunstancias que hoy concurren para ello en lo tocante a los de Aragón y Valencia; he juzgado por conveniente, así por eso como por mi deseo de reducir todos mis reinos de España a la uniformidad de unas mismas leyes, usos, costumbres y tribunales, gobernándose igualmente todos por las leyes de Castilla tan loables y plausibles en todo el Universo, abolir y derogar enteramente como desde luego doy por abolidos y derogados todos los referidos fueros y privilegios, prácticas y costumbres hasta aquí observadas en los referidos reinos de Aragón y Valencia, siendo mi voluntad que éstos se reduzcan a las leyes de Castilla y al uso, práctica y forma de gobierno que se tiene y se ha tenido en ella y en sus tribunales sin diferencia alguna en nada pudiendo obtener por esta razón igualmente mis fidelísimos vasallos los castellanos, oficios y empleos en Aragón y Valencia de la misma manera que los aragoneses y valencianos han de poder en adelante gozarlos en Castilla sin ninguna distinción, facilitando Yo por este medio a los castellanos motivos para que acrediten de nuevo los afectos de mi gratitud, dispensando en ellos los mayores favores y gracias tan merecidas de su experimentada y acusada fidelidad y dando a los aragoneses y valencianos recíproca e igualmente mayores pruebas de mi benignidad habilitándoles para lo que no lo estaban en medio de la gran libertad de los fueros de que gozaban antes y ahora quedan abolidos. En cuya consecuencia he resuelto que la audiencia de ministros que se ha formado para Valencia y la que he mandado se forme para Aragón se gobierne y maneje en todo y por todo como en las dos Chancillerías de Valladolid y Granada observando literalmente las mismas reglas, leyes, pactos, ordenanzas y costumbres que se guardan en éstas sin la menor distinción ni diferencia en nada excepto en las controversias y puntos de jurisdicción eclesiástica y modo de tratarla que en esto ha de observarse la práctica y estilo que hubiere habido hasta aquí en consecuencia de las concordias ajustadas con la sta. Sede apostólica en que no se debe variar; de cuya resolución he querido participar al Consejo para que lo tenga entendido. Buen Retiro a 29 de junio de 1707.»

Así empezó en España el centralismo copiado del ejemplo francés y tan contrario a las tradiciones jurídicas que hasta entonces habían imperado.

GIBRALTAR SEGÚN EL TRATADO DE UTRECHT

El 10 de julio de 1713 se firma en Utrecht un tratado de paz que pone fin a las implicaciones internacionales de la guerra de Sucesión en España. El artículo 10 de este tratado habla de Gibraltar y dice:

«El rey católico cede a la corona de la Gran Bretaña la propiedad de la ciudad y castillo de Gibraltar, pero que esto es sin jurisdicción alguna territorial y sin comunicación alguna abierta con la región circunvecina de tierra, conviniendo su Majestad británica en que no se permita, por motivo alguno, que judíos ni moros habiten ni tengan dominio en la dicha ciudad de Gibraltar, ni que se dé entrada ni acogido en su puerto a los navíos de guerra de moros, que a los habitadores de la ciudad se les conceda el uso libre de la religión Católica Romana.»

Los ingleses, que a troche y moche invocan el tratado de Utrecht para legitimar su soberanía en el Peñón, conculcan reiteradamente lo acordado en el su siempre evocado tratado. En primer lugar exigen y han conseguido la comunicación por tierra que les estaba expresamente prohibida y pusieron el grito en el cielo cuando hace unos años se cerró la puerta. En segundo lugar, construyeron un aeropuerto en la zona considerada neutral. En tercer lugar, no sólo han admitido judíos en el Peñón, sino muchos de ellos han ocupado cargos políticos importantes y no digamos la cantidad de trabajadores marroquíes que residen o se trasladan a Gibraltar para ocuparse de los trabajos más penosos.

Se me dirá que estos dos últimos apartados, el de los judíos y los moros, son injustos y lógicamente caducados, pero, en este caso, ¿no estará también caducado el tratado de Utrecht que los impone? Ya dije antes que Inglaterra continúa aún hoy en día su tradición pirata.

En el excelente y recomendable libro de Fernando Díaz-Plaja *La vida cotidiana de los Borbones*, editado por Espasa Calpe, se narra la pintoresca proclamación del infante don Luis como príncipe de Asturias entresacándola del periódico *Cartas y Noticias*, publicado en 1707:

Entraron dos diputados en palacio, preguntaron por S. M. y pidieron que se le avisase que estaba allí el Principado de Asturias. Salió S. M. a la pieza del Dosel y habiéndole besado la mano le dijeron:

—Señor, corre que la reina nuestra señora ha parido y venimos a preguntárselo a V. M. en nombre de la provincia con sus diputados.

Respondió el rey:

—Sí, es cierto que ha parido.

Replicaron:

—Señor, ¿y qué ha parido su majestad?

Respondió el rey:

—Un infante.

Dijeron ellos:

—Mande V. M. nos lo enseñen.

Dijo el rey:

—Sí, haré.

Sacáronle, tomóle S. M. en los brazos y le besaron el pie sobre las mantillas diciendo que le reconocían en nombre del Principado por su señor natural y que le pedían para criarle conforme a sus privilegios. Alargó el rey al diputado más antiguo y dijo a ambos:

31

—Aquí tenéis al príncipe de Asturias, vuestro señor.

Recibióle el uno, el otro hizo sus ceremonias y le besó el pie diciendo:

—Éste es nuestro príncipe y señor.

Díjoles el rey:

—¿Si queréis volverle para criarle para no dar disgusto a la reina?

Tardaron un poco en la respuesta, hablaron entre sí los dos y dijeron:

—Sí, señor... Pero requerimos y protestamos a V. M. que en estando criado nos lo devuelva.

Dijo el rey:

—Sí lo haré.

Replicaron:

—Pues mande V. M. nos lo den por testimonio para en guarda de nuestro derecho como ha sido siempre estilo en España.

Volvió el rey al marqués de Mejorada, secretario de despacho, y dijo:

—Así lo mando; déseles testimonio de este acto.

Y los diputados volvieron a ejecutar sus ceremonias y se salieron.

Isabel de Farnesio

Al enviudar tenía Felipe V treinta y un años, quedó aplastado por el dolor y no pudiendo resistir el palacio del Retiro, cuyas estancias había compartido con su esposa, se trasladó a vivir a casa del duque de Medinaceli situado en el paseo del Prado, entonces simplemente calle. Frente al palacio de los Medinaceli vivía la princesa de los Ursinos, que ordenó que se le construyera un pasadizo de madera para unir las dos casas de forma que pudiese trasladarse desde su casa a la residencia del rey sin tener que pasar por la calle. Ni que decir tiene que tal hecho provocó multitud de comentarios, y tanto más cuanto se sabía que el rey vacilaba entre su conciencia religiosa y su deseo de tener compañía femenina en la cama.

Felipe V, que ya había dado muestras de desequilibrio mental durante su matrimonio, necesitaba, a juicio de la corte, una nueva esposa, y la princesa de los Ursinos, al poco tiempo de morir María Luisa de Saboya, empezó a buscar entre las princesas europeas aquella que podía ser más del agrado del rey y más dócil a sus ambiciones y poder.

Consultó el caso con el que entonces era primer ministro, Julio Alberoni.

Era éste hombre sagaz y astuto. Con permiso de mis lectores reproduciré algo de lo que conté en mi libro *Historias de la Historia*, primera serie, publicado por esta misma editorial.

En 1702 el mariscal francés duque de Vendôme entraba en Parma de donde había salido el duque Francesco Farnese o Farnesio, que gobernaba el ducado.

Quedó encargado de los asuntos del mismo el arzobispo de Borgo San Donnino, Alessandro Romovieri, quien fue a visitar al mariscal en el palacio que ocupaba. El duque de Vendôme le recibió mientras estaba sentado en su sillico que, según la Real Academia Española, es el nombre que recibe el «... bacín. Vaso alto y redondo para excrementos». La cosa no es de extrañar pues en aquellos tiempos no era inusual recibir a las visitas mientras se hacían las necesidades. Incluso se cuenta que madame de Pompadour, ya más avanzado el siglo, se hacía dar lavativas en su salón, apartada de sus visitas por un pequeño biombo por sobre el cual aparecía su cabeza conversando tranquilamente como si nada especial sucediese.

Pues bien, quedamos en que el duque recibió al arzobispo mientras hacía sus necesidades, cosa bastante difícil, pues sufría estreñimiento pertinaz y tenía hemorroides. Y pido perdón por dar esos detalles, pero son necesarios para el relato. Mientras el arzobispo iba presentando las demandas que debía presentar al duque, sin encomendarse a Dios ni al diablo se levantó del sillico y le mostró sus posaderas diciendo:

—¡Éstos son los problemas que me preocupan en este momento!

El arzobispo, indignado —no era para menos—, se levantó de su sillón y se fue. Pero era de todo punto necesario tratar con el mariscal y para ello encomendó la misión a un abate joven, muy listo, y al que tenía en gran estima. Era Julio Alberoni.

Se presentó, pues, el abate al mariscal, quien, avisado de la visita, le recibió sentado en su sillico y, en el momento de entrar aquél, sin dejar que pronunciase una sola palabra, enseñó su tafanario al mensajero.

El abate, ni corto ni perezoso, se acercó al duque exclamando:

—*Oh, che culo d'angelo!*

Lo dijo en italiano para no herir sensibilidad alguna.

Inmediatamente, y aprovechando la sorpresa del duque, le dio consejos para cuidar las almorranas y le pidió que le permitiese pasar a la cocina para prepararle unos platos especiales para el caso. No habló para nada de los asuntos que le había encargado el arzobispo, pero le presentó unos macarrones con mantequilla y otras viandas por el estilo y se despidió hasta el día siguiente, en que le obsequió con una sopa de queso y otras virguerías y luego se puso a tratar de los problemas parmesanos.

El duque de Vendôme le concedió todo lo que le pidió

y la presencia del joven abate se hizo necesaria para él; tanto que no sólo le recibió cada día, sino que al tener que volver a Francia se lo llevó consigo.

Estuvo en Flandes hasta la derrota de Oudenarde, luego fue a París acompañando siempre al duque y preparándole guisados exquisitos.

En 1710 el duque de Vendôme fue enviado a España para dirigir las tropas de Felipe V en la guerra de Sucesión. Y con él se vino nuestro clérigo.

Las tropas felipistas, bajo su mando, fueron de victoria en victoria. Después de la batalla de Villaviciosa, el duque de Vendôme fue a descansar a Vinaroz, en donde el 11 de julio de 1712 moría, según se dijo, de una indigestión de langostinos.

El abate se ocupó del cadáver, que fue llevado a El Escorial y enterrado en el panteón de los Infantes por orden expresa del rey. Se puede ver su sarcófago en la sala que se encuentra después de la horrible tarta blanca. Es la tercera o cuarta sepultura a mano izquierda.

Muy lista es la francesa princesa de los Ursinos, pero más todavía lo es el italiano Alberoni, y así, mientras la primera va barajando nombres de posibles esposas de Felipe V, Alberoni ya tiene *in mente* su candidata. No olvida sus orígenes parmesanos y en tanto la de los Ursinos escribe a Francia —«... a cada instante que transcurre se hace más urgente la necesidad de buscar una esposa para el rey. Como no ignoráis, la continencia produce violentos dolores de cabeza y sudores a su majestad y no es posible siquiera apelar al simple remedio de una amante ya que la conciencia del rey continúa siendo tan fuerte como su ardor temperamental»—, Alberoni va desechando las candidatas propuestas por la princesa esperando el momento propicio para colocar la suya.

Es curioso ver cómo Felipe V, procedente de una corte tan disoluta como la francesa y que tan francés se mostró en algunos de sus actos, tuviese escrúpulos de conciencia en aceptar una amante, cosa tan normal en Versalles.

El rey había dejado los asuntos del reino en manos de la princesa hasta tal punto que cuando sus ministros le proponían algo los enviaba a ella para que decidiese. Más de una vez le había sucedido esto a Alberoni y sabía, pues, que sólo convenciéndola a ella podría hacer realidad sus deseos.

—Comprendo —le decía— la importancia del problema, es menester encontrar a una princesa dócil que, al no saber nada de los asuntos del Estado, no se le ocurra inmiscuirse en ellos.

Poco a poco la princesa se dejó seducir por las palabras de Alberoni y cuando éste creyó que era el momento oportuno dejó caer el nombre.

—¿Por qué no Isabel de Farnesio? Es una buena muchacha, de veintidós años, más bien fea, de insignificante aspecto, que no piensa más que en atiborrarse de mantequilla y queso parmesano, gorda y educada en su país, en donde jamás ha oído hablar de nada que no sea coser y bordar.

La princesa no ve ningún inconveniente en el enlace. Una muchacha así no pondrá ningún impedimento a sus ansias de poder.

Sí, sí, la realidad es muy distinta. El padre Flórez nos dice que la princesa Isabel había estudiado desde su infancia «gramática, filosofía, geografía, sistemas celestes, historia, música, pintura, lenguas latinas, española, francesa y toscana, costumbres de naciones y hechos de varones ilustres». Ahí es nada.

El primer contacto, y último, entre la nueva reina de España y la princesa de los Ursinos nos lo narra el libro *Las reinas de España*, de González-Doria, en su página 292:

«Los muchos años, y la excesiva beligerancia que tanto don Felipe como su primera esposa le han dispensado, han hecho impertinente y demasiado subida de humos a María Ana de la Tremouille. Ya está ante Isabel de Farnesio, y pretextando que le duele una rodilla, apenas hace una leve reverencia a la reina; ésta se lo disculpa con una sonrisa que la Orsini va a interpretar muy equivocadamente; creyéndose que le va a bastar un gesto para adueñarse de la voluntad de la nueva soberana, pues a veces se logra más con un golpe de audacia que con la más reverente sumisión, toma María Ana de la Tremouille a doña Isabel por la cintura y, con gran sorpresa de ésta, le hace dar una vuelta, diciéndole a propósito del exceso de kilitos que delatan en la reina su afición a la mantequilla y a los buenos quesos parmesanos:

»—¡Cielos, señora, qué mal formada estáis! ¡Qué cintura tan gruesa!»

Y nos relata un autor que «al oír tal impertinencia, la Farnesio palideció y llamó al jefe de la guardia. En perfecto castellano, le ordenó tajante:

»—Llevaos de aquí a esta loca que ha osado insultarme.»

Era el oficial jefe de la guardia un tal Amézaga, quien, sabiendo el enorme ascendiente de que hasta este instante ha gozado la Orsini, no quería exponerse a futuras represalias de ésta, y por ello, con todo respeto, solicitó de la reina que la orden que le daba para que se detuviese a la princesa se la cursara por escrito; tomó asiento la reina Isabel en un banco y «escribió sobre su propia rodilla la orden de extrañamiento...». «María Ana de la Tremouille, con aquellas frases, con aquel gesto, acaba de ser derribada por la buena muchacha insignificante de la que astutamente había hablado Alberoni. Y sin darle siquiera tiempo para cambiarse de ropa ni para acudir a despedirse del rey, ni pudiendo viajar con más equipaje que el que desde Madrid había llevado hasta Jadraque, se hizo subir a su carroza a la princesa Orsini, se rodeó el vehículo con cincuenta soldados y se la condujo a la frontera francesa con prohibición rigurosa de que intentara pisar territorio español nunca más.»

Así terminó el «reinado» de María Ana de la Tremouille de Noirmoutier, viuda en primeras nupcias del príncipe de Chalais y en segundas del príncipe Orsini, duque de Bracciano. Los españoles, en vez de llamarla princesa Orsini, la llamaban princesa de los Ursinos.

Era Isabel de Farnesio hija de Eduardo de Farnesio y Dorotea Sofía de Neoburgo. Un embajador la describe diciendo: «Es alta y muy bien formada. Me parece que puede gustar aun no siendo bella. Tiene buen aire y ojos de cierta espiritualidad. Sin duda la viruela le ha quitado muchos encantos.» Esto de la viruela era moneda corriente en aquella época y tanto hombres como mujeres procuraban disimular sus estragos a base de capas de albayalde y abusando del colorete.

La monarquía francesa influía en la política española, pero la corte francesa, o mejor dicho, las modas de la corte francesa, se imponían en nuestro país. Como ahora, los perfumes y productos de belleza que venían de París se consideraban mejores que los autóctonos y vale decir que tan malos eran unos como otros. Como dice Claude Pasteur,[1] el reino de Luis XV no cambia nada en las costumbres de los siglos precedentes. La gente se lava poco. Un manual de urbanidad y cortesía del doctor en teología Juan Bautista de la Salle prohíbe el agua para el aseo. «Es conveniente por la mañana frotarse la cara con un lienzo blanco para limpiarla y, si es necesario, con saliva ya que es peor hacerlo con agua porque ello hace que la cara sea más susceptible ante el frío del invierno y del calor en verano. Es necesario también peinarse cada día los cabellos, pues ello impide la cría de piojos.» Se recomienda que cada mañana se laven las manos. De los pies no se habla.

Podemos imaginar el olor que desprendían las gentes de la aristocracia, que pensaba combatirlos con perfumes y no se le ocurría siquiera la idea de bañarse. Más adelante veremos cómo terminó Felipe V a este respecto.

Pero volvamos a nuestra reina. Alberoni se frotaba las manos de satisfacción al contemplar el éxito de su complot, que terminaba con efectos que no se había atrevido a soñar. No sólo instalaba a su candidata en el trono, sino que se desembarazaba de la princesa de los Ursinos, la única persona que le podía hacer sombra en sus ansias de poder. No sólo gobernará en adelante el imperio español, sino que por recomendación de la reina alcanzará poco después el capelo cardenalicio.

La entrada de los reyes en Madrid no fue tan calurosa como se esperaba. Si por una parte veían en Felipe V un rey amado y victorioso —el 11 de septiembre de aquel mismo año había caído Barcelona, dando con ello fin a la guerra de Sucesión—, la nueva reina no podía hacer olvidar de pronto el recuerdo de la reina anterior y que sabía llegar al corazón de las masas con gestos como el de presentar a su hijo Luis a la multitud diciendo:

—¡Éste es vuestro paisano!

Isabel sabe algo del ardoroso temperamento de su marido y sabe también que es en la cama donde deberá librar numerosos combates. Unos para adueñarse del corazón de su marido, otros para afirmar la influencia familiar y política que desea su ambición.

1. *Trois mille ans de secrets de beauté.*

Porque la reina es ambiciosa: heredera del ducado de Parma, piensa que si da un hijo al rey, su vástago tendrá posibilidades de reinar ya que ve muy difícil, por no decir imposible, que habiendo dos hijos del primer matrimonio del rey, Luis y Fernando, pueda llegar a ceñir la corona española un hijo suyo. No obstante, esto es lo que sucederá.

Una de las razones que abonaron la candidatura de Isabel para ser reina de España era la de proceder de una familia muy prolífica ya que su abuela, por ejemplo, había tenido veinticuatro hijos. No desmintió la reina la fama familiar ya que pronto quedó embarazada.

El día 20 de enero de 1716 la reina da a luz su primer hijo. Siguiendo el protocolo que la corte sigue en estos casos, el parto se efectúa en presencia de los personajes más importantes y de los embajadores de Francia y de Parma.

Como se supone que la reina no amamantará a su hijo, se han contratado siete nodrizas que serán renovadas sucesivamente porque el niño, al que se le impuso el nombre de Carlos, estuvo mamando dos años y quince días. La reina aprovechó el tiempo y durante él dio a luz otros dos hijos, un niño, que murió al cabo de un mes, y una niña, a la que se bautizó con el nombre de María Ana Victoria.

La vida matrimonial se desarrolla con una monotonía exasperante y una perfecta unión del rey y la reina. Dice Saint-Simon que «el rey y la reina duermen en la misma cama y les ha sucedido verse atacados de fiebre a la vez sin haberlos podido convencer que se separaran, aun haciendo llevar otra cama al lado de la suya. En la que los he visto, no tiene ni cuatro pies de ancha, con columnas y muy baja. Hace cinco años el rey estuvo enfermo durante varios meses, y la reina durmió siempre con él durante su enfermedad. Lo mismo ocurre cuando la reina da a luz, y en cualquier otra ocasión. Con la difunta reina sólo dejó de dormir dos días antes de su muerte.

»De placeres, sólo concede la caza y el matrimonio, y si algo puede abreviar la larga vida que le promete su temperamento nervioso, vigoroso, sano y de buena complexión, será el exceso de comida y de ejercicio del deber conyugal, en el que trata de excitarse con algunos socorros continuos. Insensible a todas las inclemencias, frío y calor, exige inútilmente a los demás la misma fuerza para soportarlos, hasta a la reina, aun cuando se halle indispuesta, embarazada o recién parida. Aunque la quiere mucho, parece que es más bien por egoísmo, y que al envejecer perderá mucho de su influencia. La primera mujer tuvo siempre mucha más, y aun al fin de su vida, atacada como estaba de una enfermedad repugnante y de fácil contagio, pareció muy afligido después de su muerte, si bien el consuelo llegó pronto y fácilmente.

»El rey y la reina sólo tienen las mismas habitaciones; los mismos aposentos para el mismo uso, la misma mesa para todo lo que quieren hacer y un casino para actos cortos, raros, indispensables; sus audiencias las celebran juntos, y para decirlo todo, tienen sus sillas agujereadas en el mismo sitio. Casi no salen el uno sin el otro; van a los mismos sitios, y en viaje o en paseo, siempre juntos y en una gran carroza. El retorno del viaje de Lerma fue, tal vez, la primera excepción a esta regla: el príncipe y la princesa volvieron con ellos. Comen también frente a frente mañana y tarde. El príncipe ha comido con ellos cinco o seis veces en su vida por azares de viaje y nadie más ha sido admitido a su mesa.»

El 29 de diciembre de 1719 fallece Felipe, segundo de los hijos de la reina María Luisa Gabriela de Saboya, y el mes de marzo del año siguiente la reina Isabel dará a luz a su cuarto hijo al que, en memoria del infante recientemente fallecido, se le impone el nombre de Felipe y que, con el tiempo, reinó en el ducado de Parma instaurando allí la dinastía borbónica.

Pero a todo esto, teniendo en cuenta que en 1715 había muerto en Versalles Luis XIV, el rey Sol, recordó Felipe V que su primer título había sido el de duque de Anjou y que podía pretender el trono de Francia. En París se había instaurado una regencia ostentada por Felipe, duque de Orleans, que gobernaba en nombre del rey Luis XV, a la sazón de catorce años de edad y que por su salud precaria hace suponer que el trono francés quedará pronto vacante. Ello hace que Felipe V se decida a abdicar y ceda el trono a favor de su hijo mayor, Luis.

La ceremonia se celebra el 15 de enero de 1724, y el 9 de febrero siguiente es proclamado Luis I como rey de España.

Pero las cosas no suceden como se habían previsto.

La salud de Luis XV va mejorando y las ambiciones de Felipe V se malogran. En vez de ir a París, el ex rey se traslada al Real Sitio de La Granja de San Ildefonso, en la provincia de Segovia, en donde se había hecho construir un palacio a imitación —aunque a escala reducida— del de Versalles, que tanto añoraba.

Luis I tiene dieciséis años y por ello se nombra un Consejo de Despacho compuesto por miembros absolutamente fieles a don Felipe y en especial a Isabel de Farnesio, dueña y señora de la voluntad de su esposo.

Pero siete meses después de haber subido al trono, el rey Luis I fallece a consecuencia de la viruela que le lleva al sepulcro en diez días.

Se plantea entonces el problema de si vuelve a reinar Felipe V o se proclama rey a su hijo Fernando bajo la regencia de su padre. Se consulta a una junta de teólogos que, siguiendo a un jesuita llamado Bermúdez, decide que la solución mejor es la de la regencia, y según González-Doria:

«La reina monta en cólera, y, dice Luciano de Taxonera, que "la animosidad de Isabel de Farnesio en contra del padre Bermúdez se deshizo en quejas, que más que quejas fueron inculpaciones, llenas de amargura y a veces hasta de iracundia, nunca avenida con la ecuanimidad que debe mantener la realeza...". Pero resulta que el padre Bermúdez era nada menos que el confesor del rey y cuando todos se hallaban todavía en la perplejidad de si Felipe V volvía a reinar o no, entró una tarde la reina en la cámara de su marido en el momento en que se hallaba postrado a los pies de aquel sacerdote; interrumpió doña Isabel sin ningún miramiento el acto sacramental, y ante el asombro del buen don Felipe y la confusión del padre Bermúdez, le increpó Isabel de Farnesio diciéndole que si en aquel instante ella se encontrase en el término de la vida "más querría morir sin auxilios espirituales que recibir la absolución de manos de semejante malvado".»

Total, que el rey Felipe V, haciendo caso omiso al parecer de la junta de teólogos convocada, y sumiso por completo a la voluntad de su esposa, se decide a reinar otra vez.

En 1726 Isabel de Farnesio da a luz a su quinto hijo, una niña, a la que se bautiza con el nombre de María Teresa. El alumbramiento tiene lugar en el palacio de La Granja de San Ildefonso y allí mismo, un año después, el 25 de julio, da a luz esta vez a un niño al que se le impone el nombre de Luis Antonio, que al poco de nacer es nombrado arzobispo de Toledo. Ya mayor, alcanza el capelo cardenalicio, pero, no sintiendo ninguna vocación religiosa, renunciará al arzobispado y al capelo y como no había recibido ninguna orden sacra, pasa a ser un ciudadano de a pie, infante de España, eso sí, pero que, siguiendo los dictados de su corazón, se casa después con una señorita de buena familia, aunque no de sangre real, llamada Teresa Vallabriga, de la que tendrá una hija que más adelante casará con Manuel Godoy, príncipe de la Paz y favorito de Carlos IV, y especialmente de la esposa de éste, María Luisa de Parma.

Felipe V, que ya había dado muestras de desarreglos mentales que le producían ataques cada vez más numerosos, con crisis de melancolía, conseguía algunas veces sobreponerse a la depresión, como cuando la reina quiso expulsar a todos los franceses de España, lo que estuvo a punto de conseguir haciendo firmar a su esposo una orden en este sentido. Poco después de hacerlo, el rey reflexionó y dio orden a sus criados que sacasen todos los baúles que había en palacio y los llenasen con sus efectos personales. Mientras estaban haciéndolo llegó la reina y preguntó a su marido la causa de tal desbarajuste, a lo que el rey respondió tranquilamente:

—¿No habéis dicho que todos los franceses debían partir de España? Pues yo soy francés y estoy preparándolo todo para irme.

Ni que decir tiene que la orden fue revocada.

Pero, aparte de estos momentos de lucidez, el rey cada vez está peor; tanto es así que los médicos coinciden en recomendarle un cambio de aires y la corte se traslada a Andalucía. Pero como dice el ya citado González-Doria, «Felipe V se repliega en sí mismo en el Alcázar sevillano, más abrumado que nunca; sus manías y excentricidades alcanzan en esta época un punto álgido; el rey llega a confundir el día con la noche, de modo que trastueca toda la organización cortesana: había que desayunar después de la puesta de sol; se almorzaba a las doce de la noche; a las tres de la madrugada, y ello en el más crudo invierno, salía a pescar en los estanques de los jardines del Alcázar, debiéndole acompañar la reina y los cortesanos; de madrugada mandaba ir a su cámara a los ministros y secretarios para despachar con ellos; cuando daban las ocho de la mañana se hacía servir la cena y, dando por terminada la jornada, se metía en la cama entre nueve y diez hasta las cinco o las seis de la tarde. No consentía en estos períodos que le lavasen ni le afeitasen; llevaba los bolsillos de la casaca repletos de tabaco y de triaca y tomaba del uno y de la otra a puñados, despidiendo tal olor, que si en otras ocasiones los cortesanos se disputaban el gran honor de gozar de la proximidad a la real persona, ahora tenían como el mejor de los alivios el poder estar lo más lejos posible de don Felipe. Dice Taxonera que "todo esto mortificaba extraordinariamente el ánimo de la reina, su esposa, que sobrellevó con heroico espíritu de amor y resignada firmeza las manías de su marido". Vemos, por tanto, que si Isabel de Farnesio no era un modelo de bondad ni de simpatía para con los demás, fue siempre una esposa ejemplar para su marido; cuando se acentuaban las crisis, la reina se esmeraba para conseguir que nada contrariase a Felipe V ni en nada se le contradijese».

Hay que reconocer la paciencia de la reina.

Por su parte, el doctor Cabanés, en su libro *Le mal héreditaire*, dice: «Como no quería interrumpir sus cacerías, le subían a una carroza o le sentaban en un caballo, incapaz como era de subir sin ayuda.

»Lejos de mejorar, la situación empeoraba. Felipe V hablaba nada menos que de hacer su testamento, en el que demostraría su amor hacia la reina, que le había llevado a aquel estado. Con Alberoni, Isabel le empujaba a redactar dicho documento, que debía revestir a ambos cómplices del poder supremo.

»Evócase sin dificultad el cuadro de un reino gobernado por un aventurero y por una mujer que no dudaba de su poder sobre un ser sin voluntad, cuyo tiempo se pasaba entre el reclinatorio y la alcoba.»

Para saber lo que pasaba en ésta, no hay más que prestar oídos a las palabras de Alberoni cuando el cardenal indigno fue vergonzosamente despedido como un criado. Según él, Felipe V no tenía más que «el instinto animal con el que había pervertido a la reina...; sólo necesitaba un reclinatorio y los muslos de una mujer *(sic)...».* El astuto cardenal había penetrado tan a fondo en la intimidad del matrimonio, que contaba de él las historias más picantes: cómo Felipe, agotado por las voluptuosidades y repleto de escrúpulos, saltaba fuera de su lecho, se arrodillaba contrito y lacrimoso ante los personajes de la tapicería, implorando de ellos absolución por el pecado de lujuria que acababa de cometer. Otras veces, acurrucado en su lecho, saltaba sobre el cura que venía a ofrecer la paz a besar, casi lo estrangulaba, y cuando el desgraciado había logrado desprenderse, la reina amenazaba al eclesiástico con hacerlo matar si se atrevía a revelar lo que acababa de pasar ante sus ojos.

Y por si alguien pudiera creer que lo hasta ahora citado es exageración de autores modernos de talante liberal y antimonárquico, veamos lo que dice el duque de Saint-Simon, contemporáneo del rey, a quien visitó en 1721: «La primera ojeada, cuando hice una reverencia al rey de España al llegar, me sorprendió tanto que tuve necesidad de apelar a toda mi sangre fría para reponerme. No vislumbré rastro alguno del duque de Anjou, a quien tuve que buscar en su rostro adelgazado e irreconocible. Estaba encorvado, empequeñecido, la barbilla saliente, sus pies completamente rectos se cortaban al andar y las rodillas estaban a más de quince pulgadas una de otra; las palabras era tan arrastradas, su aire tan necio, que quedé confundido. Una chaqueta sin dorado alguno, de un paño burdo moreno, no mejoraba su cara ni su presencia.»

Éste es el esposo que Isabel de Farnesio tiene que aguantar día y noche, pues no puede dejarle solo ni un instante. Mathieu Marais, en sus memorias, escribe: «No deja a su mujer. Están juntos, acostados, hasta las nueve o las diez de la mañana; hacen sus oraciones juntos, van a misa juntos. Después de la misa, juegan al billar juntos, hacen alguna lectura piadosa juntos, y después comen juntos. Después de comer, juegan al piquet juntos, van a pasear juntos, vuelven a leer juntos una vez más, y se ocupan juntos en buenas acciones; después cenan juntos, y, así, todo lo hacen juntos...»

Viste ya «un traje de paño burdo de un solo color, que le cae hasta media pierna, y un báculo que le sirve de bastón. Está atormentado sin cesar por un priapismo perpetuo que lo agota, y que tendrá todo el tiempo para emplear».

No hay duda que Isabel de Farnesio fue una esposa ejemplar, pero cabe preguntarse si ello fue debido al amor hacia su esposo o a la ambición de ocupar un trono y preparar otros para sus hijos.

En 1731 el infante don Carlos, primogénito de Isabel de Farnesio, es proclamado duque de Parma. Por fin ve la reina a uno de sus hijos instalado en un trono, precisamente el de sus padres. Ella ambiciona más pero se contenta con ello sin saber que el destino de don Carlos le deparará otras dos coronas a cual mayor.

En marzo de 1734 las tropas de Carlos de Borbón se apoderan de los reinos de Nápoles y Sicilia y es proclamado rey de las Dos Sicilias con capital en Nápoles. Ya no es duque, sino un rey. Mientras tanto, su otro hijo, el infante don Felipe, que se había casado con María Luisa Isabel de Francia, ocupa el trono que había quedado vacante en Parma.

Pero el fin de Felipe V se acerca. Ya no ocupa el Alcázar madrileño, destruido por un incendio. Vive recluido en el palacio del Real Sitio de San Ildefonso de La Granja mientras se encargan al arquitecto italiano Juvara los planos de un nuevo palacio real. De la magnitud del proyecto se puede tener idea si se considera que el actual palacio real de Madrid que se construyó ocupa aproximadamente la mitad de lo proyectado por el arquitecto italiano.

El rey está agotado. La reina asiste junto a él a las reuniones de los Consejos de Estado. Es ella la que se ocupa de todo, pues Felipe V parece no interesarse por nada y la deja hacer. El 9 de junio de 1746, mientras el real matrimonio está leyendo unos documentos recibidos de Nápoles, Felipe V cae muerto en brazos de su esposa. Tenía sesenta y dos años. La muerte fue tan repentina que no hubo tiempo de avisar a un médico ni a un sacerdote que le administrasen los últimos auxilios corporales y espirituales.

Isabel de Farnesio es ya reina viuda. Pasará momentos amargos cuando su hija María Teresa, casada con el delfín francés, muere sin dejar descendencia o cuando al subir al trono su hijastro Fernando VI se encuentre en perpetuo desacuerdo y lucha con su nuera Bárbara de Braganza.

Reside en La Granja y no cabe duda de que sigue comportándose como una reina.

Verá morir a su nuera y a su hijastro Fernando VI y verá subir al trono de España a su hijo primogénito Carlos.

Desde la muerte de Fernando VI hasta la coronación de Carlos III ejerció la regencia, que durará unos cuatro meses, terminado lo cual se retira satisfecha a La Granja, en donde se dispone a morir satisfechas sus ambiciones al ver a su hijo primogénito sentado en el trono de España.

El destino quiso que la muerte le sorprendiese no en el Real Sitio de San Ildefonso, sino en Aranjuez, donde se encontraba veraneando con su hijo el rey.

Ello sucedió el 11 de julio de 1766, cuando había cumplido setenta y tres años. Su cadáver fue trasladado a La Granja de San Ildefonso e instalado en un sepulcro al lado del de su esposo Felipe V. Se había roto la tradición de ser enterrados en el Escorial los reyes de España.

María Luisa de Orleans

Hace años, unos cuarenta o cincuenta, se proyectó en España una película sobre esta reina y cuyo nombre no recuerdo. Se la presentaba allí como una muchacha alegre, simpática y pizpireta que era la alegría de su esposo y de todos los que la rodeaban. En realidad la tal muchacha era desagradable y estaba como una cabra.

Era hija del regente de Francia Felipe, duque de Orleans, célebre por su vida disoluta y sus vicios, lo que no le impidió ser un gran gobernante.

Era la quinta hija del matrimonio de Felipe con María Francisca de Borbón, hija bastarda, pero legitimada, de Luis XIV. El matrimonio esperaba un hijo varón después de haber tenido cuatro hijas y por ello se decía que la neonata había empezado a ser desagradable desde el mismo momento de su venida al mundo.

Su llegada a él fue tan mal acogida que ni siquiera se la bautizó, y cuando se trató de su enlace con el príncipe Luis, hijo de Felipe V y heredero del trono de España, se dieron cuenta en la corte de Francia de que la prometida princesa no tenía siquiera nombre alguno; en menos de una semana fue bautizada y recibió los sacramentos de la confirmación y de la eucaristía, haciendo su primera comunión junto con el bautizo y la confirmación a los doce años de edad. Eso sí, a los cinco años asistía a la ópera.

A los cuatro años de edad tuvieron que sacarla del colegio en donde la habían metido, pues alborotaba todo el convento con sus caprichos y pataletas.

Cuando se acordó el matrimonio de María Luisa Isabel de Orleans con el príncipe de Asturias, de la que entonces se le llamaba *mademoiselle* de Montpensier, su abuela paterna escribía: «No puede decirse que *mademoiselle* de Montpensier sea fea: tiene los ojos bonitos, la piel blanca y fina, la nariz bien formada y la boca muy pequeña. Sin embargo, a pesar de todo esto, es la persona más desagradable que he visto en mi vida; en todas sus acciones, bien hable, bien coma, bien beba, os impacienta, por lo cual ni yo ni ella hemos vertido lágrimas cuando nos hemos dicho adiós.»

El regente de Francia había enviado a la corte española un retrato de su hija, que fue entregado al príncipe Luis, que contaba catorce años, y al parecer, al príncipe le gustó tanto que Felipe V se lo confiscó ya que según dijo alteraba el reposo nocturno del príncipe de Asturias.

Luisa Isabel de Orleans llegó a la frontera española con una comitiva de dieciocho carrozas. Juan Antonio Cabezas, en su libro *La cara íntima de los Borbones*, dice que «por su parte, los reyes de España, Felipe e Isabel, organizaban la comitiva española que había de recibir en la frontera a la hija del regente francés. Como camarera mayor había sido nombrada doña Luisa de Gante, duquesa de Montellano. Ella y don Álvaro de Bazán Benavides, marqués de Santa Cruz, fueron los encargados de organizar la suntuosa comitiva. También había sido formada la casa de la nueva princesa, de la que sería confesor el padre Lambrou, caballerizo mayor el marqués de Castel Rodrigo y mayordomo de semana el conde de Argensola. Las damas de honor serían la duquesa de Liñás, marquesa de Torre-Escurra, y un verdadero enjambre de criados, que eran el verdadero rococó de la servidumbre: oficiales de panadería, confiteros, reposteros, bizcocheros, salseros, aguadores, lavanderos de boca y de estrado, mozos de ceremonia, jefes de ramillete, cocineros de servilleta, cebadores de aves, guardias, médicos, cirujanos, sangradores, tapiceros, aposentadores, barrenderos, alguaciles y monteros. También formaban parte de la casa de la princesa veintitrés criadas; cincuenta y dos de la caballeriza de la reina y veintinueve de la caballeriza del rey. Para mayordomo mayor de la casa del príncipe había sido nombrado el duque de Pópoli y para los cargos de caballerizo mayor y sumiller de corps, el marqués de Balbases y el duque de Gandía.»

Imagine el lector el trastorno que tan extensa comitiva debía ocasionar en los pueblos que se veían obligados a alojarla.

Los novios se encontraron el 19 de enero de 1722 en la aldea de Cogollos; la novia, a pesar de su corta edad, pues tenía trece años, coqueteó con su futuro marido causando escándalo en los componentes de la pacata corte española. Pero su conducta era lógica dada la educación, o poca educación, que había recibido en la disoluta corte francesa. De cómo debía ser el comportamiento de la princesa se puede deducir de las palabras del francés duque de Saint-Simon, que le acompañaba: «La princesa de Asturias no puede disimular su carencia de educación. Se muestra engreída con sus damas y abusiva de la bondad de los reyes. Descubre inclinación hacia el príncipe y complacencia hacia los infantes, desatención por casi todo el mundo, escasa memoria de su padres y aun de Francia, exceso de mimo y obstinación en todos sus caprichos.»

Al día siguiente tuvo lugar en Lerma la ceremonia de la boda, tras la cual tuvo lugar una escena curiosa y protocolaria. Los príncipes fueron exhibidos ante la corte acostados en su lecho, pero el espectáculo dura sólo unos minutos, los suficientes para que Luis, muy sonrojado, y Luisa Isabel, muy tranquila, sean separados por el mayordomo y la camarera mayor en espera de que puedan consumar el matrimonio cuando la princesa sea núbil.

Digamos entre paréntesis que los regalos que se cruzaron entre los nuevos esposos fueron más bien curiosos. Por ejemplo, una de las primeras cosas que el príncipe Luis regaló a la princesa fueron dos fusiles de caza.

¿Cómo era el príncipe Luis? El ya citado duque de Saint-Simon nos dice que era «alto, delgado, rubio. Posee un rostro agradable, aunque la nariz es grande. Tira bien, gusta de la caza y baila a maravilla. El rey le quiere mucho, pero sin demostrárselo. Con la reina y los hijos de ésta tiene más aparente acuerdo que verdadero afecto. Es muy discreto y callado. Constituye, en fin, la pasión dominante de los españoles, que no se cansan de verle y perseguirle en masa con sus aclamaciones. Él los ama a la recíproca. Tiene la inteligencia de un niño, la curiosidad de un adolescente y las pasiones de un hombre».

El duque de Saint-Simon, cumplida su misión, iba a regresar a Francia. He aquí cómo describe la solemne audiencia de despedida:

«Estaba Luisa Isabel bajo un dosel, en pie, las damas a un lado, los grandes del otro. Hice mis tres reverencias, y después mi cumplido. Me callé luego, pero en vano, porque no me respondió ni una palabra. Tras algunos momentos de silencio, quise darle tema para contestarme y le pregunté si algo deseaba para el rey, para la infanta y para *madame*, el duque y la duquesa de Orleans. Me miró y soltó un eructo estentóreo. Mi sorpresa fue tan grande, que quedé confundido. Un segundo eructo estalló tan ruidoso como el primero. Perdí la serenidad y no pude contener la risa; y mirando a derecha e izquierda vi que todos tenían su mano sobre la boca y que sacudían los hombros. Finalmente, un tercer eructo, más fuerte aún que los dos primeros, descompuso a todos los presentes y a mí me puso en fuga con cuantos me acompañaban, con carcajadas tanto mayores cuanto que forzaron las barreras que cada uno había intentado oponerles. Toda la gravedad española quedó desconcertada, todo se desordenó; nada de reverencias: cada uno, torciéndose de risa, salió corriendo como pudo, sin que la princesa perdiese ni un átomo de su seriedad...»

Y esto era sólo el comienzo.

Por aquel entonces, en 1722, Felipe V e Isabel de Farnesio se retiraron a la Granja y dejaron solos a los príncipes en el palacio del Buen Retiro. La princesa, que no puede ver a sus suegros, empieza a extremar sus extravagancias que, si al principio fueron reídas por su marido, luego le dieron motivos de preocupación.

Luisa Isabel se burlaba de todo, empezando por el protocolo y terminando con el propio rey, su suegro; bien es verdad que éste daba motivos para ello. Felipe estaba siempre deplorablemente vestido. Un documento de 13 de julio de 1722 nos revela que no se había mudado de ropa desde hacía un año. Así, su traje caía hecho pedazos, principalmente su pantalón, descosido desde la cintura hasta abajo. Le servía de muy poco; cuando le sucedía algún desarreglo, sea porque se sentase, sea porque su pantalón cayese, se le veían los muslos al desnudo. Al principio, un ayuda de cámara de confianza le remendaba el pantalón; se cansó de hacerlo. El rey de España hacía él mismo los remiendos, con seda que pedía a las camareras. A veces, cuando salía para ir a misa, la reina sostenía con alfileres los jirones del pantalón y él la dejaba hacer. La sangre fría de que daba muestras entonces parece inconcebible.[1]

El 25 de agosto de 1723 el príncipe don Luis cumple dieciséis años y como su esposa ha tenido ya su primera regla, por fin pueden consumar el matrimonio. En carta dirigida a la corte francesa, un diplomático escribe: «Los príncipes aguardaban con impaciencia la llegada de sus majestades para ejecutar lo que ya les había sido permitido. Cuando arribaron los soberanos, pasó el rey a la alcoba de su hijo y le mandó desnudarse en su presencia; la reina efectuó lo propio con la princesa y la hizo acostarse, tras lo cual Felipe V condujo a don Luis al aposento de su alteza y lo metió en el lecho. A la mañana siguiente los reyes volvieron a la cámara. El príncipe parecía satisfecho; la princesa, acalorada; ambos muy alegres.»

La princesa está a punto de cumplir catorce años.

El 15 de enero de 1724, Felipe V abdica, es proclamado rey el príncipe Luis con el nombre de Luis I y empieza el reinado de la pareja más joven que ha habido en España, pues el rey tiene dieciséis años y la reina, como he dicho, dos menos.

Juan Balansó cita en su libro *La casa real de España* una carta del marqués de Santa Cruz al marqués de Grimaldi: «Esta mañana, después de haberse levantado, la reina se fue al jardín y por segunda vez volvió a almorzar con las criadas. A las once, estando en el tocador al tiempo de mudarse la camisa, se anduvo paseando en ropa interior por todas las galerías de palacio, dando locas carreras. Luego no quiso asistir al sermón en la capilla. A continuación se hizo guisar un pichón asado y esta tarde ha ido al cuarto de la priora y se ha llenado de rábanos, que no sé cómo no revienta, pues por comer se zamparía hasta el lacre de los sobres...»

Por su parte, el embajador inglés Stanhope escribe a la corte inglesa: «No hay nada que justifique la conducta inconveniente de la reina. A sus extravagancias, como jugar desnuda en los jardines de palacio; a su pereza, desaseo y afición al vino; a sus demostraciones de ignorar al joven monarca, responde el alejamiento cada vez más patente del rey ante a ella.»

1. Gonzalo de Reparaz.

El matrimonio está prácticamente desunido. El rey se dedica a cazar mientras la reina, cada vez más loca, se entrega a extravagancias como la que cuenta el ya citado Juan Balansó en su estupendo libro: «Un día en que Luisa Isabel estaba en la huerta de palacio, con un traje más que ligero, sin medias ni enaguas, y subida a una escalera cogiendo fruta, tuvo miedo de caerse y pidió socorro a grandes voces. El marqués de Magny, mayordomo de semana, fue hacia ella y la ayudó a descender "sin poder apartar su vista de ciertas interioridades reales que bien a la mano se alcanzaban", subraya un autor comprensivo. Aquel mismo día se quejó la reina a sus suegros de que el marqués había intentado ultrajarla, con lo que los soberanos se vieron en la necesidad de desterrarle. El lamentable incidente fue aireado a los cuatro vientos por Luisa Isabel, que casi se ufanaba de lo sucedido, comentándolo con palabras de mal gusto, impropias de su rango y reñidas con su condición. Luis, harto de reprenderla, decidió cortar por lo sano.»

Una tarde en que la reina había ido como todos los días a dar un paseo en carroza por la Casa de Campo, fue detenida a su vuelta por un escuadrón de los guardias de corps al mando de un oficial que, inclinándose respetuosamente, puso en sus manos un oficio, firmado por el rey, por el que se le ordenaba que se recluyese en el alcázar sin poder salir, no teniendo para su servicio más que las personas que habían sido nombradas. Atónita, la reina no tuvo más remedio que dejarse conducir al real alcázar, en donde quedó arrestada.

La noticia causó sensación, no sólo en España, sino también en las cortes extranjeras, a donde llegó la nueva comunicada por los embajadores respectivos.

Pero la sanción sólo duró seis días puesto que al cabo de este tiempo Luis I se reconcilió con su esposa y todo transcurrió en adelante como si nada hubiera pasado.

El 21 de agosto de 1724 el rey contrae la viruela y entonces se da el caso paradójico de que la reina se niega a apartarse del lado de su consorte y cuida de las llagas de su esposo con singular abnegación. No se aparta de la habitación del rey y a su lado está hasta que el día 31 de agosto el rey Luis I fallece a los diecisiete años de edad, mientras su esposa, que aún no ha cumplido los quince, acaricia cariñosamente sus cabellos, lo que demuestra que la reina no era mala, sino una niña alocada, inconsciente y mal educada.

El 15 de marzo de 1725 sale de Madrid la reina María Luisa Isabel de Orleans, que es tratada con todos los honores que corresponden a una reina viuda.

El 23 de diciembre llega a París y su vida no ofrece ningún rasgo especial que destacar. Su paso por España fue fantasmal. Reside en el palacio del Luxemburgo de la capital francesa, dedicándose a comer y a beber en demasía, lo que le hizo contraer una hidropesía que la llevó a la tumba a los treinta y dos años de edad.

Su cuerpo fue sepultado en la iglesia de San Sulpicio, en París.

La corte española, a cuyo frente volvía a estar Felipe V, guardó tres meses de luto.

Bárbara de Braganza

«Resuelto el dilema sucesorio que la muerte de Luis I planteaba, y habiendo accedido el rey don Felipe V a ceñir nuevamente la corona de España, determinó que se jurase príncipe de Asturias al infante don Fernando, único hijo que quedaba del matrimonio del rey con María Luisa Gabriela de Saboya. Aunque desde que se produjo la abdicación de don Felipe pasó a ser heredero del trono don Fernando, no se le había dado título de príncipe de Asturias por suponer todos que, dada la edad de los nuevos soberanos, don Luis y doña Luisa Isabel tendrían descendencia, reservándose por tanto la dignidad de tal principado para el primogénito que trajeran al mundo los jóvenes reyes. Ahora el panorama había cambiado por completo; Luis I moría sin hijos y el infante don Fernando no tenía ya simplemente derechos sucesorios eventuales, sino que era el inmediato heredero del trono. La ceremonia de la jura del Príncipe tuvo lugar el 25 de noviembre de 1724 en la madrileña iglesia de San Jerónimo; contaba en aquel momento don Fernando once años, pero ya juzgó prudente su padre ir pensando en buscarle esposa.[1]

A pesar de la joven edad del nuevo príncipe de Asturias, lo primero que se hizo en la corte fue buscarle novia. El rey Felipe V, que había vuelto a reinar después de la muerte de Luis I, mandó formar una lista con todas las princesas solteras que había en Europa. Llegaban al centenar y de ellas cerca de cincuenta fueron eliminadas por sobrepasar los veinte años; casi treinta, por el contrario, por no tener edad conveniente, y algunas otras porque por algún motivo político no se consideraba conveniente el enlace. Quedaron diecisiete, y durante cuatro

1. González-Doria, op. cit.

años se estuvieron barajando sus nombres para encontrar la princesa adecuada.

Al final se convino en que la mejor candidata era doña María Bárbara de Braganza, princesa portuguesa, por lo que se convino su matrimonio con Fernando al propio tiempo que la infanta española María Victoria, ex prometida de Luis XV de Francia, casaría con el primogénito del rey portugués Juan V.

Copio del ya citado libro *La casa real Española*, de Juan Balansó, lo que sigue: «Condición inexcusable era el consabido intercambio de retratos. Pero el plenipotenciario español se las vio y se las compuso para obtener una pintura de María Bárbara. Desde el primer momento, el secretario de Estado portugués puso toda clase de pretextos, y día a día, semana tras semana, difería contestar a la solicitud que se había hecho para que algún artista se pudiera acercar a la novia a fin de plasmar en lienzo su rostro y figura. ¿Qué razones estimulaban al ministro lusitano para obrar así? Nuestro embajador halló pronto la respuesta y escribió a Madrid con soltura de pluma: "La cara de la señora infanta ha quedado muy maltratada después de unas viruelas, y tanto que afírmase haber dicho su padre que sólo sentía hubiese de salir del reino cosa tan fea..." Y en un despacho posterior comunicaba: "He sabido que desde hace algún tiempo se le vienen aplicando a su alteza ciertos remedios por si fuera posible igualar los hoyos de la cara y hacer remitir el humor que destila por los ojos a causa de la cruel enfermedad, con lo que hasta concluida la curación no quieren los reyes permitir la vista de su hija." Al cabo se logró retratar a la infanta, pero el honrado embajador, al enviar el cuadro a Madrid, advirtió: "No está nada semejante; porque además de encubrir las señales de la viruela se han favorecido considerablemente los ojos, la nariz y la boca, facciones harto defectuosas."»

Fernando debió compartir esta opinión, pues apenas en posesión del retrato, lo guardó en su cuarto, y durante todo el tiempo transcurrido hasta su casamiento no tuvo a bien enseñarlo a nadie. Sin duda para prevenir comentarios sobre la birria que le habían buscado.

Porque doña Bárbara era fea, mucho más fea de lo que representaba su retrato, fea con rebaba, fea de campeonato, pero, adelantando los acontecimientos, digamos que fue una buena reina, algo avara, eso sí, y una excelente y ejemplar esposa.

Isabel de Farnesio, la reina esposa de Felipe V, sabía con toda seguridad que el príncipe de Asturias no podría tener posteridad y que la corona iría a parar a manos de su propio hijo, don Carlos, rey de las Dos Sicilias; así es que no tuvo miramiento alguno hacia un príncipe que no podía favorecer sus proyectos ambiciosos; lo consideró siempre como una cantidad despreciable.

La corte de Francia tuvo informes muy exactos sobre la enfermedad de Fernando. He aquí, en efecto, lo que se lee en un despacho de La Marck a Amelot fechado el 19 de enero de 1759 y conservado en los archivos de Affaires Etrangères de París: «Aunque por su gran juventud se encuentran en él los movimientos necesarios para contentar a una mujer, sin embargo le faltaba naturalmente lo que por artificio se quita en Italia a los que se quiere hacer entrar en la música, de manera que el príncipe tenía muchos fuegos, pero no producía ninguna llama ni resultado alguno propio de la generación.»[1]

La primera entrevista entre don Fernando y su futura esposa tuvo lugar en Caya, y de la impresión que causó al príncipe su prometida esposa da cuenta un embajador inglés, que escribió a Londres: «Pude observar que la infanta, aunque estaba cubierta de perlas y diamantes, desagradó al príncipe, que pese a sus prevenciones la miraba como no dando crédito a lo que veía. Claro que si bien la desposada es un verdadero adefesio, este defecto se halla compensado por su conocimiento de seis lenguas.»

Pues doña Bárbara, además de su lengua materna portuguesa, conocía perfectamente el español, el francés, el italiano, el alemán y el latín. Gran aficionada a la música, parece ser que incluso se atrevía a componer.

La boda, o mejor dicho la misa de velaciones, se celebró en la catedral de Badajoz.

La vida de los príncipes se desarrolla sin altibajos desde su matrimonio hasta 1746 en que a la muerte de Felipe V don Fernando sube al trono con el nombre de Fernando VI.

La reina viuda Isabel de Farnesio quiere intervenir en el matrimonio, y como dice un autor, Fernando VI:

1. C. Stryienski, *Ferdinand VI, roi d'Espagne*.

«En los comienzos de su mandato tuvo que luchar con las intrigas de su madrastra Isabel de Farnesio, a la que había permitido vivir en la corte y cuya costumbre inveterada, más que de mandar, de mangonear, le sería muy nefasta. Él trataba bien a sus hermanastros y había perdonado los muchos desdenes y malas voluntades de la italiana y su cortesana camarilla. Hasta que un día llegaron a oídos de Fernando y de Bárbara ciertas intrigas de la de Farnesio, que pretendía intervenir, según su vieja costumbre, en los asuntos de Estado y además perturbar la paz familiar de los monarcas. Fernando no se anduvo con paños calientes: el rey, con amabilidad no exenta de firmeza, advierte a su madrastra: "Lo que yo determino en mis reinos no admite consulta de nadie, antes debe ser obedecido y ejecutado." Isabel se encerró en La Granja y desde allí espiaba cuanto podía los secretos de la corte, siempre preocupada de que Bárbara pudiera tener descendencia, de lo que al parecer estaba bien libre.»[1]

Fernando VI fue un buen rey; su lema era «Paz con todos y guerra con nadie». Fue feliz en su matrimonio por ser sus aficiones parejas a las de la reina. Ambos gustaban mucho de la música y cada noche el cantor Carlo Broschi, más conocido por el sobrenombre de Farinelli, deleitaba a los reales auditores con sus canciones. Este Farinelli era una herencia recibida de Felipe V, quien se había deleitado con su voz de soprano, pues era castrado. Por ello los que intentaron calumniar a la reina insinuando unas posibles relaciones pecaminosas entre doña Bárbara y el cantante se vieron pronto desacreditados.

El reinado de Fernando VI fue un oasis de paz para España. Como dice Juan Balansó: «Al fin España, desangrada por tantos conflictos, llegaba a disfrutar de los beneficios de la paz a la sombra de un soberano grande en su modestia, que supo ver cuánto dañaba el afán de conquista a los intereses de la nación y cuánto trastornaba y perjudicaba a la prosperidad de la misma la larga serie de guerras que agotaban y arruinaban el erario público. España empezó a reposar de su agitada lucha pasada para entrar de lleno a consagrarse, tanto sus monarcas

1.   Juan Antonio Cabezas, *La cara íntima de los Borbones*.

como sus gobernantes, al resurgir del país en todos sus aspectos. En el terreno intelectual se fundaron numerosas academias y centros docentes. Fernando había comenzado a reinar con la nación sumida en problemas políticos y económicos muy graves. La dejó disfrutando de tranquilidad, con un ejército y una marina pujantes y sesenta millones de ducados en la tesorería. No es que el soberano fuese un superdotado, sino algo mucho más sencillo y eficaz: un rey que tuvo el sentido común de rodearse de colaboradores competentes, formando un equipo de primera calidad compuesto por hombres pertenecientes a muy diversos estratos sociales. Hombres de valía por encima de todo.»

Por su parte, la reina Bárbara, comprediendo que no podría tener hijos y que por ello a su muerte no podía ser enterrada en El Escorial al lado de su esposo por no ser madre de rey, decidió levantar en Madrid un suntuoso edificio para que albergase los restos de los dos. Para ello fundó el real monasterio de religiosas salesas, que fue ocupado por monjas venidas de Italia. Este monasterio alberga hoy en día el palacio de Justicia y la iglesia es conocida como de Santa Bárbara o de las Salesas. La magnitud del edificio hizo que el pueblo de Madrid fijase un pasquín en la puerta de la iglesia:

> *Bárbaro edificio.*
> *Bárbara renta.*
> *Bárbaro gasto.*
> *Bárbara reina.*

Y eso que el pueblo madrileño quería mucho a la reina.

En otoño de 1757 la corte se trasladó a Aranjuez y al año siguiente doña Bárbara de Braganza cayó enferma y moría a las cuatro de la madrugada del 27 de agosto de 1758. Su enfermedad no ha sido exactamente diagnosticada corriendo versiones que la achacaban desde unas fiebres malignas o tercianas hasta la lepra. El caso es que «había dejado dispuesto que su cuerpo se amortajara con hábito de religiosa del Instituto de San Francisco de Sales, esto es, de salesas, pero el lastimoso estado que ofrecía el cadáver, ya prácticamente una gusanera en total estado de descomposición, aconsejó envolverlo rápidamente en la misma sábana del lecho mortuorio, depositándolo inmediatamente en el féretro y sellando éste acto seguido, de manera que muy pocas personas pudieron ver muerta a la soberana».[1]

El rey no acompañó el cortejo fúnebre que llevó el cadáver de la reina hasta Madrid, sino que se retiró al castillo de Villaviciosa de Odón, en donde permaneció hasta su muerte, un año después.

«Después de la muerte de su mujer, Fernando VI cayó en una postración completa, se condenó a la soledad, el silencio y a la abstinencia. Durante un año entero no se cambió de ropa, no se vistió y no se acostó en una cama, durmiendo a veces media hora en su butaca, y murió a la edad de cuarenta y siete años, un año después que su mujer. Entre otras rarezas de la reina, estaba obsesionada por el temor perpetuo de caer en la miseria después de la muerte de su marido, idea que la hacía muy ávida. Pues bien, al producirse el fallecimiento del rey, un año más tarde que el de su mujer, se encontraron en su cuarto setenta y dos millones en monedas, en el momento en que el Estado se encontraba en la mayor penuria de dinero.»

Al morir la reina, como hemos visto ya, el rey cayó en un estado de depresión del que nada le podía hacer salir. Se encerró en el castillo de Villaviciosa y no pronunciaba una palabra, negándose a tomar conocimiento de los asuntos de Estado, de manera que no pudo redactarse una sola memoria ni despacharse una sola orden.

Lord Bristol escribía lo siguiente al célebre ministro inglés Pitt, el 13 de noviembre de 1758:

«El rey católico continúa en Villaviciosa, sin que se tenga esperanza alguna de variación de su salud... No quiere que le afeiten, y se pasea en bata y camisa; ésta no se la ha cambiado desde hace un tiempo increíble. No se ha acostado durante diez noches... No quiere acostarse, porque se imagina que cuando esté en esta posición se morirá.»[2]

Cuidaba del rey el doctor Piquer, quien nos ha dejado un informe sobre la enfermedad real que puede consultarse en el amplio extracto del mismo que publica Fernando Díaz-Plaja en su obra *La vida cotidiana de los Bor-*

1. González-Doria, op. cit.
2. Gonzalo de Reparaz, *Los Borbones de España.*

bones: «Aunque S. M. parecía estar bueno todo el tiempo que duró la enfermedad de que murió la reina, que fue desde el 20 de julio hasta el 27 de agosto, no obstante experimentaba ya cierta repugnancia a hacer las cosas regulares de la vida como a comer, dormir y salir al campo y al mismo tiempo le sudaba todas las noches la cabeza copiosamente. El temperamento del rey es melancólico e inclina a ese humor por disposición propia, de modo que sólo se hallan en los que son poseídos de la melancolía y la enfermedad que ya padeció S. M. años pasados que le duró trece meses (así se dice) muestra bastantemente que este príncipe abunda de sangre melancólica...

»... Según la relación de los médicos que entonces le asistían, se empezó la dolencia a manifestar con temores muy vivos, en que temía morirse o ahogarse o que le daría un accidente. Junto con esto, hacía algunas cosas que parecían extravagancias, atribuidas a genialidad, aunque a mi concepto la enfermedad las ocasionaba, porque empezó de allí a algunos días a dejar el despacho de los negocios, dejó de salir a la caza, no se dejó cortar el pelo ni la barba, y a este modo otras cosillas que indicaban claramente su dolencia. Dormía bien, pero siempre que despertaba eran los temores y melancolías mayores que antes; y con este motivo dejó la cama y se puso en una camilla infeliz, que es la que hoy mantiene. Creyó también que la comida le exasperaba, porque después de ella se sentía más agitado por las melancolías, y por esto algún tiempo estuvo tomando sólo la cena, bien que a horas intempestivas. Después de todo punto se quitó la comida sólida y sólo tomaba caldo de tarde en tarde; solía entonces hacer unos paseos por su cuarto, tan porfiados, que duraban diez y doce horas y poco a poco se iba enflaqueciendo.»

Para curar al real enfermo se recomiendan medicinas extravagantes como las que receta el propio doctor Piquer: «A la mitad de noviembre se dispuso por consentimiento general de todos los médicos de su majestad que tomase la leche de burra con el jarabe aceletírbico, de Torresto, que se compone de cochelaria y becabunga; pero no lo tomó. Después se dispusieron unos caldos con galápago, ranas, ternera y víboras que tampoco lo quiso tomar más que una vez.»

Parece que con razón.

«Su melancolía se acentúa y le dan verdaderos ataque de locura furiosa. Echa a la cabeza de sus servidores vasos y platos, trata de estrangularse con sus sábanas, con sus servilletas, siente grandes terrores y lanza gritos agudos; pronuncia palabras desconexas, tiene errores groseros de los sentidos, pierde la memoria. Suplica a los asistentes que le den ideas, ya que su cabeza está vacía: decía que no tenía pensamientos y que era forzoso morir por falta de ellos» (doctor Piquer).

El 6 de agosto de 1759 le da un ataque de epilepsia, quedando sin palabra, y tres días después sufre dos ataques más, a consecuencia de los cuales pierde los sentidos y queda paralizado. Muere por fin el día 10.

Fue enterrado en la iglesia del convento de las Salesas de Madrid, en un sepulcro frente al de su adorada esposa.

ANEXO

FARINELLI

Curioso personaje éste, de gran importancia en los reinados de Felipe V y Fernando VI. Había nacido en Nápoles en 1705 y cuando era niño sufrió una aparatosa caída, lo que fue pretexto para que los médicos le recetaran la castración.

Esta bárbara operación se efectuaba corrientemente en Italia en aquellos niños que parecían tener buena voz. Era menester para ello un certificado médico aconsejando la operación, pero en algunas regiones del país, especialmente en el sur, ello era fácil de obtener y así se multiplicaban los castrados de los que el último representante en el ambiente operístico murió muy viejo, ya entrado el siglo XX. Ello explica por qué en italiano la palabra «soprano» es del género masculino y así se dice *il* (el) soprano Montserrat Caballé, por ejemplo. Actualmente algunos lexicólogos abonan por dar el género femenino a tal palabra.

Farinelli fue alumno del gran Pórpora, considerado el maestro de los músicos napolitanos en su tiempo. En 1731 se trasladó a Viena y tres años después triunfó en Londres.

Cuando Isabel de Farnesio se enteró de su fama, ya que según testimonios de la época embelesaba a cuantos le oían, fueran sabios o ignorantes, amigos o enemigos, le mandó llamar creyendo que con sus cantos curaría o al menos apaciguaría, la profunda melancolía que se había apoderado de su esposo Felipe V.

La voz de Farinelli, que según testimonios de la época era fabulosa, con una extensión de dos octavas y media y un timbre dulce y flexible, causó impresión en palacio. Modesto Lafuente dice que a su llegada se dispuso un concierto «que oyó el rey desde la cama: las melodiosas arias de Farinelli conmovieron y reanimaron a Felipe, el cual, enamorado de la habilidad del cantante, le ofreció concederle cuanto le pidiese; Farinelli se limitó a pedirle que se reanimara, que dejara el lecho y asistiera a los Consejos: el monarca le complació. Farinelli le cantaba y le repetía todas las noches las arias que más le agradaban, el rey sentía alivio en su salud, y señaló al músico una pensión anual de 3 000 doblones, a más de otros regalos que la reina le hacía».

Cada noche, Farinelli cantaba las mismas tres canciones y terminaba su actuación haciendo gorgoritos imitando el canto del ruiseñor.

Llegó a ser director de la ópera, en donde hizo estrenar las mejores obras de su época, interesando a los madrileños en el gusto por la ópera italiana.

El rey le concedió el título de caballero de la Orden de Calatrava, lo que hizo decir a algunos que se había dado la espuela a quien no tenía espolones.

En honor a la verdad se ha de decir que Farinelli usó de su influencia siempre en beneficio de los desgraciados, inclinando el ánimo del rey hacia las buenas obras y el de la reina hacia los actos de beneficencia y caridad.

A la muerte de Felipe V continuó siendo el favorito de Fernando VI, aquejado de melancolía como su padre, pero a la muerte del rey, su sucesor Carlos III, que no era precisamente un amante de la música, le despidió comentando una vez en voz alta que a él no le gustaban los capones más que en la mesa.

Farinelli volvió a Italia en 1761. Volvió a actuar ante el público pero al poco tiempo se retiró a Bolonia, en donde se hizo construir una suntuosa mansión.

Allí murió en 1782.

María Amalia de Sajonia

En 1738 el futuro Carlos III de España era rey de Nápoles. Tenía veintidós años de edad y sus padres, Felipe V e Isabel de Farnesio, creyeron que ya era hora de que contrajera matrimonio. A este respecto dice González-Doria: «Ha manifestado Carlos, a propósito de su perspectiva matrimonial, que no tomará esposa sin que en ello manifiesten sus padres su aquiescencia plena, y ni a Felipe V ni a doña Isabel de Farnesio se les pasa por la cabeza pensar en la princesa sajona. La obsesión de don Felipe, desde que terminase venciendo en España a su contrincante Carlos de Austria, ha sido atraerse de alguna manera a su órbita al emperador, con una tenacidad que demuestra en él el firme deseo de no quedar sometido plenamente a los dictados de Francia, y piensa por ello que su hijo Carlos case con alguna de las hijas de su antiguo rival. El conde de Fuenclara llega a Viena con la propuesta española, pero la corte imperial le da calabazas de una manera no demasiado diplomática, y es entonces cuando, informado concienzudamente el embajador español de las características de una sobrina nieta del emperador, hija de la archiduquesa María Josefa, se inclina su ánimo en favor de la princesa María Amalia de Sajonia. Felipe V aprueba la elección, y su hijo el rey de las Dos Sicilias no cabe en sí de gozo, proclamando que si María Amalia es la elegida por sus padres, él no puede desear ninguna esposa mejor, ¡pues qué bien!»

Era don Carlos de mediana estatura, de mirada penetrante, que sería pasable si su rostro no fuese afeado por una descomunal nariz. Era el hombre a una nariz pegado que hubiese dicho Quevedo. Dócil de carácter en lo que se refiere a sus asuntos íntimos, no se dejaba presionar por nadie cuando se trataba de cuestiones políticas, en las que tuvo el acierto de contar con sus ministros que en general eran de gran categoría. Tanto Tanucci en Nápoles como después Aranda o Floridablanca en España demostraron ser excelentes gobernantes, dignos hijos de la Ilustración del siglo XVIII.

De su docilidad y sumisión en sus relaciones íntimas con sus padres, por ejemplo, es muestra que una vez éstos le escribieron preguntándole si tomaba rapé y él contestó al punto que no, pero que si le mandaban que lo tomase lo haría. Y en relación con su boda, escribía a Felipe e Isabel: «Yo no haré nada sin la orden de vuestras majestades», y para colmo cuando los reyes de España impusieron su matrimonio le escribieron felicitándole por su elección.

María Amalia tenía trece años, era bastante alta y desarrollada, era ya núbil, por lo que al casarse pudo consumarse el matrimonio a pesar de su poca edad.

Dice el historiador Pedro Voltes que «según testimonios de la época, la reina María Amalia, físicamente, no tenía nada de halagador. La nariz en forma de cubilete, los ojos pequeños y saltones, su fisonomía irregular y su voz chillona y desagradable inspiraron a un célebre poeta inglés la frase de que "esa reina, con su marido, formaban la pareja más fea del mundo"». Pero, en su trato, María Amalia no era una mujer desagradable. Gozaba de vasta cultura; hablaba el francés, sabía el italiano y conocía también el latín. Con el tiempo y con los años, su carácter debió de agriarse hasta el extremo de estallar en súbitas cóleras que la llevaban a pegar a sus damas.

A los quince años de edad y dos años de casada, María Amalia queda embarazada y en noviembre de 1740 da a luz una niña. Los padrinos de la neonata son los reyes de España, y como no pueden desplazarse a Nápoles, debido al estado de salud de Felipe V, son representados por el cardenal Acquaviva y la princesa Colombrano. A la niña se le impuso el nombre de María Isabel en homenaje a su abuela.

Catorce meses después da a luz a otra niña a la que se llamó María Josefa y que vivió tres meses. Poco después muere también María Isabel.

Nuevo embarazo de la reina y nueva niña, otra María Isabel. Vivió seis años.

Nuevo embarazo, nuevo parto y nueva niña, otra vez llamada María Josefa. Ésta vivirá muchos años y morirá soltera, encerrada voluntariamente en el monasterio de las Descalzas Reales de Madrid.

Pasan dieciséis meses, en 1745 nace la quinta niña, María Luisa, que en 1765 casó con Pedro Leopoldo, gran duque de Toscana y después emperador de Alemania.

Cinco partos con cinco hembras, lo que hacía difícil la sucesión varonil, hacen que el carácter de la reina se agríe y descargue su desazón con todos sus cortesanos y especialmente con sus damas de honor, a las que como hemos dicho llegaba a abofetear.

Refiere Fernán Núñez, biógrafo de Carlos III, que «hallábase en Nápoles la reina en vísperas de dar al reino otro hijo, y el rey había dictado una orden especial para que, llegado el momento de dar a luz su esposa, todos los palaciegos vistieran sus mejores uniformes, prestos a asistir al bautizo, que entonces se celebraba inmediatamente después del nacimiento. El príncipe Espacaforno, que era gentilhombre de cámara y disfrutaba de particular amistad del rey, se hallaba sirviendo la mesa en Nápoles, y a pesar de su buen cuidado, al servir un plato cayó un poco de salsa sobre el mantel. La reina, sin poder reprimir su mal genio, lanzó un agudo grito; el pobre Espacaforno, asustado, echó a correr. El rey le detuvo en su carrera diciéndole:

»—¿Adónde vas, loco?

»A lo cual el gentilhombre respondió con aguda oportunidad:

»—Señor, voy a ponerme el uniforme porque sospecho que la reina está pariendo.

»El rey no pudo reprimir la risa, miró de reojo a su esposa y maliciosamente observó:

»—¿Lo ves? Tu grito ha sido mal interpretado. —Y dirigiéndose a Escapaformo, repitió—: ¡No seas loco!»

Todos rieron el lance, que fue una lección para la reina.

Nuevo embarazo de la reina y nuevo parto. Esta vez, por fin, el anhelado varón, al que se le impuso el nombre de Felipe en homenaje a su abuelo y que debía suceder a su padre en el trono de Nápoles al pasar Carlos a ser rey de España. Pero no pudo realizarse este proyecto por ser Felipe subnormal y sujeto a ataques de epilepsia, incapaz, por lo tanto, de reinar. Tanto es así que en la solemne proclamación que leyó Carlos III en Nápoles al acceder al trono de España decía:

«Entre los cuidados y las graves atenciones que me ocupan a causa de la muerte de mi augusto hermano Fernando VI, me encuentro llamado a la corona de España; la imbecilidad notoria de mi hijo mayor fija particularmente toda mi solicitud. Un número considerable de mis consejeros de Estado, un miembro del Consejo de Castilla, otro de la Cámara de Santa Clara, el teniente de la Sommaria de Nápoles y la Junta entera de Sicilia, representada por seis diputados, me han expuesto unánimemente que, después de haber intentado por todos los medios posibles, no han logrado descubrir en el desgraciado príncipe, mi hijo mayor, el menor rastro de juicio, de inteligencia ni de reflexión, y que, no habiendo cambiado este estado desde su infancia, no sólo es incapaz de sentimientos religiosos y se halla privado de todo uso de razón, sino que no aparece para lo por venir ni el más pequeño vislumbre de esperanza.»

Cuando los médicos anunciaron a los reyes la subnormalidad de su hijo, éstos no cejaron en tener más descendencia. Otro varón nació poco después, fue llamado Carlos y reinó en España al morir su padre. De él se hablará en el capítulo siguiente.

En 1751 nació Fernando Antonio Pascual Juan, que en 1759 sucedió a su padre en el reino de Nápoles.

En 1755 nace Antonio Pascual. Este hijo de Carlos III merece un momento de atención. Casóse con la segunda hija de María Luisa, la infanta Maria Amalia, que murió dos años después, a los diecinueve años de edad.

Antonio Pascual era tonto de remate, casi tanto como su hermano mayor.

Era un comilón «sin más Dios que su vientre», a quien la reina María Luisa «graduaba de hombre de muy poco talento y luces», y agregaba, con razón, la calidad de cruel. Tonto y cruel son dos cualidades que suelen ser inseparables, y no puede sorprendernos verlas reunidas en Antonio Pascual.

Su estupidez tuvo ocasión de brillar en los asuntos de Estado. Los franceses le obligaron a salir de Madrid. Presidía entonces la Junta de Gobierno de Madrid, y su imbecilidad quedó registrada elocuentemente en la carta que dirigió, en momentos tan terribles para España, a Francisco Gil y Lemus, el vocal más antiguo de la Junta. Admire el lector la epístola:

«Al señor Gil. A la Junta, para su gobierno, la pongo en su noticia cómo me he marchado de Bayona de orden del rey, y digo a dicha Junta que ella sigue en los mismos términos como si estuviese en ella. Dios nos la dé buena. Adiós señores, hasta el valle de Josafat. Antonio Pascual.»

¡Esto fue lo que se le ocurrió escribir a este pobre tonto! Es una prueba fehaciente del estado de su cerebro, que era poco más o menos como el de toda la familia. ¡Qué puntos calzaría ésta que Antonio Pascual fue el mentor de Fernando VII en las jornadas de Bayona!

De la educación que recibió Antonio Pascual puede dar una idea la anécdota que narra el marqués de Villa-Urrutia en su obra *Fernando VII, rey constitucional* y que de rebote nos indica también la que recibió el propio Carlos III:

«La educación de príncipes e infantes, materia ardua de suyo, era aún más en la corte de España, donde dejaba mucho que desear, y de ello es un buen ejemplo lo que contaba el sabio obispo don Antonio Tavira.

»Quejóse en una ocasión a Carlos III el preceptor de los infantes, Pérez Bayer, de la desaplicación del infante don Antonio Pascual, que era, además, tonto, y el rey, sin responder al preceptor en derechura, dijo:

»—Cuando yo era muchacho, mis maestros, que veían mi poco amor al estudio, me amenazaron repetidas veces que se lo dirían al rey mi padre; casi siempre surtía buen efecto la amenaza; pero duraba poco la enmienda. Así, determinaron por fin quejarse al rey, y hubo orden de llevarme a su presencia. Dicho se está que yo llegué temblando y del todo sobrecogido. Mi padre, al verme, dijo a mis ayos, con grave ademán, que acrecentó mi temor:

»—¿Conque el infante no quiere estudiar?

»—No, señor —respondieron ellos.

»—¡Pues si no quiere estudiar que no estudie!

»Con esto volvió la espalda y se fue. Yo, que tal oí, di dos zapatetas en el aire y desde entonces no volví a abrir un libro.

»Tavira añadía que Pérez Bayer, que había trabajado con fervor hasta allí en educar a los infantes, se enfrió y les dejó después hacer su voluntad.»

Antes de Antonio Pascual, María Amalia había dado a luz un varón el 11 de mayo de 1752. Se le bautizó con el nombre de Gabriel y casó con su prima hermana la infanta María Victoria de Braganza, hija de los reyes José I de Portugal y María Ana Victoria.

También en 1754 nació María Ana, que murió antes de cumplir un año.

Y después de Antonio Pascual nació en 1757 el último de los hijos, al que se impuso el nombre de Francisco Javier y que murió en 1771.

Tanto María Amalia como el rey Carlos eran adictos al tabaco hasta el punto que se hacían enviar desde América cajones enteros de este producto. En uno de los envíos se dice: «Remito cuatro cajones de tabaco rotulado a la reina de las Dos Sicilias... cada uno de tabaco exquisito y de lo más fuerte por ser éste de su real agrado.»

María Teresa Oliveros de Castro, autora de *María Amalia de Sajonia*, la mejor obra que se ha escrito sobre esta reina, habla del vestuario de la reina e indica que la ropa interior de su majestad no era demasiado abundante por la costumbre habitual de cambiarse, que entonces era una vez al mes, y González-Doria afirma que doña Amalia «no debía ser muy destrozona en cuestión de calzados pues le duraron varios años tres pares de zapatos verdes, dos de muaré blanco, uno de color rosa con encaje, dos pares de chinelas rosas, un par de botinas y otro par de sandalias».

El mismo autor dice que «una de las distracciones de la reina María Amalia era la de ver pescar peces, y en muchísimas ocasiones acompañó a su marido en sus partidas de caza, que eran diarias, tanto en el buen como en el mal tiempo; practicaba con éxito la soberana la caza mayor, cobrando ciervos y gamos, según gusta luego comunicar en las cartas que con tanta frecuencia envía a España».[1] Los fuegos artificiales, a que tan aficionados son los napolitanos, le desagradaban mucho, poniéndola muy nerviosa el ruido, y detestando el olor a pólvora. Las fiestas de Carnaval, en cambio, le divertían bastante y participaba en ellas todos los años, incluso cuando se hallaba embarazada, lo que como podemos imaginar fácilmente era algo muy frecuente. En una de sus cartas a Isabel de Farnesio le dice: «... hemos comenzado el carnaval hoy hace diez días y nosotros tenemos baile dos ve-

---

1. Desde Nápoles, en donde entonces reinaba.

ces por semana, y de esta manera nos divertimos muchísimo...»

Durante el reinado de Carlos y María Amalia en Nápoles se descubrieron los restos de las ciudades de Pompeya y Herculano, cuyas excavaciones protegió el rey, iniciando con ello los modernos estudios de arqueología. Fundó el famoso teatro de San Carlos, y protegió a los músicos napolitanos, que crearon una escuela que fue famosa en toda Europa.

Pero el reinado en Nápoles se terminaba. El 10 de agosto de 1759 fallecía Fernando VI en España; en su testamento nombraba a su hermano Carlos su sucesor en el trono español y en Madrid se le proclama rey de España el 11 de setiembre. Se nombra en Nápoles un consejo de regencia, ya que Fernando, su sucesor, aún no ha cumplido los ocho años y los reyes preparan su traslado a España y llegan al puerto de Barcelona el 17 de octubre.

La ciudad condal recibe con entusiasmo a los nuevos reyes, que permanecen allí hasta el día 22, en que emprenden el viaje hacia Zaragoza, a donde llegan el 28. Nueva acogida entusiasta y en la que se produce una pintoresca anécdota. La familia real se alojaba en el palacio arzobispal y desde el balcón presenciaban un desfile de gigantes y cabezudos; éstos asustaron a los dos infantes más pequeños, que empezaron a llorar y alborotar hasta que la reina les alzó los faldones propinándoles algunos azotes. El público rió y vio reflejada en la familia real una vida familiar que les era muy conocida.

La estancia en Zaragoza se prolongó más de lo debido, puesto que los hijos del rey contrajeron el sarampión y no se reanudó el viaje hasta que estuvieron restablecidos.

Dice el tantas veces citado González-Doria, cuya obra *Las reinas de España* recomiendo a mis lectores, pues en ella encontrarán sabrosos detalles y curiosas noticias: «Por fin se restablecen el príncipe y los infantes, y la familia real sale de Zaragoza el día 1 de diciembre, haciendo su último alto en el camino antes de entrar en Madrid, en Alcalá de Henares, a donde llegan el día 8. El alojamiento de los reyes y de sus hijos estaba previsto en el palacio arzobispal, propiedad del señor de la ciudad, que lo era el cardenal-arzobispo de Toledo. La mansión presentaba un deplorable estado y aunque el Ayuntamiento había advertido de ello con bastante antelación al arzobispo, no dio éste muestras de tener el propósito de acondicionarla para el alto honor que iba a deparársele. El rey tuvo que sacar de su cama un colchón para que, poniéndolo en el mismísimo suelo, pudieran dormir en él las dos infantas; el príncipe y su hermano Gabriel pasaron la noche sentados en sillas por no haber cama para ellos, y los dos infantes más pequeños durmieron con la reina. No había ni una sola mesa en toda la casa, ni tampoco candelabros, por lo que las velas estaban esparcidas en el suelo y en algunos poyetes de las paredes. Por la lluvia torrencial que descargó en aquellos días, y al estar prácticamente intransitables los caminos, las mulas y carromatos que desde Zaragoza transportaban el equipaje de la familia real y los enseres necesarios para su acomodo en los lugares en los que la comitiva había de hacer paradas, se habían retrasado una jornada, con lo que la noche de Alcalá pasó a ser memorable.»

Carlos III tenía cuarenta y tres años cuando llegó a Madrid el día 9 de diciembre. Llovía torrencialmente, pero ello no impidió que el pueblo madrileño se lanzase a la calle para vitorear a los nuevos monarcas.

La hasta aquel momento reina regente Isabel de Farnesio los recibió en el palacio del Buen Retiro. Tiene que trasladarse en una silla de manos y le falla la vista. Suegra y nuera se encuentran por primera vez. María Amalia había escrito cartas muy cariñosas a la reina Isabel y ésta había correspondido con misivas del mismo tono, pero la realidad fue muy distinta y la esposa de Carlos III, cuando escribe a su familia, dice «es necesario que yo diga alguna palabrita sobre esta anciana, pues en Italia había formado un elevado concepto de ella pero su trato me ha hecho rectificar».

En realidad se trata del clásico choque entre nuera y suegra, agravado en este caso por la condición de las dos mujeres. Isabel de Farnesio quiere imponer su criterio después de haberse visto, aunque fuese por poco tiempo, dueña y señora de España en su calidad de reina regente. Por su parte, María Amalia, que ya lleva veintiún años de casada con su marido, quiere imponer el suyo aunque no se sabe exactamente en qué consiste, pues nada le agrada y se queja de todo.

Por supuesto se queja de su suegra, a la que visita con

cierta frecuencia, a lo que alude en una de sus cartas diciendo «ha dado la hora de ir a buscar la incomodidad de las dos horas de visita a la anciana».

Como no está concluido el nuevo palacio real, que es el que ahora vemos, se aloja en el del Buen Retiro, que le parece incómodo y destartalado en comparación con el palacio real de Nápoles. Le molesta el clima, tanto el de Madrid como el de Aranjuez, lugar en que se traslada la corte en abril de 1760. En una carta a Nápoles, dice: «Llueve, hace viento, cuando hace buen día hace un calor incómodo, no puedo comer buenas frutas y por este detalle podéis imaginar el resto. Una persona de cierta edad que haya vivido algún tiempo en Nápoles, difícilmente podrá acostumbrarse a este país. Las frutas de Aranjuez no valen nada, tan excelentes que eran las de Nápoles.»

La reina madre no puede aguantar la situación y se hace conducir a La Granja de San Ildefonso junto a los restos de su esposo Felipe V. Es una forma disimulada de huir de su nuera.

Carlos III, por su parte, ve con alegría la separación de las dos mujeres. Por fin le dejarán tranquilo. Se convierte en el mejor alcalde de Madrid. Recordando la fábrica de porcelanas que había fundado en Capodimonte, funda ahora una en el Buen Retiro. Ya a poco de instalarse en Madrid había introducido en palacio la costumbre napolitana del belén, que construyó con figuras que había traído de Nápoles. Pueden admirarse los primeros belenes de estilo napolitano en el palacio real y en el convento de las Descalzas Reales de Madrid.

Los reyes visitan de vez en cuando a la reina madre en su retiro de La Granja. La anciana está cada vez más trastornada. Como su difunto esposo, convierte la noche en día y el día en noche. Se levanta y desayuna a la hora de cenar y todo el horario queda trastornado por esta costumbre. No permite que se abra un solo balcón, mantiene siempre encendidas las chimeneas, con lo que Carlos III y María Amalia se ahogan en este enrarecido ambiente, acostumbrados como estaban al aire libre, pues los dos eran aficionados a la caza.

Pero tampoco la salud de la reina Amalia era muy buena. No hay duda que los repetidos embarazos y partos le habían afectado, a pesar de lo cual salía a acompañar a su marido en las cacerías, comía como un cosaco y fumaba como un carretero. Dice González-Doria que «en el archivo del palacio real se conserva esta nota relativa al transporte de medicamentos que había que hacer de La Granja a Madrid, cuando, apercibido el rey de que el estado de su consorte se agrava alarmantemente, ordena el regreso a la villa y corte: "... se necesitan para la conducción de la real botica, catorce acémilas, mas otras cuatro acémilas para conducción del botiquín, San Ildefonso, 11 de setiembre de 1760, Luis Gazeh."»

Quizá por primera vez María Amalia no acompaña a su marido en un viaje que en agosto de 1760 hace Carlos III a Segovia y el 11 de setiembre la corte abandona San Ildefonso de La Granja para trasladarse a Madrid.

Al llegar a palacio, María Amalia se mete en la cama, pues dice que se encuentra muy fatigada. Ya no se levantará de ella.

El pueblo de Madrid se interesa por la salud de la reina. De una reina que quizá no merece tal interés. Nunca habló en castellano y no comprendió jamás a los españoles. Los despreciaba, encontrándolos burdos y poco sociables. En una de sus cartas confiesa: «Para acostumbrarme a este país creo que no bastaría toda mi vida.»

El rey, que vio que su esposa no tenía salvación, estuvo a su lado hasta su fallecimiento. Antes de entrar en la agonía se hizo llevar el cuerpo de san Diego de Alcalá a su cámara, pero no pudo abrirse la caja o arca por defecto de un clavo, y no quiso la reina que se diese el golpe con el martillo; así sólo se encomendó al santo sin ver su cuerpo.

Murió el sábado 27 de setiembre de 1760, a los treinta y seis años de edad.

El rey quedó desolado y aunque le sobrevivió veintiocho años no se le conoce el menor devaneo físico o sentimental. Al morir la reina dijo: «Es el primer disgusto grande que me ha dado»; y al prior de El Escorial le confesó: «Mi sucesión está asegurada, no he conocido nunca más mujer que la que Dios me dio y jamás volvería a encontrar a otra esposa como María Amalia.»

Carlos III murió en diciembre de 1788.

ANEXO

CARLOS III VISTO POR EL HISTORIADOR INGLÉS WILLIAM COXE

Lejos de carecer de capacidad, si hubiera recibido su razón toda la cultura conveniente, no hubiese sido inferior a la elevada misión que había recibido del cielo. Estaba dotado de una memoria prodigiosa y conversaba con gracia y facilidad; notábase en sus discursos muy sano juicio y perspicacia y hablaba con igual facilidad el italiano, el francés y el español. Mientras permaneció en el trono de Nápoles mostró cabal conocimiento del gobierno y de los intereses del reino, y si jamás llegó a conseguir aquel grado de instrucción con respecto a los de España, no fue ciertamente porque le faltasen luces ni loable deseo de adquirirlo.

Diferenciábase mucho de su padre y de su hermano Fernando, a quienes ocupaban extremadamente las cosas más tenues; Carlos, por el contrario, tenía un carácter varonil y vigoroso, y jamás retrocedía ante las más duras pruebas. Los triunfos no lograban envanecerlo, ni acobardarlo las adversidades. Eran impenetrables sus secretos, y tan dueño era de sus sentimientos y exterioridad, que ni sus miradas ni su lenguaje descubrían sus pensamientos secretos. Habíase publicado ya en París el *Pacto de Familia* cuando en Madrid era completamente desconocido. Hallábanse los jesuitas en camino para salir de España, y los individuos de esta orden, cuya turbulenta curiosidad burlaba todas las precauciones de los particulares y el misterio de los gabinetes, no tenían ni siquiera idea de una medida tan enérgica, concebida y ejecutada con tanta prudencia.

Sus costumbres y su conducta eran irreprensibles, hasta el punto que, durante su larga viudez, jamás dio la menor ocasión para hablillas y murmuraciones. Tan severo como era consigo mismo lo era con los demás, sin ser indulgente siquiera ni con las flaquezas de la juventud, ni con sus hijos, cuya conducta vigilaba con igual severidad.

Fue escrupuloso observador de los principios religiosos, sin dejarse, empero, gobernar por su confesor, y mostrarse obediente servidor de la corte romana; antes bien, cuidaba mucho de que no invadiese el clero. Fue muy superior a sus antecesores en los esfuerzos que hizo, tanto para reformar los abusos como para limitar el poder del clero.

Aun cuando exigía con rapidez la más pronta y ciega obediencia a su voluntad; aun cuando no permitía a sus ministros que se apartasen en lo más mínimo del respeto que le debían, en lo cual era muy escrupuloso con todos, sin distinción de clases, modificaba su autoridad con una benevolencia sin límites. Si era respetado y temido como soberano, como hombre amábanlo todos, y los que lo habían tratado de niño encanecieron o murieron sirviéndolo.

Sus defectos eran poco numerosos, pero muy visibles; entre otros, no puede pasarse en silencio su amor a la caza, o, por mejor decir, su deseo de disparar tiros, que pronto se convirtió en una pasión dominante que absorbía toda su atención, haciéndole olvidar sus demás ocupaciones. Un viajero ha hecho la observación bastante cómica de que, si Tito miraba como perdido el día en que no había hecho algún bien, consideraba Carlos III como tal el día en que no había consagrado algún tiempo a su recreo favorito. Tanta importancia daba a sus hazañas de cazador, que escribió un diario en el cual apuntaba todas las piezas de caza que había cobrado. Poco tiempo antes de su muerte se jactó ante un embajador extranjero de haber dado muerte con su propia mano a quinientos treinta y nueve lobos y cinco mil trescientas veintitrés zorras, y añadió con la sonrisa en los labios: «Ya veis que mi recreo no deja de tener alguna utilidad para mi reino.»

Otro defecto era su tenacidad en sostener sus opiniones y las resoluciones que una vez había tomado. Jamás manifestó esta tenacidad más a las claras y con más fuerza que en la conducta que siguió con sus ministros. En cuanto había conseguido ganar su confianza o le eran familiares, por hábito se entregaba en sus manos sin reparo ninguno, sosteniéndolos no sólo contra el clamor popular, sino contra las quejas más fundadas de incapacidad y mala conducta. Así como las más de las personas dotadas de este mismo carácter, se envanecía de su terquedad.

En la época en que el ministro de guerra Muniain, a causa de una disputa, se retiraba a menudo de palacio pretextando una indisposición, hizo Carlos la observación siguiente: «Preciso es que don Gregorio Muniain tenga mucha confianza en mi conocida aversión a cambiar; porque, de lo contrario, no se atrevería a irritarme con tan continuas faltas de respeto.»

Con respecto a la dirección de su gobierno, se mostró Carlos en todo tiempo afanoso por la prosperidad de los españoles. Fomentó el comercio y la agricultura, favoreció las bellas artes, a que se había aficionado en Italia, distinguiéndose en muchas ocasiones como protector de la industria y promovedor de todos los conocimientos útiles. Durante su reinado brotaron las instituciones más provechosas al Estado, en las ciencias y en las letras, y se formaron infinitas personas interesadas en su cultivo, muchas más que durante el reinado de sus antecesores. En sus días, los españoles mostraron también que el espíritu de los viajes que tres siglos antes les había movido a surcar mares desconocidos y llevado al Nuevo Mundo, no se había apagado aún. Antes de los viajes memorables de los nuevos navegantes ingleses, emprendieron varias expediciones para explorar las costas e islas del mar Pacífico, y particularmente las costas del norte, del este, del sur y del sudeste del continente americano. Si los nombres de González, Monte, Ayala y Maurelle no han logrado una celebridad igual a la de Anson, Cook, Vancouver, Bouganville y La Pérouse, no es por falta de mérito por parte de tan eminentes pesonajes; antes bien, ha consistido esta oscuridad en la política suspicaz de su gobierno con respecto a todas las operaciones que mandaba hacer en las posesiones de América.

Como hijo de la casa de Borbón, tuvo Carlos III, durante toda su vida, una inclinación no menos fuerte que natural a Francia; pero como español y jefe de una gran monarquía, procuraba aparentar que era indiferente para con aquella nación. Con frecuencia manifestaba temores de que su gabinete se constituyese en pasivo ejecutor de las órdenes de Francia, como en tiempos de su padre. Sin embargo, se enteraba poco de los pormenores de los negocios y sus preocupaciones lo cegaban demasiado para dejarle medio de burlar las intrigas continuas y la política perseverante de aquella corona; en efecto, si se exceptúan los últimos años de su reinado, las operaciones principales de su gobierno se dirigieron más bien por principios favorables a la política extranjera que por intereses reales de la nación que mandaba.

Era Carlos de mediana estatura, y aunque no muy ancho de espaldas, eran sus formas fuertes y atléticas. Su complexión, si bien excelente, se resentía mucho de su ejercicio diario, y su rostro, expuesto constantemente a la intemperie de la estación, formaba un contraste notable con su color natural. Las facciones más notables de su rostro eran una nariz larga y largas pestañas, que crecían a medida que iba envejeciendo; pero lo que daba un carácter especial a su fisonomía era la expresión dulce y amable de su mirada. Su sonrisa y trato eran tan seductores que, vulgarmente, lo llamaba el pueblo «el buen rey».

Uno de los más notables viajeros de aquellos tiempos ha dejado una descripción característica del modo de vestir de aquel cazador. «Gasta casi siempre un sombrero de ala ancha, una casaca de paño de Segovia, una chupa de gamuza, un cuchillo de caza, calzones negros y medias de lana. Sus bolsillos están siempre llenos de cortaplumas, guantes y mil bagatelas útiles para la caza. Los días de gala usa un traje magnífico; pero como se propone ir de caza por la tarde y no quiere perder tiempo, los calzones negros los guarda con toda clase de traje. Me parece que sólo hay tres días en todo el año en que no va de caza, y los tiene apuntados en el calendario.

»Si esto sucediese con frecuencia, se resentiría de ello su salud; si se hubiese visto obligado a permanecer en palacio, infaliblemente habría caído enfermo. Ni la tempestad, ni el calor, ni el frío le impedían salir; y cuando se le dice que hay un lobo en tal o cual sitio, no se para jamás en la distancia: recorrería gustoso la mitad del reino por matar esa fiera, objeto favorito de su caza. Sin contar un número infinito de personas de la servidumbre real, empleadas en la caza, se toman con frecuencia, sea en Madrid, sea en las aldeas vecinas, hombres para hacer batidas y forzar a las zorras, jabalíes y otros animales a ir al desfiladero en donde se halla situado el rey con la familia real.»

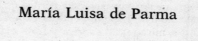

María Luisa de Parma

Cuando Carlos III se reunía con su familia establecía una tertulia en la que, como en todas, se comentaba la actualidad, tanto política como cortesana. En una de ellas ocurrió la anécdota que tanto dice del futuro Carlos IV. Al parecer se hablaba del adulterio de una dama de palacio y el príncipe dijo de pronto:

—Señor, en este aspecto nosotros los de sangre real tenemos una gran ventaja y estamos a salvo del peligro de que nos engañen nuestras mujeres.

—¿Pues? —pregunta asombrado Carlos III.

—Señor, porque es realmente difícil, por no decir imposible, que encuentren alguien por encima de nosotros con quien traicionarnos.

El rey le miró largamente y cuando se dio cuenta de que hablaba en serio, musitó:

—Qué tonto eres, hijo mío...

En noviembre de 1764 don Carlos cumple dieciséis años y su padre Carlos III considera que ya es momento de buscarle una esposa. Como dice González-Doria: «La escasa inteligencia del príncipe, su carencia absoluta de carácter y de ambiciones hacían aconsejable proporcionarle una legítima compañera que a poder ser supliera con sus dotes las deficiencias del joven.»

Pero parece que en la elección de esposa intervino más el sentimiento familiar que la razón política, pues en Parma reinaba un hermano de Carlos III y en Nápoles uno de sus hijos, por lo que más bien en la elección de esposa privó el sentido de alianza familiar borbónica que otros intereses.

La elegida fue María Luisa de Borbón, que había nacido en Parma el 9 de diciembre de 1751.

Mucho se ha escrito en favor y en contra de María Luisa, historiadores como Hans Roger Madol, Pierre de

Luz o el marqués de Villa-Urrutia la atacan sistemáticamente, y también sistemáticamente la defienden Juan Pérez de Guzmán, a quien Villa-Urrutia le imputa algunos errores históricos, Luciano de Taxonera, Carlos Seco Serrano, Juan Balansó y Fernando González-Doria. Llegando Pérez de Guzmán a querer que se incoase el proceso de beatificación de la reina que, claro está, no pasó de ser una idea sin consecuencias.

Dice Villa-Urrutia: «Pedida y concedida la mano de la princesa y la dispensa de su santidad por el estrecho parentesco de los contrayentes, que eran primos hermanos, se verificó el desposorio por poderes en la ciudad de Parma con el ceremonial acostumbrado, y a las cuatro y media de la madrugada del 29 de junio de 1765 salió la augusta desposada para Génova, a donde llegó el 3 de julio, alojándose en el palacio Tursis. En la mañana del siguiente día se le presentaron el conde y la condesa de Turín, con la servidumbre y comitiva alemanas de la infanta archiduquesa María Luisa, y por la tarde recibió al embajador de su majestad católica en Turín, el conde de Torrepalma, con la condesa, a los marqueses de los Balbases, el patriciado genovés y a muchos extranjeros que se hallaban en Génova para presenciar la llegada de las dos princesas.»

El 17 de julio fondeó en el puerto una lucida escuadra española, compuesta de nueve navíos de línea, dos chambequines y cinco embarcaciones menores, al mando del marqués de la Victoria, la cual conducía y escoltaba a la archiduquesa María Luisa. Desembarcó ésta al día siguiente y se alojó en el palacio de Tursis, del que se trasladó al de Doria, habiéndola ido a recibir la princesa de Asturias y cambiándose entre los acompañamientos de las dos princesas plácemes y felicitaciones, que se trocaron en pésames al saberse el fallecimiento del duque de Parma, ocurrido el día 18.

El 24 salió de Génova la princesa de Asturias, que desembarcó en Cartagena el 11 de agosto y continuó su viaje para el Real Sitio de San Ildefonso, donde estaba toda la familia real. Al llegar a Guadarrama, el 3 de setiembre, salió a recibirla el rey, que, después de saludarla y de comer con ella, la condujo en su propio carruaje al Real Sitio, en el que fue acogida por todas las reales personas con indecibles muestras de gozo y de ternura, teniendo más parte y más complacencia que nadie la reina madre doña Isabel Farnesio, al ver llegar a una nieta de la casa de Parma y de la de Borbón, que venía para ocupar el trono de España.

El conde de Fernán-Núñez, que tuvo la honra de hacerla su corte, apenas bajó la princesa del coche, dice que su corta edad de catorce años no cumplidos no permitía estuviese aún formado su cuerpo; pero su espíritu lo estaba más allá de lo que correspondía a su edad; lo cual atribuía el conde al talento y cuidado de la marquesa de Grigny, que había sabido educar a su desgraciada hermana, esposa que fue del emperador José II, y no había omitido nada para sacar igual fruto de la princesa. Su gracia, su tino y su viveza nada dejaban que desear y prometían todo lo que después acreditó la experiencia. Aquella misma noche se ratificaron los desposorios de los príncipes de Asturias, con las ceremonias de costumbre, vistiendo de gala la corte con tan plausible motivo, y al día siguiente asistió al tedéum que se cantó en la Real Colegiata, toda la real familia con sus respectivas servidumbres.

¿Cómo era María Luisa? Por los retratos que de ella nos dejó Goya no cabe duda que se la debe proclamar un adefesio. El canónigo Escoiquiz, en sus memorias, dice refiriéndose a la reina en sus años de madurez:

«Una constitución ardiente y voluptuosa; una figura, aunque no hermosa, atractiva; una viveza y gracia extraordinarias en todos sus movimientos; un carácter aparentemente amable y tierno, y una sagacidad poco común para ganar los corazones, perfeccionada por una educación fina y por el trato del mundo, de que una excesiva etiqueta no privó, como sucedía en España, sus primeros años, la habían de dar precisamente, aunque a los catorce de su edad, época de su casamiento, un imperio decisivo sobre un joven esposo del carácter de Carlos, lleno de inocencia y aun de total ignorancia en materia de amor, criado como un novicio, de sólo dieciséis años, de un corazón sencillo y recto y de una bondad que daba en el extremo de la flaqueza. Véase, pues, si se descuidaría en aprisionar su corazón con cadenas indisolubles y en acostumbrarle a su yugo una mujer que, a sus brillantes cualidades exteriores, ya enunciadas, juntaba un corazón naturalmente vicioso, incapaz de un verdadero cariño; un egoísmo extremado, una astucia refinada, una hipocresía y un disimulo increíbles, y un talento que, aunque claro, dominado por sus pasiones, no se ocupaba más que en hallar medios de satisfacerlas, y miraba como un tormento intolerable toda aplicación a cualquier asunto verdaderamente serio. La ignorancia consiguiente a esta inaplicación acababa de cerrar todo camino a su enmienda y de consumar la desgracia de su marido y de sus vasallos, obligándola a dar a las manos del favorito más inexperto las riendas del gobierno; siempre que él supiera aprovecharse del ascendiente absoluto que, a falta del amor, le daba el vicio sobre su alma corrompida.»

No se debe olvidar, pero, que Escoiquiz formaba parte de la camarilla de Fernando VII, que odiaba a su madre como veremos más adelante. El canónigo era su alma negra.

El buen historiador y defensor de María Luisa Juan Balansó, en su documentadísima obra *La casa real de España*, que recomiendo vivamente a mis lectores por su erudición y sano criterio, dice: «Desde luego, la Historia dista mucho de ser piadosa al hablar de María Luisa, hija del duque Felipe de Parma, que casó en 1766 con Carlos, príncipe de Asturias, heredero de don Carlos III. Tenía la novia catorce años y tres más el contrayente. Mengs la retrató de recién casada[1] y el espectador acostumbrado a la María Luisa que pintó Goya difícilmente reconocerá en la gentil silueta rococó a la avejentada soberana que centra *La familia de Carlos IV*. ¿Por qué? Acudamos al testimonio de un contemporáneo: Partos repetidos e indisposiciones la han marchitado por completo.[2] El matiz de su tez, que se ha hecho amarillento, y la caída de sus dientes, reemplazados artificialmente en su mayoría, fueron el golpe mortal para su aspecto.» Los únicos restos de su perdida lozanía eran sus brazos,

1. En el Museo del Prado.
2. Entre partos y abortos, veinticuatro. Se consiguieron catorce hijos, y siete fallecieron a poco de nacer. Vivieron: Carlota Joaquina, casada con Juan VI de Portugal; María Amalia, casada con su tío carnal el infante don Antonio Pascual; María Luisa, casada con el rey Luis I de Etruria; Fernando VII; Carlos (el futuro pretendiente carlista); María Isabel, que contrajo matrimonio con Francisco I de las Dos Sicilias, y Francisco de Paula. *(Nota de Juan Balansó.)*

verdaderamente esculturales. Tan orgullosa se mostraba María Luisa de ellos, que ordenó suprimir el uso de los guantes en las ceremonias de corte a fin de poder lucirlos desnudos.

Pero retornemos a la joven princesa parmesana, convertida por su matrimonio en heredera de España. La leyenda ha pretendido hacer de ella, desde sus primeros años en Madrid, una perfecta disoluta.

«Chulapona desgarrada, maja bravía donde las hubiere, buscadora perpetua de las sensaciones viriles de los apuestos cortesanos que la rodeaban y de los más granados guardias de Corps.» La descripción se las trae... pero su autor[1] demostró no tener ni la más ligera idea de lo que era la corte española en tiempos de Carlos III.

En aquella época, la vida de las personas reales carecía de libertad; cientos de ojos vigilaban sus menores actos, sus más pequeños gestos. «La existencia de la princesa de Asturias —escribe un autor mejor documentado— estaba presidida por el rígido protocolo que imponía la camarera mayor, siempre vigilante; en sus ausencias, las damas de honor mantenían este mismo cuidado pues ni un instante se separaban de su señora; las funciones más íntimas eran también acechadas por azafatas y mozas de retrete, y cuando la princesa dormía con su marido en el mismo lecho, los Monteros de Espinosa permanecían en la habitación contigua» (lo que ya era, realmente, el colmo...).

De lo anterior se deduce que si el comportamiento de María Luisa hubiera dado que hablar, no cabe duda de que Carlos III —hombre de costumbres muy rígidas en materia sexual y extraordinariamente severo como jefe de familia— hubiese puesto inmediato remedio. Sin embargo, hasta la muerte de su suegro —es decir, durante veintitrés años— no existe ningún dato histórico que pruebe que hubiese faltado la princesa de Asturias a sus deberes de esposa.

Es evidente que los precoces «extravíos» de María Luisa de Parma se inventaron *a posteriori* y con claras intenciones difamatorias.

Pronto empezaron las murmuraciones. ¿Calumnia?

1. Hans Roger Madol.

¿Verdad? Lo cierto es que María Luisa escribe al padre Eleta, confesor de Carlos III, protestando de su inocencia. El texto de la carta puede consultarse en la página 109 del citado libro de Juan Balansó. Parece ser que el padre Eleta habló con Carlos III y éste le dijo: «Por lo que a mí toca, si llegase a mis oídos alguna de estas especies sabré rebatirlas como debo.»

De Carlos IV, el marqués de Villa-Urrutia nos da la siguiente descripción: «Era éste uno de los Borbones de más corto entendimiento de cuantos se han sentado en el trono de España; hombre honrado a carta cabal, fiel a su palabra, bondadoso y crédulo en extremo, de gustos y costumbres patriarcales, sin más pasión que la caza, adecuado ejercicio para su naturaleza robustísima y eficaz remedio contra ciertas tentaciones, de las cuales, en obsequio a su salud, cuidaba su esposa de apartarle. Su timidez de carácter, su carencia absoluta de voluntad y de iniciativa, su natural dejado e indolente, su poca aplicación a ninguna suerte de estudios y de ocupaciones serias, le esclavizaron al mandato de la reina.»

La lista de amantes que se atribuyen a la princesa de Asturias es larga y figuran en ella Eugenio Eulalio Portocarrero, Conde de Teba, hijo de los condes de Montijo, Agustín de Lancaster, hijo del duque de Abrantes, Juan Pignatelli, y algunos más, sin que haya ningún asomo de veracidad en estas atribuciones. Todo es murmuración y chismorreo, aunque algunos autores lo den por verdadero sin basarse en documento probatorio alguno.

En 1788 aparece en la vida de Carlos y María Luisa un personaje que va a poner una importancia decisiva a sus vidas. Se trata de Manuel Godoy Álvarez de Faria. Se dice que poco después de su llegada a la corte, María Luisa, «mujer que buscaba a los gallardos guardias recién llegados para satisfacer sus apetitos», se fijó en él y lo convirtió en su amante. Esto es falso. Primeramente, Godoy llegó a la Corte en 1784, por lo que no es verdad lo de «poco después de su llegada a Madrid». Existe una carta de Luis Godoy, hermano mayor de Manuel, fechada el 12 de setiembre de 1788, es decir, cuatro años después de su llegada, en uno de cuyos párrafos se dice: «Manuel, en el camino de La Granja a Segovia, tuvo una caída del caballo que montaba. Lleno de coraje, lo dominó y volvió a cabalgarlo. Ha estado dos o tres días molesto, quejándose de una pierna, aunque sin dejar de hacer su vida ordinaria. Como iba en la escolta de la serenísima princesa de Asturias, tanto ésta como el príncipe se han interesado vivamente por lo ocurrido. El brigadier Tejo me ha dicho que hoy será llamado a palacio, pues desean conocerlo...»

Bastó esto para que se atribuyesen a María Luisa amores con Godoy. Ni decir tiene que crecieron de volumen cuando el joven llegó a ser privado de los reyes.

Tres meses después del episodio relatado moría Carlos III y subía al trono su hijo, con el nombre de Carlos IV.

El embajador francés Alquier describe la vida de Carlos IV de la siguiente forma: «Se levantaba el rey a las cinco de la mañana, oía dos misas, escuchaba la lectura de libros piadosos o profanos, pero serios, y pasaba a los talleres de ebanistería o de armería en donde trabajaba con la camisa remangada. Después de esto visitaba las caballerizas. Recibía a los individuos de la familia. Almorzaba solo y con mucho apetito. Concluido el almuerzo partía para la caza con seis coches, doce guardias y dos exentos poniendo en movimiento seiscientas mulas y quinientos caballos. Por la tarde se reunía con la reina en el paseo. Nunca había consejo porque cada ministro acordaba separadamente con sus majestades. La reina estaba siempre presente, siguiendo la costumbre establecida desde los tiempos de Isabel la Católica. El rey asistía a un concierto en su cuarto. Era violinista y muy experto en pintura.

»Después del concierto, el rey jugaba al tresillo con dos viejos nobles que desde hacía quince años estaban sujetos a esa enojosa asiduidad. Había otros cuatro o cinco que conversaban entre sí. El rey, fatigado por la caza, se dormía regularmente con las cartas en la mano. Los demás le secundaban y nadie despertaba hasta el momento en que se anunciaba la cena. Pasada ésta, el rey daba órdenes para el siguiente día y se retiraba a las once.»

Desdevises du Dézert escribe: «No era raro ver al rey de España y de las Indias conceder cada día un cuarto de hora a los asuntos y a pasar horas enteras con torneros, armeros o criados de cuadra. Carlos IV sería clasificado por los alienistas modernos en la clase de los semiimbéciles, capaces de recibir cierta instrucción, pero desprovistos de la más mínima dignidad y de la más mínima energía.»

Por su parte Gonzalo de Reparaz, en su libro *Los Borbones de España* —que debe manejarse con precaución por estar escrito al proclamarse la segunda República española con odio a los Borbones y a la institución monárquica, y que cito para dar paso a uno y otro bando en la cuestión de juzgar a Carlos IV y a María Luisa—, escribe:

«Del corpachón de Carlos IV se había ausentado la voluntad. Era de una abulia perfectamente estúpida. El 14 de diciembre de 1788, el mismo día en que se estrena el nuevo rey, empieza ya María Luisa a mandar. Oigamos a Jovellanos: "En este día primero ambos recibieron a los embajadores de familia y ambos despacharon juntos con los ministros de Marina y Estado, quedando desde la primera hora establecida la participación del mando en favor de la reina como naturalmente y sin esfuerzo alguno."

»Desdevises du Dézert nos pinta al rey como hombre de estatura elevada, pero de frente deprimida, ojos apagados y boca entreabierta, que marcaba su fisonomía con un sello inolvidable de bondad y de debilidad.

»Nada delata mejor su carácter que los cuadros de Goya.

»Es un buen gigante, fácil de conducir y tonto, pero con ataques de violencia terribles a veces. La caza, la esgrima, la lucha y el boxeo con palafreneros y marinos habían desarrollado su fuerza física y su energía natural.

»Todos los esfuerzos de los preceptores y de su padre tendieron a refrenar esta voluntariedad ciega; pero sólo se consiguió esto a costa de atrofiar completamente su voluntad (Desdevises du Dézert).

»Un día se le vio precipitarse, espada en mano, sobre Esquilache.

»En cierta ocasión maltrató a dos personajes eminentes, al marqués de Grimaldi y al conde de Aranda: a uno le dio una bofetada y al otro un bastonazo.

»Era devoto, pero con una devoción cuya finalidad única era alcanzar el paraíso sin gran dificultad. Oye varias misas diariamente e instala nacimientos y capillas en sus habitaciones.

»Su instrucción había sido muy poco cuidada, igual que había sucedido, según sabemos, con sus predecesores.

»Trató de complementarla posteriormente por lecturas. Placíale la pintura y la música y era un buen dibujante de jardines.

»Tenía, por otra parte, aficiones y gustos ridículos y pueriles.

»Pasábase horas enteras con torneros, armeros o mozos de cuadra, y cuando estaba de buen humor no le disgustaba boxear con ellos, como ya hemos dicho. Había hecho construir una fragata minúscula, que botó al agua en los estanques de Aranjuez, y había adornado su retrete como un lujoso tocador.

»Tenía además la manía de las colecciones. Primero, relojes; después, ya en Roma, cuadros.

»Poseía miles de relojes de todas formas y tamaños, que le absorbían mucho tiempo. Eran, puede decirse, los únicos objetos de que este monarca se preocupó cuando cedió el trono a su hijo Fernando; él mismo vigiló su embalaje al salir de España. Este tesoro le acompañó siempre en todos los sitios que habitó. El piso que ocupaba en el palacio Borghese estaba lleno de ellos. En su dormitorio tenía varias docenas de relojes, y su gran preocupación, su única ocupación, era cuidarse de ellos de manera que su marcha fuera exacta y uniforme.»

Pero volvamos al tercer personaje de esta historia, o sea Manuel Godoy.

Don Cándido Pardo, en su obra *Don Manuel Godoy y Álvarez de Faria, príncipe de la Paz*, tomando como base su filiación en el Real Cuerpo de Guardias de Corps, nos lo describe así: «... su estatura no pasó de cinco pies y cuatro pulgadas, poco mayor que la ordinaria, y no fue de facciones muy correctas, siendo de boca grande, aunque con excelente dentadura, que conservó toda su vida; de nariz prolongada y ancha y ojos pardos y desproporcionados con el arco de sus pobladas cejas rubias; de frente algún tanto estrecha y deprimida, donde no hubieran descubierto ambiciosa protuberancia los frenólogos. Su mayor hermosura consistía en una dorada y espesa cabellera y en el brillo de su blancura sonrosada. Fue ágil y bien formado, ancho de espalda y pecho y de musculatura bien desarrollada, que hacía de él un mozo apreciado y de gentil presencia.»[1]

1. González-Doria.

¿Cómo explicar sino pensando mal la meteórica carrera del favorito?

«Apenas hubo expirado Carlos III comenzó el diluvio de cargos, honores y riquezas sobre Godoy, entre los cuales se contaron los de príncipe de la Paz, duque y marqués de la Alcudia, duque y señor de Sueca, conde de Evaromonte, barón de Mescalbó, señor de la Campana de Albalá, de la Serena, de la Albufera, de las villas de Huétor, de Cantillana y Veas, de los Sotos de Roma y Aldorez; generalísimo y almirante mayor de España e Indias, jefe superior de los Reales Cuerpos de Artillería e Ingenieros, sargento mayor de la Guardia de Corps, coronel general de los regimientos suizos; primer ministro gentilhombre de cámara con ejercicio, consejero de Estado y decano del Consejo; regidor perpetuo de Madrid, Reus, Santiago, Cádiz, Málaga, Burgos, Valencia, Murcia, Gerona, Barcelona, Lérida, Toledo, Toro, Zamora, Asunción del Paraguay, Buenos Aires, México y otras muchas poblaciones, y titular de cargos, condecoraciones, honores y lucros de todas las especies, con profusión tal, que los que omito son por lo menos tantos como los reseñados. Godoy había nacido en Badajoz el 12 de mayo de 1767, de suerte que toda su carrera se desarrolló entre los veintidós y los cuarenta y un años».[1]

El pueblo no podía explicarse tan rápido encumbramiento sino a través de la alcoba de la soberana. Que esto lo diga la voz del populacho es comprensible. Ni niego ni afirmo, pero lo extraño del caso es que historiadores sesudos afirmen cosas basadas en documentos que indican lo contrario. Así, por ejemplo, Juan Antonio Cabezas afirma que «son las *Cartas confidenciales de la reina María Luisa* al "Amigo Manuel" publicadas por Carlos Pereyra en *Archivos secretos de la Historia*, en que aparecen, con tan escasa ortografía como abundante indiscreción, las últimas preocupaciones de la soberana por su valido, que siempre llama "Amigo Manuel". Si no hubiese otras pruebas del prolongado adulterio de María Luisa, estas cartas, en mala hora conservadas para la historia, serían suficiente testimonio de su liviandad.»

Pues bien, si algo indican estas cartas es una sincera amistad, íntima, sí, pero no pecaminosa. No contienen

1. Pedro Voltes.

98

ninguna de las expresiones características de la correspondencia entre dos amantes. Muchas de ellas van acompañadas de la firma del rey y de otras se desprende que están escritas en su presencia. Juzgar malévolamente esta correspondencia es tener ideas preconcebidas y jugar con la historia.

Pero ahí van dos anécdotas que indican lo contrario de estas cartas. La primera la entresaco de una nota que en la página 31 de su obra sobre la reina María Luisa dedicó el marqués de Villa-Urrutia. Dice así:

«Debo a la buena amistad de don Agustín G. de Amezúa el siguiente relato que hizo a su abuelo don Manuel Mayo de la Fuente el señor Gálvez Cañero, gentilhombre de Carlos IV, de una escena que presenció en Aranjuez en el mes de marzo de 1808, pocos días antes del motín.

»Cumplía su guardia en uno de los corredores de palacio, cuando vio que de pronto se abría una puerta de las habitaciones reales, dando paso a la siguiente comitiva: primeramente iba el rey Carlos IV, solo, con su andar tardo y las manos a la espalda; y detrás de él, a mediana distancia, juntos y formando pareja, la reina María Luisa y don Manuel Godoy. Llevaba la reina señales en el rostro o de haber llorado o cuando menos de abatimiento y contrariedad. En cambio, a su lado iba Godoy hablándole, aunque en voz baja, vivamente, con gestos y ademanes como de reconvención y reproche. La reina, por su parte, procuraba aplacarle, al parecer, en actitud de persona que se sincera y defiende de los cargos que se le hacen. No debió de lograrlo, sin duda, ni satisfacer al favorito las explicaciones que la reina le daba en su camino, porque subiendo de punto el enojo e irritación de aquél, pudo ver distintamente el asombrado palaciego que Godoy, colérico, alzaba la mano e imprimía una sonora bofetada en la mejilla de la reina. Ésta no protestó; pero al ruido del cachete volvió la cabeza Carlos IV, que preguntó:

»—¿Qué ruido es ése?

»A lo que contestó María Luisa, que iba muy agitada y encendida:

»—Nada: un libro que se le ha caído al suelo a Manuel.

»Y la trinidad prosiguió su marcha como si nada hubiera ocurrido.

»Esta escena la presenció, además del gentilhombre susodicho, otro cortesano que hacía su guardia en el extremo opuesto del mismo corredor. Ambos se miraron a distancia y se reconocieron; pero temerosos de que, sabiéndose el lance en palacio, pudiera achacarse a ellos su noticia, callaron y nada se dijeron, como si nada hubieran visto, hasta que muchos años después, muertos Carlos IV y María Luisa, se comunicaron mutuamente el episodio, comentando por vez primera, tranquilos ya, tanto lo extraordinario de la escena como el peligro corrido al presenciarla.»

La otra anécdota es la siguiente: hubo un momento en que Godoy y la reina se distanciaron y se dice que por aquel entonces, según cuenta Desdevises de Dézert: «En marzo de 1800, durante un enojo con Godoy, la reina había tomado como favorito a un cierto Mallo. El rey dijo un día a Godoy:

»—Manuel, ¿qué pasa con este Mallo? Todos los días le veo coches nuevos y nuevos caballos. ¿De dónde saca tanto dinero?

»—Señor —contestó Godoy—, Mallo no tiene un ochavo; pero se sabe que lo mantiene una vieja, fea, que roba a su marido para pagar a su amante.

»El rey rió a carcajadas, y dijo a la reina, que estaba presente:

»—Luisa, ¿qué piensas de esto?

»—Por Dios, Carlos —repuso la reina—. ¿No sabes que Manuel siempre está de broma?»

He aquí cómo por aquel entonces describe a la reina el embajador francés Alquier: «La necesidad de ocultar a los ojos del rey, desde hacía treinta años, el desorden de su vida, la ha acostumbrado a un consumado disimulo. No hay mujer que mienta con más aplomo ni que tenga más perfidia. Antidevota y hasta incrédula, pero débil y tímida, la apariencia del menor peligro le hace sentir todos los terrores, y cuando oye un trueno, echa mano de rosarios y reliquias. Escribe diariamente al príncipe de la Paz, y recibe, en cambio, noticias de cuanto ocurre en Madrid. A los cincuenta años tiene unas pretensiones de coquetería que apenas serían perdonables en una mujer joven y bonita. Gasta en alhajas y adornos sumas enormes, y es raro que llegue de París un correo de gabinete de la Embajada sin traerle dos o tres vestidos.

»Nadie sabe decir mejor las vaciedades de una audiencia, ni posee más gracia y amabilidad en sus preguntas a las personas a quienes dirige la palabra. Es difícil reunir mayor desparpajo y soltura.

»Ella es quien reina. Las observaciones que hace, su aprobación o su negativa son ley irrevocable. Sacrificando siempre los intereses de la monarquía a sus gustos y antojos más escandalosos, envilece y hace odioso el reinado de Carlos IV, que es el mejor de los hombres y el más débil de los reyes. Sin otro talento que el de agitar con las más miserables intrigas a las personas que se le acercan, no sirve más que para reinar sobre lacayos.

»No quiere ni a sus amantes: Godoy le pega y la insulta, los otros le roban.»

El marqués de Villa-Urrutia cuenta en su libro sobre la reina, tantas veces citado, un episodio realmente interesante. «Recorrió por aquel tiempo la España entera un capuchino extraordinario, el venerable fray Diego de Cádiz, cuya popularidad era tan grande que las ciudades se despoblaban para oírle, recibiéndole en muchas bajo palio y con la ropa tendida por donde pasaba, y aun dentro del templo rodeábanle soldados para impedir que la indiscreta devoción de muchos cortase pedazos a su hábito. El año de 1781 vino el santo misionero a predicar en Aranjuez la novena de San Antonio en la capilla de este santo que tenían entonces en el Real Sitio los religiosos franciscanos de la Esperanza. Debió volver a Aranjuez al año siguiente, a predicar una misión, pues en una de sus cartas al padre maestro Francisco Javier González, fechada el 18 de marzo en aquel Sitio, le contaba que llamado por los príncipes, los visitó en palacio y le recibieron en pie con demostraciones de singular benevolencia, que le sirvieron de admiración, la cual creció hasta el asombro cuando vio a la princesa ponerse de rodillas para que le diese la bendición. Dos papeles le escribió luego María Luisa, pidiéndole el remedio de varias necesidades, especialmente de una, que sin milagro manifiesto no lo tiene. "A esta señora —añadía fray Diego— me siento interiormente tirado con una de aquellas fuertes inclinaciones que me hacen pedir con lágrimas el bien de su alma, que, aunque no es perdida, se apetece sea mejor el ejemplo que dé a todos. Vivo confiadísimo en su logro, porque es una de tres almas que en particular pedí al Señor me concediese en esta misión, y las otras dos ya me las ha concedido." Y un mes después escribía desde Málaga: "El mayor cuidado que me traje fue el de la princesa nuestra señora, la que se quedó como se estaba, sin la resolución que necesita y tan de veras le pedí a Nuestro Señor." Pero las lágrimas y las operaciones del venerable no lograron que se realizase el milagro indispensable para remedir la necesidad de que María Luisa adolecía y que, lejos de irse amortiguando con los años, habíala hecho imprescindible la costumbre.»

Pero el valimiento de Godoy tocaba a su fin. En palacio se conspiraba casi abiertamente y el jefe de todo era el príncipe de Asturias, Fernando, que odiaba a su madre, a lo que ella respondía con la misma aversión. El pueblo cantaba canciones obscenas en contra del favorito de la reina, de las cuales la más publicable es la siguiente:

> Entró en la guardia real
> y dio el gran salto mortal.
> Con la reina se ha metido
> y todavía no ha salido.
> Y su omnímodo poder
> viene de saber... cantar

> Mira bien y no te embobes,
> de bastante ajipedobes.
> Si lo dices al revés,
> verás lo bueno que es.
> Y como el ingenio aguza
> le hace duque de la Alcuza.

> Como miró por su casa,
> fue príncipe de la pasa.
> Que España e Indias gobierna
> por debajo de la pierna.
> Es un mal bicho al que al cabo
> habrá que cortar el rabo.

> La realeza te hizo
> muchos favores
> y tú sólo le diste
> ajipedobes.

Anda, Luisa,
pronúncialo a la contra;
verás qué risa.

Fernando, empujado por su alma negra el canónigo Escoiquiz, decidió conspirar contra su padre intentando destronarle.

Se puso en contacto a través de Escoiquiz con el embajador francés, con el conde de Montijo, el duque del Infantado y otros nobles, todos enemigos de Godoy. Pero la trama fue descubierta. Así lo cuenta Pedro Voltes en su inestimable libro *Fernando VII, vida y reinado*.

«El 27 de octubre de 1807 apareció en la mesa del rey, en El Escorial, donde estaba la corte, un pliego anónimo con aviso de gran urgencia, en el cual se le advertía que el príncipe preparaba un golpe de mano en palacio con peligro de la corona para el rey y de la vida para la reina, la cual estaba en un tris de perderla envenenada. Carlos IV se dirigió en seguida, aun siendo hora avanzada, a los aposentos del príncipe, con ánimo de explorar cuanto pudiera el aviso tener de cierto. Para colmo de disimulo, según sus cortas luces, se le ocurrió echar mano de un libro, y así apareció en la puerta de su hijo, diciéndole sobre poco más o menos:

»—Fernando, he venido a esta hora intempestiva para hacerte obsequio de este libro, que recoge las poesías dedicadas a la gloriosa defensa de Buenos Aires.»

Los cronistas están acordes en reseñar que el príncipe dio muestras de gran turbación. Aunque hubiera sido inocente del todo, no era para menos que se alterase, puesto que jamás se había visto que un rey de España compareciese en la alcoba de su hijo con semejante motivo y pronunciase parecido discurso. (Por lo demás, el libro era de mérito, dicho sea entre paréntesis, y refería en verso la defensa de la capital platense por Liniers, en 1806, contra una invasión inglesa.) Advirtió el soberano el nerviosismo del príncipe, se lo hizo notar, creció éste en agitación y, de una cosa a otra, pasó el rey a fijarse en unos papeles que Fernando quería ocultar y que sólo consiguió poner más de relieve. En suma, el rey ordenó aprehender todos los papeles que hubiera en aquellas habitaciones e incluso registró los bolsillos de su hijo.»

Entre los papeles incautados había un manifiesto al

rey donde se atacaba fuertemente a Godoy, indicando la necesidad de su detención y que una vez efectuada ésta se le impidiese hablar con la reina así como una serie de cartas que la difunta princesa María Antonia, esposa de Fernando y de la que se hablará después, había dirigido a su madre. Correspondencia que estaba llena de ataques a María Luisa y de chismorreos de la corte, ofensivos para la reina.

Fernando, cobarde y traidor como lo fue a lo largo de su vida, delató a todos sus cómplices omitiendo solamente el nombre de Beauharnais, embajador de Francia.

Carlos IV, que ignoraba la complicidad de su hijo con el embajador francés, y en vista de que el ministro de justicia español proponía la pena de muerte para varios de los encartados en el proceso que se siguió al príncipe, tuvo la ocurrencia de enviar la siguiente carta a Napoleón:

«Mi señor hermano: En el momento en que no me ocupaba sino en los medios de cooperar a la destrucción de nuestro común enemigo, cuando creía que todos los complots de la ex reina de Nápoles habían sido sepultados con su hija, veo con un horror que me hace estremecer que el veneno de la más terrible intriga ha penetrado hasta el interior de mi palacio. ¡Mi corazón sangra al hacer el relato de tan horrible atentado! ¡Mi hijo, el heredero de mi trono, había formado el siniestro proyecto de destronarme, llegando hasta el exceso de querer atentar a la vida de su madre! Tan horrendo atentado debe castigarse con el rigor ejemplar de las leyes. La que le llamaba a la sucesión debe ser revocada; uno de sus hermanos será más digno que él de reemplazarle en mi corazón y en el trono. Me ocupo en este momento de descubrir sus cómplices para profundizar este plan y no quiero perder un solo instante sin enterar de ello a vuestra majestad imperial y real, rogándole que me asista con sus luces y sus consejos.»

Napoleón, que despreciaba por un igual a España, al rey, a la reina, al príncipe y al favorito, tenía ya en sus manos el pretexto para intervenir en los asuntos internos de nuestro país.

En las habitaciones en que está arrestado, Godoy visita al príncipe. Fernando se echa a llorar en sus brazos, se proclama amigo suyo y le pide ayuda. Godoy también llora. Dejo otra vez la palabra a mi amigo el gran historiador Pedro Voltes:

«Por vez primera en la historia grande se patentiza una de las características más señaladas de la personalidad de Fernando VII, la cual se repetirá en cada una de las encrucijadas de su vida y determinará siempre el rumbo de su conducta. Esta peculiaridad es la cobardía más atroz, ciega y absoluta, tanto, que nubla la capacidad de calibrar las dimensiones del mal que amenaza en cada caso. Por leve o imaginario que éste sea, ya está el hombre descompuesto y hecho trizas, propicio a cualquier cosa, sea traicionar a sus fieles, como ahora en El Escorial, sea firmar lo que le echen, sea condenar a perderse a quienquiera que se tercie. El caso es siempre salir en el acto del apuro momentáneo. "Marrajo cobarde", le había llamado en una ocasión su tierna madre, y no se le puede negar que le conocía, como es ya frase proverbial.»

Godoy aconseja al príncipe que escriba a sus padres pidiendo perdón y se ofrece para llevar las cartas a las reales personas. Fernando pide a Godoy que le dicte el texto, pero éste se niega diciendo que las mejores palabras serán las que estén inspiradas por el arrepentimiento. Así pues, Fernando escribe a sus padres lo que sigue:

«Señor. Papá mío: He delinquido, he faltado a vuestra majestad como rey y como padre, pero me arrepiento y ofrezco a vuestra majestad la obediencia más humilde. Nada debía hacer sin noticia de vuestra majestad, pero fui sorprendido. He delatado a los culpables y pido a vuestra majestad me perdone por haber mentido la otra noche, permitiendo besar sus reales pies a su reconocido hijo Fernando.»

«Señora. Mamá mía: Estoy muy arrepentido del grandísimo delito que he cometido contra mis padres y reyes, y así, con la mayor humildad, le pido a vuestra majestad se digne interceder con papá para que permita ir a besar sus reales pies a su reconocido hijo. Fernando.»

Como dice Voltes: «Ciertamente, atinó Godoy en dejar escribir libremente al príncipe, porque las cartas salieron más viles y miserables de lo que habría concebido el más pérfido libelista.»

Pero cartas, llantos y aspavientos no eran más que hipocresía. Era precisamente Fernando quien se cuidaba de proclamar las más viles y odiosas chismorrerías sobre su madre y el favorito. Y por supuesto continuó conspirando una vez hubieron pasado los efectos del complot del Escorial.

En realidad, como dice Villa-Urrutia, «era tal la admiración que ella sentía por el superior entendimiento de Godoy, que no daba paso alguno sin consultárselo previamente, y ni escribía a sus hijas la princesa del Brasil, la reina de Etruria y la duquesa de Calabria, sin que Manuel le mandase un papelito con el borrador de la carta, ni se atrevía a hablarle a su nuera sin que le indicase el amigo lo que debía decirle. "Tu memoria y fama —decíale María Luisa a Godoy en una de sus cartas— sólo acabarán cuando el mundo se destruya, y entonces quedarán premiadas en la Gloria. No te asustes, Manuel, pues aunque parezco un fraile, ni lo soy ni puedo tomar nada de ellos." En otra carta, hablando de los libros que leía su nuera, escribía: "Soy mujer; aborrezco a todas las que pretenden ser inteligentes, igualándose a los hombres, pues lo creo impropio de nuestro sexo, sin embargo de que las hay que han leído mucho, y, habiendo aprendido algunos términos del día, ya se creen superiores en talento a todos; tal es el Jaruco[1] y otras varias, y no digo nada de las francesas; pero como soy española, por gracia de Dios, no peco por allí."»

En noviembre de 1807 se firma el tratado de Fontainebleau por el que Napoleón, por un convenio secreto, queda autorizado a hacer pasar por España un ejército de veintiocho mil franceses que en unión de igual número de españoles irá a ocupar Lisboa. Se trata de la guerra que el emperador francés declara a todas las naciones aliadas de Inglaterra. Por el citado tratado se desmembra Portugal, cuyo norte, llamado en adelante reino de Lusitania, será colocado bajo la soberanía del rey de España. Las provincias de Alemtejo y los Algarves se transforman en reino destinado a Godoy.

Las tropas francesas atraviesan la frontera y empie-

1. La condesa de Jaruco, hermosa habanera, sobrina del general O'Farril, de quien decía lady Holland que era en extremo voluptuosa y vivía entregada por completo a la pasión del amor. Fue amiga del rey José, y su hija Mercedes, que casó con el general conde de Merlin, heredó con creces la belleza criolla de su madre, acompañada de mucho ingenio. (Nota de Villa-Urrutia.)

zan a ocupar plazas y fortalezas españolas. La invasión napoleónica ha comenzado. Godoy se alarma e indica a los reyes que se trasladen a Sevilla o a Cádiz para en caso necesario poder escapar hacia América.

La corte se encontraba en Aranjuez y allí estalló la revuelta.

Como dice Voltes: «Dos conjuntos de factores se acoplan en la explosión del sentimiento popular. Fue tan abigarrada y desbaratada, que no faltó quien la considerase casual. Para la comprensión de la trascendental revuelta, que sería llamada "motín de Aranjuez", hay que valorar en primer término el descrédito y la impopularidad de Godoy. Y es instructivo, por lo que refleja del estilo español de civismo, que lo que más irritó al pueblo no fuera ni la omnipotencia vanidosa del favorito, ni su hambre de honores y riquezas, ni siquiera la fundada sospecha de que aspiraba a desviar la sucesión del trono hacia el infante Francisco de Paula, de pocos años, para asegurarse él una regencia prolongada. No, no fueron estas y otras maquinaciones de su infatigable ambición, ni su creciente enfrentamiento con nobles, generales y obispos, lo que perdió a Godoy. Por otro lado le vino el descrédito: simplemente por la fama de adúltero, y hasta bígamo, derivada de sus amores con Pepita Tudó, con la que acabó casándose y para quien pidió y obtuvo el título de condesa de Castillofiel. Este creciente desprestigio de Godoy alimentaba la popularidad del príncipe, no menos realzada, como en un singular artificio de vasos comunicantes.

»En segundo lugar, conviene reflexionar sobre que Napoleón, como dice Lovett, pasó por la fase previa de "árbitro de las querellas de la familia borbónica española", antes de concebir el designio de apoderarse de España. El intervenir cada vez más en las tronadas anécdotas de la corte de Madrid le permitió ir midiendo los abismos insondables de su miseria, como quien descubre dentro de una sima otra mayor.»

¡Lo que va de ayer a hoy! Actualmente el adulterio de un ministro o de un gobernante no produce escándalo alguno, antes al contrario se exhibe, se proclama, se vocea, se fotografía y se publica con todos los detalles en las llamadas revistas del corazón. Claro está que en otros países, en Inglaterra por ejemplo, el adulterio o el hijo ilegítimo de un ministro provoca su cese o dimisión, pero aquí... *Spain is different.*

El motín de Aranjuez fue promovido por una conjuración de grandes y criados palatinos y capitaneado por el tío Pedro —que no era otro que el conde de Montijo, que vino de Andalucía, llamado por el príncipe de Asturias—, acabó tumultuariamente en Aranjuez en la noche del 17 de marzo con el gobierno del príncipe de la Paz, y a punto estuvo de acabar con su vida el día 19, cuando fue descubierto y preso, después de haber pasado treinta y seis horas sin comer ni beber, envuelto en un rollo de esteras en un desván, del que le obligó a salir la sed que le atormentaba. Un pelotón de guardias de corps le salvó de las iras de la rabiosa multitud, llevándole en vilo hasta el cuartel y escudándole, en lo posible, con sus cuerpos y los de sus caballos contra el populacho, que, armado de palos, picas y toda clase de instrumentos punzantes, aguijaba al preso cual si fuera una bestia feroz, y descargaba sobre él cuantos golpes podía. Llamado Fernando por su padre para que salvara la vida al infortunado valido y aplacara a los sediciosos, presentóse en el cuartel de guardias, donde, saludado como el héroe del día, ofreció que Godoy sería juzgado y castigado, y, volviéndose al preso, que, herido y molido, yacía sobre un montón de paja, le dijo: «Yo te perdono la vida.» Diole las gracias el de la Paz, y con una serenidad admirable en tan peligroso lance, preguntó al heredero de la corona si era ya rey, a lo que contestó el príncipe: «Aún no; pero pronto lo seré.» Y lo fue, en efecto, pocas horas después.

Agobiado Carlos IV por los dolores del reúma que venía padeciendo, amedrentado por los denuestos de la plebe, a los que no estaban acostumbrados sus oídos, perdida la confianza en su descastado primogénito, desalentado por el abatimiento de la atribulada esposa y sin hallar en ninguno de los ministros y grandes que le rodeaba apoyo que nunca le negó su querido y lealísimo Manuel, decidióse a abdicar la corona por un decreto que redactó Caballero, sin que se guardaran siquiera, por apremios del tiempo, las formas prescritas para semejantes casos por las leyes.

María Luisa tenía una sola preocupación: Godoy. Escribe a Napoleón pidiéndole protección para él. En todas las cartas habla de Fernando: «De mi hijo jamás podríamos esperar más que miserias y preocupaciones. Es de muy mal corazón, su carácter es sanguinario, jamás ha tenido cariño a su padre ni a mí, sus consejeros son sanguinarios, no se complacen sino en hacer infelices y no hay amor de padre ni madre que les haga fuerza. Quieren hacernos todo el mal posible; pero el rey y yo tenemos más interés en salvar la vida y el honor de nuestro inocente amigo que los nuestros propios. Mi hijo es enemigo de los franceses, por más que él diga lo contrario.»

Todo lo que sigue es vergonzoso. El amo de España no es ya Carlos IV, que ha abdicado, ni tampoco Fernando VII. Es Murat, el gran duque de Berg, el general de Napoleón que en su fuero interior aspira a ser rey de España. No lo conseguirá, pero por el momento es el árbitro dueño y señor de nuestro país.

El 21 de marzo envía a Aranjuez a su ayudante Monthion, quien encuentra a los «viejos reyes» anonadados, sin otra idea que liberar a su Manuel. «Quieren matar al príncipe de la Paz —gime Carlos IV—, y su único crimen es haberme sido leal toda la vida. Su muerte será la mía.» La noche se pasa en conciliábulos. Carlos declara que ha abdicado sólo para salvar su vida y la de la reina, pero que su ideal sería que su familia —comprendiendo a Godoy— fuese a acabar sus vidas en Francia, en una casa de campo.

El día 22, Monthion vuelve llevando cartas suplicantes dirigidas a Murat. Éste envía de nuevo a Monthion a Aranjuez y le encarga que someta a Carlos IV un proyecto de carta, antefechada el día 21 de marzo, por la cual se retractaría de su abdicación en favor de Fernando y pondría su reino a disposición de Napoleón. Carlos, de acuerdo con su mujer, firma sin dificultad.

Es el episodio más vergonzoso de nuestra historia. Ninguno de los protagonistas españoles ni Carlos, ni María Luisa, ni Fernando se salvan. Parece un pugilato para saber quién es más cobarde, más servil y más deshonesto. No hay ni un solo rasgo de dignidad en ninguno de ellos, sólo odios entre sí y cobardía individual y colectiva.

María Luisa continúa bombardeando a Murat con sus cartas. Sólo se preocupa de Godoy.

«Nada nos interesa, sino solamente la buena suerte de nuestro único e inocente amigo el príncipe de la Paz.»

«El rey, mi marido, que me hace escribir no pudiendo hacerlo él mismo a causa de sus dolores y de tener hinchada la mano derecha, desea saber si el gran duque de Berg querría tomar a su cargo y hacer todos sus esfuerzos con el emperador para asegurar la vida del príncipe de la Paz. Si el gran duque pudiera ir a verle o al menos consolarle... Espera todo de él y del emperador, a quien ha tenido siempre el mayor afecto.»

«Que el gran duque consiga del emperador que se nos dé al rey mi marido y a mí al príncipe de la Paz con que vivir juntos los tres en un paraje bueno para nuestra salud sin mandos ni intrigas. El emperador es generoso, es un héroe, ha sostenido siempre a sus fieles aliados y a los que son perseguidos. Nadie lo es más que nosotros tres. ¿Y por qué? Porque hemos sido siempre sus fieles aliados. De mi hijo no podríamos esperar más que miseria y persecuciones.»

El rey se disculpa por no escribir él en persona las cartas debido a sus dolores.

Otra carta.

«Estamos gozosísimos de saber la llegada a Bayona del emperador, a quien aguardamos aquí con impaciencia. Esperamos que VUESTRA ALTEZA IMPERIAL Y REAL nos dirá cuándo y dónde debemos salir a su encuentro. Pedimos a VUESTRA ALTEZA que haga que el emperador nos saque lo más pronto posible de España al rey, mi marido, a nuestro amigo príncipe de la Paz y a mí. Y también a mi pobre hija. Pero sobre todo a los tres lo más pronto posible.»

Napoleón está dispuesto a acoger en Francia a toda la familia real española, incluyendo a Fernando y a Godoy. Sus propósitos son los de colocar en el trono de España a alguien de su familia y así escribe a su hermano Luis, rey de Holanda.

«El rey de España acaba de abdicar y el príncipe de la Paz ha sido encarcelado. He resuelto poner a un príncipe francés en el trono de España. Respondedme categóricamente. Si os nombro rey de España ¿aceptaréis?»

Luis rehúsa.

Mientras tanto, Carlos IV y María Luisa emprenden el viaje hacia Francia, en donde esperan ser recibidos por Napoleón en la ciudad de Bayona. Carlos IV escribe a Napoleón:

110

«Mi señor hermano: oprimido de dolores reumáticos que me han dado en las manos y en las rodillas, estaría en el cúmulo de la infelicidad si la esperanza de ver dentro de pocos días a VUESTRA MAJESTAD IMPERIAL no aliviasen todos mis males. No puedo sostener la pluma. Y pido mil perdones a V. M. I. si el ansia conque deseo el dulce placer de recomendarme a sus generosas bondades me fuerza a servirme de un secretario para escribir a V. M. I. y R.»

Más bajeza no puede imaginarse.

Por su parte, el emperador afirma: «No he reconocido al príncipe de Asturias. El rey Carlos IV sigue siendo rey. Parto para Bayona.»

Así pues, Fernando se cree rey pero Napoleón no le reconoce como tal, pues en una carta le escribe: «Vuestra alteza real había ofendido en muchas cosas a su padre; no quiero otra prueba que la carta que me escribió y que constantemente he querido olvidar. Reinando a su vez, sabrá cuán sagrados son los derechos del trono. Todo paso dado por un príncipe extranjero por un príncipe heredero es un delito.» Y prosigue: «Esta causa [la de Godoy] alimentaría odios y parcialidades. Su resultado sería funesto para vuestra corona. Vuestra alteza real no tiene otros derechos a ella que los que le ha transmitido su madre. Si le causa la deshonra, por este hecho mismo os destruye. Cierre pues, vuestra alteza, los oídos a consejos débiles y pérfidos. El proceso a Godoy es un proceso al trono. Todos los actos de aquél llevan el sello real.»[1]

Oigamos ahora otra vez al inevitable Villa-Urrutia:

«María Luisa, temblando siempre por la vida del príncipe de la Paz, porque creía que los guardias de corps lo matarían cuando quisieran libertarlo los franceses, y éstas eran, en efecto, las órdenes dadas al marqués de Castelar, no dejaba de hacérselo presente continuamente a Murat, a quien también instaba el emperador para que le enviase a Bayona al antigua favorito, al que tenía reservado un papel importante en la tragicomedia que allí iba a representarse.

»Al fin pudo conseguir, no del rey Fernando, sino del infante don Antonio, la orden para que fuera entregado

1. Pedro Voltes.

111

el preso al general Exelmans por el marqués de Castelar, orden que cumplió el marqués a las once de la noche del 20 de abril con amargas frases y llorando de rabia.

»Godoy fue entregado "sin más que lo puesto y con una barba de seis pulgadas", escribió Murat, y Napoleón se lo participó a Talleyrand, diciéndole que el príncipe "había pasado un mes entre la vida y la muerte, sin haber podido cambiar de camisa y con una barba de siete pulgadas". Pasó Godoy la noche del 20 oculto en el campamento francés y bajo buena escolta le condujo el coronel Manhès hasta la frontera, llegando el 26 de abril a Bayona, donde se le tenía preparado alojamiento en una casa de los arrabales.»

A esta liberación corresponde la carta que Fernando VII envió al infante don Antonio, que retrata la catadura moral del que habría de ser rey de España:

«La sabandija [se refiere a su madre, la reina María Luisa] se cartea que es un gusto con el gran duque de Berg, y ha conseguido que se ponga en libertad al príncipe choricero; pero el pachorro de tu padre ha sido el que con más calor ha solicitado su libertad y que no le corten la cabeza. El feliz matrimonio continúa en El Escorial, guarnecido por los traidores carabineros y por los soldados franceses a las órdenes del general Wattier, de ese beodo que ronca en la mesa cuando se sirven los postres. Lo sé de buena tinta. Tu padre, que no puede ya con el reúma, dice que sus dolores son las espinas que le has clavado en el corazón. ¿De dónde habrá sacado mi hermano esas palabras tan bonitas? Se las habrá enseñado la sabandija. Dice Murat, al solicitar la soltura de Godoy, a mis compañeros supremos, que tú le diste la palabra de libertarle cuando tenías el pie en el estribo para salir de Madrid. ¡Embustero! ¿Por qué no me lo dice a mí? Los cagatintas de mis compañeros se han mamado la breva y han bajado la cabeza, por lo que pronto verás al favorito por esas tierras. ¿Por qué no se le ahorcó cuando te dije? Luisita, la de Etruria, lo afirma; dice que le diste la palabra a Murat en su cuarto. ¿Ves qué desvergonzada? Los que pidieron la libertad de Godoy fueron mi hermano y la sabandija, que hasta lloró y se postró de rodillas, y el francés se comprometió a salvar al preso. Los guardias de corps, que son unos verdaderos caballeros, se han negado a hacer la entrega del preso y que la hicieran los granaderos provincianos. ¡Chúpate ésa! Así me gusta. Los de corps le hubieran entregado para llevarle a la horca. En fin, ya tienes al mocito en poder del coronel Martel, y pronto lo verás en Bayona.»

No se puede imaginar nada más vil, rastrero y miserable.

Napoleón invita a Fernando a ir a Bayona. Le trata siempre de alteza, demostrando con ello que sólo reconoce como rey a Carlos IV.

Al llegar a Bayona, Fernando se encuentra con sus padres, a los que quiere besar, cosa que Carlos IV rechaza. María Luisa le vuelve la espalda.

El día 30 de abril los reyes de España son invitados a cenar por Napoleón. Al entrar al comedor diole la mano para llevarla a la mesa, y como por distracción apretara el paso, dándose luego cuenta de ello, se disculpó con la reina diciéndole: «Vuestra majestad encuentra quizá que voy muy de prisa», a lo que respondió riendo María Luisa: «Ésa es, señor, vuestra costumbre.» Al ir a sentarse a la mesa, viendo el rey que no había más que cuatro cubiertos, exclamó: «¿Y Manuel, y Manuel?» Napoleón mandó entonces buscar a Godoy, que llegó terminada ya la comida. Ésta fue excelente y muy del gusto de Carlos IV, que a cada plato decía a la reina: «Luisa, come de esto, que está muy bueno.» Lo cual hizo mucha gracia a Napoleón, que era muy sobrio. El rey comió mucho, pero no probó el vino.

El 2 de mayo, mientras el pueblo de Madrid se alzaba en armas contra la invasión francesa, tenía lugar en Bayona una entrevista entre Carlos IV y su hijo Fernando de la que el canónigo Escoiquiz nos ha dado puntual referencia. Dice así en sus memorias:

«DON FERNANDO.   Padre mío, si vuestra majestad no hizo voluntariamente la renuncia de la corona en Aranjuez, ¿por qué no me lo advirtió entonces, sabiendo que en tal caso nunca la hubiera yo admitido?

»DON CARLOS.   La hice voluntariamente.

»DON FERNANDO.   ¿Pues por qué ha protestado vuestra majestad contra ella?

»DON CARLOS.   Porque no la hice en mi ánimo con intención de que fuese para siempre, sino para el tiempo que me pareciese.

»DON FERNANDO.   ¿Por qué, pues, vuestra majestad

113

hizo la renuncia sin esa cláusula, o no me lo dijo a lo menos en secreto?

»DON CARLOS. Porque no me dio la gana ni tenía obligación de decírtelo.

»DON FERNANDO. ¿Pues acaso insinué yo a vuestra majestad siquiera que la hiciese?

»DON CARLOS. No.

»DON FERNANDO. ¿Y hubo alguno que forzase a vuestra majestad a hacer la dicha renuncia?

»DON CARLOS. No. La hice porque quise hacerla.

»DON FERNANDO. ¿Y vuestra majestad quiere ahora volver a reinar?

»DON CARLOS. No. Estoy muy lejos de eso.

»DON FERNANDO. ¿Pues por qué me manda vuestra majestad que le devuelva la corona?

»DON CARLOS. Porque se me antoja, y no tengo necesidad de decirte la razón. Ni quiero que me hables ya una palabra de esto, sino que obedezcas.»

Parece el diálogo de dos gañanes discutiendo sobre la propiedad de una mula. ¡Y se trataba nada menos que de España! De esta España que unánimemente se había levantado en armas contra el invasor.

El 6 de mayo, Fernando devolvía la corona a su padre pero éste ya la había cedido el día anterior a Napoleón. A cambio, Napoleón ponía a disposición del rey Carlos IV, durante su vida, el palacio imperial de Compiègne, y los parques y bosques que de él dependen, y el castillo de Chambord, con sus parques, bosques y haciendas, para que gozara de ellos en plena propiedad y dispusiera de ellos como gustase. Asegurábasele al rey Carlos una renta anual de treinta millones de reales, pagadera mensualmente por el tesorero de la corona, y fallecido el rey, dos millones de francos de renta anual formarían la viudedad de la reina. Los infantes tendrían una renta anual de 400 000 francos, de la que gozarían perpetuamente ellos y sus descendientes. Las dos únicas condiciones a que sometía Carlos IV la cesión de su corona eran el mantenimiento de la integridad de su reino y el de la unidad católica, no tolerándose en España ninguna otra religión.[1]

Adiós derechos inalienables, adiós monarquía por de-

1. Villa-Urrutia.

114

recho divino, adiós a todas las tradiciones, adiós a todo. España luchaba contra el invasor, esta misma España que era cedida a Napoleón a cambio de un vergonzoso vitalicio.

María Luisa podía estar contenta. Tenía paz, tranquilidad y a su adorado Godoy, pues, cómo no, el favorito acompañaba a los reyes a su dorado exilio.

Los ex reyes se trasladaron a Compiègne, pero el clima no sentaba bien a Carlos IV y solicitó a Napoleón poder trasladarse al Mediodía francés. Lo que quedaba de la corte se trasladó a Aix-en-Provence, pero allí no encontraron alojamiento, por lo que decidieron trasladarse a Marsella, a donde llegaron el 18 de octubre. Don Carlos sufría un ataque de gota, e indiferente a todo sólo decía que le dejaran morir en paz. La reina, lujosamente ataviada, parecía encantada de lucir sus marchitas gracias y el fausto de su corte. Fueron recibidos por los marselleses a los gritos de ¡Viva el rey! Cosa que agradó a don Carlos y a doña María Luisa, sin darse cuenta de que tales exclamaciones no iban tanto dirigidas al ex rey de España como contra Napoleón, pues Marsella era legitimista y no bonapartista.

Dice Villa-Urrutia que «la opinión que dejó en Marsella fue la de un hombre que no había nacido para gobernar una gran nación; pero que no tenía tacha en su vida privada. La pureza de sus costumbres no era propia de su siglo ni de su rango; era devoto, sin ser beato; ligeramente inclinado a encolerizarse, pero sin que le durara la incomodidad, sobre todo cuando intervenía la reina; buen padre y excelente marido, realizaba el ideal del hombre honrado. Lo único que pudo echársele en cara fue el conservar un sentimiento demasiado vivo de su antigua grandeza, siendo escrupuloso observador de la etiqueta y atribuyendo una importancia grande a las formalidades protocolarias. Pero éstas ni siquiera merecen el nombre de imperfecciones. Su bondad era grande y su caridad no tenía límites, porque creía que la limosna era deber de rey y de cristiano, y dábala por su propia mano, visitando a los pobres y socorriéndolos con largueza en sus necesidades. Todas las mañanas, después de su frugal desayuno, salía a pie con Godoy y se dirigía a los antiguos barrios habitados por la gente menesterosa y miserable que abunda en toda gran ciudad y entre la que distribuía sus limosnas con conocimiento de causa y espíritu verdaderamente caritativo. A las doce volvía a casa y, sentándose a la mesa, daba rienda suelta a su formidable apetito en la única comida que los médicos le permitían. A la comida seguía la siesta, y tras ella la lección de violín, en la que demostraba más buena voluntad que disposición musical, o una partida de ajedrez o de tresillo. Cuando llegaba la hora del paseo, salía con la reina en coche de gala, seguido de los funcionarios palatinos, y por el camino de Aix galopaban entre nubes de polvo durante una hora, al cabo de la cual se apeaban, daban unos cuantos paseos rodeados por los cortesanos y recibían los homenajes de las personas que les eran presentadas. A las diez en punto de la noche el rey se despedía de sus tertulianos. La reina se quedaba un rato más en el salón con sus damas y amigos. Ésta era la vida de los reyes en Marsella».

Como se ve, la vida de los ex reyes no podía ser más placentera ni más mesocrática. Hubiesen sido unos magníficos súbditos. Lástima que fueron reyes.

Tuvieron dificultades de dinero, pues en vez de los 600 000 francos al mes se les pagaban solamente 200 000 y tuvieron que llevar al Monte de Piedad alhajas y plata por valor de unos 300 000 francos. En su ayuda acudió Godoy que, gracias a su cuñado el marqués de Branciforte, que era rico gracias a sus especulaciones en el virreinato de México, les envió el dinero que les hacía falta.

No había terminado aquí la peregrinación de don Carlos y doña María Luisa, pues el 16 de julio de 1812 la errante corte se instaló en Roma.

La estrella de Napoleón palidecía. Se retiró primero a la isla de Elba, en donde residió hasta los Cien Días que terminaron en la llanura de Waterloo.

Parecía que entonces los problemas habían terminado. En Roma residía, además de los reyes y de Godoy, una numerosa corte de la que la servidumbre de la reina contaba veintiséis personas, entre las que se encontraban familiares de Pepita Tudó, amante del príncipe de la Paz.

En Francia reinaban otra vez los Borbones y Carlos IV fue a visitar a su hermano Fernando, rey de Nápoles, que dejó en la ciudad partenopea tan mal recuerdo como su sobrino Fernando VII dejó en España.

Algunos historiadores, como el marqués de Villa-Urrutia, tantas veces inevitablemente citado, enemigos de María Luisa, afirman que fue entonces cuando, según algunos historiadores, Fernando VII, ya instalado en el trono de España, incitó a su tío Fernando, rey de Nápoles, a que revelase a don Carlos sus infortunios conyugales, cosa muy creíble ya que Fernando VII, en su odio a su madre, era capaz de todas las bajezas con tal de acusarla de todos los vicios. Por supuesto no hay de ello ninguna prueba como tampoco Fernando podía aportar ninguna referencia a la mala conducta de su madre. Sólo chismes y murmuraciones.

¿Realmente el rey de Nápoles informó a su hermano del pretendido adulterio de su esposa? Y si esto es así, ¿hizo caso Carlos IV de murmuraciones y chismes? No se sabe, pero lo cierto es que en Roma la vida de la pareja se continuó desarrollando con el ritmo habitual.

Carlos tenía la manía de las colecciones. Si en Madrid se dedicó a coleccionar relojes, en Roma unió a esta afición la de los cuadros.

Mientras estaba en el trono, había encargado a París un reloj tan complicado que su fabricación exigió un trabajo de varios años. Por fin se lo llevaron a Roma, donde fue difícil instalarlo a causa de sus enormes proporciones.

Todo un piso del palacio que ocupaba lo llenaba su colección de instrumentos de relojería. Su ocupación casi exclusiva consistía en darles cuerda y ponerlos en hora, de manera que su marcha fuera exacta y, ante todo, uniforme. El conde de San Martín, gentilhombre piamontés, que era a la vez gran mayordomo, gran chambelán y gran escudero de Carlos IV, había recibido de su amo la demostración más insigne de confianza el día en que le había encargado de la inspección de sus relojes. Cuando todos marcaban la una de la tarde, el conde de San Martín venía a anunciar que la comida de S. M. estaba servida. Cierto día, gran conmoción porque el mayordomo no se había presentado a la hora habitual; de repente se oyó una campanita: eran los seis relojes que llevaba siempre el mayordomo en su cintura y que llamaba sus relojes perezosos, porque a veces eran los últimos que tocaban. Explicóse así el retraso y todos se tranquilizaron, incluso el rey.

No menos curiosas fueron sus aficiones musicales.

Como en Roma conocían el gusto del proscrito por la música, pusieron a la disposición del ex rey los cuatro músicos mejores de la orquesta del gran teatro para formar un quinteto. Una noche, Carlos IV les hizo ejecutar bajo su dirección los célebres quintetos de Boccherini; el concierto empezó cuando lo indicó el rey, con toda la gravedad de un director de orquesta: fue una cacofonía espantosa. A los pocos minutos volvió el rey al salón inmediato, en el que se encontraban la reina, los infantes y Godoy, abandonando los músicos a sí mismos.

«Ya lo veis —les dijo el rey, secándose el sudor con su pañuelo rojo, con el violín bajo el brazo y el arco en la mano—; ya lo veis, ya lo oís, no pueden seguirme. ¡Ah! ¡Si al menos tuviera yo aquí a mi violoncelista Dupont! ¡Él sí que me seguía! ¡Pero estos romanos no pueden; es demasiado pesado para ellos!» En efecto, no se atrevían, como Dupont, a saltarse tres o cuatro líneas, que a lo mejor era lo que hacía el rey, y, según parece, con bastante frecuencia.

Pasaba a menudo que Carlos IV empezaba solo un trozo musical de conjunto, y a las observaciones de su primer violinista, el rey contestaba con gravedad que él no era quién para esperarse...[1]

A finales de 1818 la reina María Luisa se vio muy afectada por el frío intenso que reinaba en Roma aquellos días. El día 29 quedó en cama con una pulmonía y ya no se levantó más del lecho.

El 2 de enero de 1819 escribía Godoy a su esposa:

«Su majestad la reina está en el mayor peligro. Su edad y debilidad nos hacen temer. Su tos es continua y la expectoración va minorando y haciéndose más difícil. Hoy recibirá los sacramentos. Este último paso de la amistad me estaba reservado. Todos temían la justa reconvención que la opinión pública les haría, y nadie se determinaba a decirle la necesidad de tal diligencia. Tampoco quería yo que fuesen los médicos, pues esto sería matarla. En fin, con mil rodeos pude persuadirla, y al momento se confesó ayer tarde. Hoy comulgará y con esto reposará tranquilamente. Espero que S. M. el rey vendrá dentro de dos días, pues en la segunda carta se

1. Gonzalo de Reparaz.

le decía el peligro.» Y en posdata: «He llenado los deberes de la amistad. Su majestad se ha confesado y hecho la paz con nuestro Redentor.»

Aquella misma noche, a las diez y cuarto, exhaló su último suspiro la reina María Luisa, rodeada de sus dos hijas predilectas, de sus nietas, de su ahijada Carlota Godoy, del fiel amigo, a quien instituyó su heredero universal por testamento, que se negaron a cumplir Fernando VII y sus hermanos.

Carlos IV, que estaba en Nápoles, quiso ponerse en camino inmediatamente pero la noticia del fallecimiento de su esposa le afectó en tal manera que durante tres días tuvo que guardar cama. El día 7 escribía a Godoy:

«Amigo Manuel: No te puedes figurar cómo he quedado del terrible golpe de la pérdida de mi amada esposa, después de cincuenta y tres años de mi feliz matrimonio. Yo he estado bastante atropellado; pero, gracias a Dios, estoy mucho mejor. No dudo que en la enfermedad la habrás asistido con todo el esmero posible; pero habiendo faltado la reina, no es decente que Carlota viva en mi casa. Yo le señalo 1 000 duros al mes, y así, llévatela a vivir fuera contigo, y harás bien en ejecutarlo antes que yo vaya a Roma. Esto no impide que vengas a verme siempre que quieras, y quedo, como siempre, el mismo. Carlos.»

¿Es ésta la carta que un marido engañado escribe a quien le han dicho que era amante de su mujer? No, no es posible. Si es verdad que hubo adulterio, Carlos IV permaneció ignorante de él. Si no lo hubo y le llegaron a sus oídos los dimes y diretes que Fernando VII estaba empeñado en que supiese, es seguro que no hizo caso de ellos. Su confianza en su esposa o su credibilidad fueron totales.

Pocos días después del fallecimiento de su esposa, exactamente el día 19 de enero, fallecía Carlos IV. Su hijo Fernando VII hizo que los cadáveres de sus padres fuesen trasladados con todos los honores a España para ser enterrados en El Escorial. Los honró muertos cuando los había deshonrado en vida.

ANEXO

GODOY

Curioso personaje éste, muy discutido por los historiadores. Unos lo ensalzan hasta ponerlo por las nubes y otros lo denigran hasta hundirle en los abismos. Creo que ni tanto ni tan calvo. Para mí fue un hombre cargado de buenas intenciones, que se encontró en un momento de la historia superior a sus fuerzas. En Francia estallaba la revolución, seguía con el Directorio y aparecía la estrella rutilante de Napoleón. Demasiado grande todo ello para un político de pelaje doméstico como Godoy. Esto en el aspecto de política exterior.

En cuanto a la política interior española, Godoy no llegó a la altura de sus predecesores Aranda y Floridablanca, pero se esforzó en continuar su obra y dedicó fuertes impulsos para la creación de centros culturales continuando la obra iniciada por el despotismo ilustrado.

Sobre su vida íntima, como se ha dicho, historiadores hay que niegan sus relaciones con la reina María Luisa; otros, en cambio, las dan por ciertas y le atribuyen la paternidad de los dos últimos hijos de la reina.

Dice Luis González Santos en su biografía *Godoy. Príncipe de la Paz, siervo de la guerra*:

«"Yo nací en Badajoz, capital de Extremadura, en 12 de mayo de 1767, y no 64 como dicen los más de los biógrafos. Fueron mis padres don José de Godoy y doña María Antonia Álvarez de Faria; su clase, la de nobles, su hacienda, mediana, la mayor parte herencia antigua y patrimonio de familia. Mi casa solariega, de puro vieja la tiene el tiempo casi arruinada en Castuera."

»Con estas palabras da cuenta Manuel Godoy y Álvarez de Faria de su nacimiento y su procedencia. Su padre, coronel de Milicias, regidor de Badajoz, y su madre, descendiente de una noble familia portuguesa, se encargarán de que, junto con sus hermanos Luis y Diego, se prepare para la carrera de las armas, que es la apropiada a su condición, y se sacrificarán porque reciban una esmerada educación.

»Sus maestros fueron Francisco Ortega, Pedro Muñez y Mena, Alonso Montalvo y Mateo Delgado, que años después sería nombrado obispo de Badajoz. Los hermanos Godoy estudiaron, en el Seminario Conciliar de San Antón, de Badajoz, matemáticas, ciencias, filosofía moderna, letras. Manuel dice que allí se aficionó a los clásicos latinos.

»En 1784 Manuel Godoy abandonará el castillo-palacio de los Faria, que aún se puede ver en la calle de Santa Lucía de Badajoz, para dirigirse a Madrid. El 17 de agosto ingresará en la primera brigada de la Compañía Española, perteneciente al cuerpo de Guardias de Corps, con sólo diecisiete años de edad. Su hermano Luis, que ya pertenecía al cuerpo, le ayudó a entrar en él. Durante cuatro años pasará inadvertido, atendiendo a sus obligaciones. Mantuvo estrecha amistad con dos hermanos franceses, los hermanos Joubert, que influirían de modo decisivo en su formación intelectual. Con ellos comenzó a aprender los idiomas italiano y francés.»

De su primer contacto con la reina, sus relaciones con ella y de los dimes y diretes que estas relaciones provocaron en la Corte y en las embajadas acreditadas en Madrid ya se ha hablado en el capítulo anterior. Se ha hecho alusión también a las cartas cruzadas entre la reina y el favorito, que algunos historiadores afirman contener pruebas de flagrante adulterio, mientras otros, como Carlos Pereyra, que las publicó, opinan lo contrario. He aquí algunas de ellas comentadas por mi amigo Fernando Díaz-Plaja en su magnífico libro *La vida cotidiana de los Borbones*:

«A favor de que estas relaciones eran pecaminosas está, por ejemplo, la negativa del sacerdote confesor de María Luisa a que Godoy estuviese presente en el dormitorio de la ex reina cuando ésta moría en Roma muchos años después. A quien sólo es un buen amigo no se le niega la asistencia en esos momentos. En contra de la sospecha están, curiosamente, las cartas privadas de la reina a Godoy encontradas hace unos sesenta años por Carlos Pereyra en el archivo de palacio. Porque en esa correspondencia está explícito el gran amor de los reyes a Godoy, pero en ningún momento se trasluce en ella el carácter sexual del que se supone entre María Luisa y Manuel. ¿Precaución quizá? Contra esa posibilidad está la franqueza con que están redactadas esas cartas, desde comunicarle la aparición de la regla... "Mi novedad apunta..." "Mi novedad, mejor que estos meses atrás" (16 y 29 de octubre de 1799) ... a los juicios adversos y muchas veces vitriólicos con que se expresa respecto a personajes conocidos, algo que nadie escribe si piensa que sus cartas pueden caer en manos extrañas.

»Veamos primero algunas expresiones de confianza: "Dice el rey y yo que no te enfades y que vengas porque eres el único amigo que tenemos y tendremos y el Redentor *(sic)* de esta monarquía... El rey siempre fía en tu constante y leal amistad... nunca estamos más gustosos que cuando estás con nosotros." (Ésta la firma Carlos IV el 17 de mayo de 1799.) En otra ocasión la reina asegura a Godoy que le cumplirán todo lo prometido y que en caso de que ella muriera lo haría el rey.

»"4 de agosto de 1799. Amigo Manuel, tu carta respira tristeza y melancolía, mucho lo siento, el rey igualmente, el que te escribe; deséchala, amigo Manuel, tranquiliza tu espíritu, sosiega, pues en nada has faltado, de nada tienes culpa, y si en alguna leve (que no la hallamos ni conocemos) pudiera aver *(sic)* faltado por demasiado ardor en tu celo, estás perdonado, pero repito y repetimos que en nada *ay* por qué pidas perdón ni en que tengamos que perdonarte; conocemos tu verdadera amistad, tu buena ley sin igual, cree te tenemos por el único amigo que hemos tenido, tenemos y tendremos, agradecidos a cuanto has trabajado, esmerado en hacernos felices, bien asegurados que siempre serás nuestro y el mismo para todo; vive seguro de esta verdad que pronuncian nuestros corazones agradecidos y que somos y seremos para ti siempre los mismos en todo; descansa, Manuel, en tus encargos, los que siempre cumpliré con exactitud, si sobreviviere, lo que no creo, pues tengo más años y éstos muy trabajados, mi espíritu ha padecido, y padece más de lo que se cree y aparece, pero, en caso de faltar yo, el rey queda y quedará encargado de cumplir lo que te tenemos ofrecido y hará mis veces en eso y en lo que le pudiere en esa última hora."

»... expresiva, por cierto, esa referencia a la edad, poco usual para una amante que más bien procura olvidar la diferencia de años que la separan del amado. Tampoco es típico de una enamorada ocuparse tan amablemente del hijo que espera Godoy de su esposa.

»"Amigo Manuel, nunca creí fuese embarazo esa detención, sí ya irse despidiendo, todas mis desazones han sido ocasionadas de esto, por lo que no me viene y tengo una frialdad de pies y piernas y un calor tan extremado en la cabeza, que ni con baños de pies, friegas y ejercicios se me quiere quitar, lo que me incomoda a lo suyo. Hoy he salido en mi *Marcial* [1] con lo que estoy mejor; ahora llueve muchísimo con frío, creo dura casi toda la noche; cuánto nos alegramos el rey y yo, amigo Manuel, con la confirmación que nos das de ir a cumplir tu mujer los tres meses, nadie como tú cumplirás las obligaciones de un buen padre, mira que el rey y yo seremos padrinos de lo que diere a luz, ¡ay! Manuel por todos motivos lo celebramos mucho, te devuelvo tus cartas. Adiós, Manuel, cuídate, pues sabes somos tus verdaderos amigos y lo seremos siempre, así como tú nuestro. Luisa (25 de septiembre de 1799)."

»Y cabe más afecto que el que respiran estas palabras referentes a la esposa de Manuel:

»"Hemos visto a Núñez y oído con grandísimo gusto el buen estado de salud en que deja a tu mujer, lo buena, lo guapa y lo mucho que para el tiempo se la conoce, no dudamos parirá con bien a su tiempo y una criatura robusta que ella acabará de robustecer dándote más hijos."

»¡Hipocresía!, gritarán sus amigos. ¿No se ha atrevido líneas arriba, y en la misma carta del 26 de marzo de 1800, a blasonar de esposa perfecta?:

»"Amigo Manuel, nos alegramos el rey y yo te parezca bien lo mismo que de antes deseáramos que era la separación de Antonio para el campo... por lo que toca al rey y a su mujer a si es buena o no, el rey debe responder; yo por mi parte digo que cumplo como buena mujer de mi marido y del rey que son uno mismo en una pieza, que hago cuanto alcanzan mis luces, las que quisiera fueran según mis deseos."

»Regalos a la princesa de la Paz, "frioleras, según la reina":

»"Aranjuez, 15 de abril de 1800. Amigo Manuel, cele-

1. El caballo favorito de María Luisa.

123

bramos hayas hecho tan buen viaje y que hayas hallado a tu mujer tan buena; dale muchas memorias nuestras que he celebrado le hayan gustado esas 'frioleras'..."

»Y la alegría de saber que el parto ha terminado felizmente, con hija o sin ella; Godoy sigue siendo el amigo perfecto de los reyes.

»"San Lorenzo, 23 de noviembre de 1800. Amigo Manuel: Bien conocemos de cuánto gozo y consuelo te será al ver a esas dos almas inocentes de tu mujer y tu chiquilla en sus faldas, en lo que nos alegramos muchísimo como tan interesado el rey y yo en tus felicidades y a las que contribuiremos siempre gustosos, pues dices la pura verdad de que somos tus únicos amigos y padres y cree que siempre lo seremos... Luisa."

»¿Son cartas de una amante? Y sin embargo...»

Y sin embargo las murmuraciones seguían su curso, aumentando cada vez más. Lady Holland, esposa del embajador inglés en Madrid, hablaba del «indecente parecido» de los dos últimos hijos de la reina con Godoy. Lo mismo hacen constar los despachos que los diversos embajadores acreditados en la corte castellana envían a sus respectivos gobiernos. ¿Verdad? ¿Mentira?

El caso es que si la murmuración responde a la verdad, los reyes de España son descendientes del favorito, pues la cuarta esposa de Fernando VII es la princesa de Nápoles, hija de su hermana Isabel, que era descendiente de María Luisa y como dice Hans Roger Madol «pero no de Carlos IV, sino de Godoy. Así, Fernando se casa con la nieta de Godoy. Y la sangre odiosa triunfa. Su cuarta esposa le regala con los primeros deleites de la paternidad.

No cabe duda de la paternidad de Godoy en el caso de la reina Isabel de Nápoles. Alquier, a principios del siglo, fue a la corte de Nápoles como embajador francés, y desde allí repetía lo que contaba la reina, María Carolina, sobre su nuera y sucesora: «La reina está enterada de todo —escribe— y me ha dicho que la joven infanta, con la cual el príncipe acaba de casarse, es la hija del príncipe de la Paz, y se le parece a éste en los rasgos.» En 1804, María Carolina escribe a su nuera: «Una bastarda epiléptica.» Pero, a pesar de la sangre odiosa de Godoy, la hija del príncipe de la Paz sabe conseguir en Nápoles una posición respetada. Su esposo, el rey Francisco I, se ha conformado con lo inevitable. Incluso María Carolina la trata con cariño.

«En cuanto al segundo hijo de las relaciones de Godoy con María Luisa, el infante Francisco de Paula, todo el mundo sabía que era vástago de Godoy. También se parecía mucho a éste.»

Si la hija menor de Isabel casó con Fernando VII, la mayor, Luisa Carlota, lo hizo con Francisco de Paula y su hijo del mismo nombre fue esposo de Isabel II, por lo que de ser ciertas las murmuraciones una bisnieta de Godoy y un nieto del mismo hubiesen reinado en España.

Godoy mantenía relaciones con Pepita Tudó, que le dio dos vástagos pero «el 29 de septiembre de 1797, María Teresa de Borbón, hija del infante don Luis, hermano de Carlos III y prima de Carlos IV, se casará por voluntad real con don Manuel Godoy. Pero María Teresa de Borbón y Villabriga, condesa de Chinchón, por decisión de Carlos III no podía ser considerada como infanta. El rey había reconocido el matrimonio morganático de su hermano, casado con la señora de Villabriga, pero los hijos de aquel matrimonio, el hijo y las dos hijas, sólo llevarían el nombre de la madre y el tratamiento de «excelencia».

Los enemigos de Godoy se quedaron asombrados ante aquel matrimonio, con el que la reina pretendía alejarle definitivamente de Pepita Tudó, y que tenía la apariencia de un nuevo encumbramiento del valido. Pérignon escribirá: «Este matrimonio que se acaba de celebrar es para el príncipe de la Paz la más poderosa fortaleza contra sus numerosos enemigos. Lo ha conseguido por su devoción a sus majestades católicas y los servicios prestados a la Corona.»

Pepita Tudó, quizá como compensación por la pérdida que se creía iba a sufrir con el matrimonio de su amante, es nombrada condesa de Castillofiel. Godoy se la lleva a vivir a su casa, con lo que gana una dote de cinco millones de reales por su matrimonio, entronca con la familia real y se beneficia de la comodidad de tener a su amada gaditana en las habitaciones del propio palacio.

Cuando Jovellanos es nombrado ministro por Godoy y va a visitarle a su casa, recibe una desagradable impresión, la cual quedará reflejada en estos párrafos que muestran con claridad la indiferencia del favorito hacia todo tipo de moral o convencionalismos sociales: «El príncipe nos llama a comer a su casa; vamos mal vestidos. A su lado derecho, la princesa; a la izquierda, en el costado, la Pepita Tudó. Este espectáculo acabó mi desconcierto; mi alma no pudo sufrirlo; ni comí, ni hablé, ni pude sosegar mi espíritu; huí de allí.»[1]

El matrimonio empezó mal y terminó peor. Empezó mal porque la Villabriga se había casado por imposición de la reina. Nunca amó a su esposo y terminó odiándole hasta el punto que cuando Godoy cayó en desgracia se retiró a Toledo en donde vivió hasta su muerte.

Ello permitió que Godoy se casara por fin con su antigua amante. El 9 de enero de 1821 el embajador Bunsen escribe: «En esta semana el príncipe de la Paz ha celebrado sus bodas con la madre de sus hijos, que lleva el apellido Tudó, la cual se ha reunido con él después de la muerte de su esposa, la infanta. Ha terminado la incertidumbre respecto al carácter de su unión con esta mujer; la bendición nupcial, con la cual ha engañado al padre o a ella misma, pudo haber sido muy bien una farsa; hasta ahora, sólo ha tenido una esposa legítima: la difunta infanta. El hijo mayor (llamado, como el padre, Manuel) irá a Roma para vivir con el resto de la familia.»

El 6 de noviembre del mismo año, Bunsen dice, sobre el asunto de los títulos: «Desde la última primavera, en que la Embajada española protestó contra el empleo del título de príncipe de la Paz por Manuel Godoy, ha pedido éste la mediación de la corte pontificia para iniciar negociaciones en virtud de las cuales sea reconocido como príncipe romano. Ha adquirido por 70 000 piastras el feudo de Bassano, cerca de Sutri, y después de haber recibido la promesa de ser nombrado príncipe de Bassano, ha entregado en manos de su santidad el diploma por el cual Carlos IV le otorgaba su magnífico título. Como el embajador español estuviese conforme con este plan, el secretario de Estado le ha entregado el nuevo diploma de concesión. El nuevo príncipe romano irá dentro de poco a establecerse, según dicen, en París.» Bunsen continúa y hace observaciones morales: «Al ver cómo, valiéndose de la bondad de la corte romana, se sustrae Godoy a la venganza de su soberano, piénsase involuntariamente en

1. Luis González Santos.

126

que fue él el primero que ideó el plan de privar al papa de sus Estados para recompensar de ese modo a un infante español.»[1]

Godoy se traslada a París, donde vivirá el resto de su vida. Tenía cuarenta y dos años cuando el motín de Aranjuez le derribó de su sitial. Cuarenta y dos años durará su destierro.

Su amigo lord Holland le ofrece refugio en Londres, pero Godoy no acepta porque cree que en París está más cerca de España y confía en recuperar, si no todos, parte de sus bienes. El rey Luis Felipe de Francia le concede una pensión de 5 000 francos anuales, lo que cubre apenas sus más imprescindibles necesidades. Cuando muere Fernando VII espera que su estrella cambiará, pero se equivoca. Vive pobremente en una casa del boulevard Beaumarchais y después en la rue de la Michodière, cerca de la Ópera, en un cuarto piso. Recibe pocas visitas entre ellas la de lord Holland, que escribe en sus memorias: «He visto que exteriormente el príncipe de la Paz ha cambiado mucho; pero conserva siempre la misma expresión del rostro. Está de buen humor, contento de sí, sereno y cordial. Con su mal francés, tiene una voz simpática y una expresión de finura en los ojos. Se ha quejado amargamente de la ingratitud del mundo, y, sin mucha razón, incluye al gobierno francés en estas quejas, aunque recibe de él los únicos medios para su subsistencia, en forma de una pensión que, si bien es modesta, alcanza a lo suficiente para vivir: 5 000 francos anuales. Naturalmente, la compara con las sumas que él daba a los príncipes y a otros emigrados franceses en España.

»Se ha quejado amargamente de la Tudó, con la cual, como dice, ha estado unido desde su juventud, a la que ha sacrificado todo, viéndose por su causa expuesto (creo que ha añadido: ridícula y absurdamente) a la inculpación de bigamia, y con quien, en efecto, como sabe todo el mundo, se ha casado después de la muerte de su primera mujer, para legitimar a su hijo. Le había transferido todo lo que poseía fuera de España, y ella le ha abandonado, guardándoselo todo para sí; de manera que él se encuentra en la mayor miseria imaginable, y está viviendo de la pequeña pensión que le ha otorgado Luis Fe-

1. Hans Roger Madol.

lipe. En cuanto a sus fincas y encomiendas, han sido repartidas de una manera extraña. El Soto de Roma, al menos la parte que Carlos IV le dio, ha sido entregado al duque de Wellington, en prueba de agradecimiento nacional y como recompensa al que, según la opinión, parece haber merecido este regalo más que cualquier otro. Pero, como Godoy no conoce ninguna orden judicial que le despoje de esta posesión o que le prohíba su disfrute, puede considerar esta entrega de sus fincas a otras personas como un robo. En cuanto a las posesiones libres que dependían de aquélla, han sido dadas en dote por el Gobierno a su hija habida en matrimonio con la infanta de Borbón, su esposa primera. La Albufera, con sus encomiendas, ha sido entregada al infante don Francisco; de manera que cada vez que intenta reclamar sus fincas, no puede por menos de considerar que están en posesión de alguien a quien hay pocas probabilidades de quitárselas.»

La finca regalada a Wellington continúa todavía hoy en manos de sus descendientes.

La vida de Godoy en París es simple y pacífica. Envía a la corte española memoriales y más memoriales, instancias y más instancias pidiendo su rehabilitación y la devolución de sus bienes. Recibe siempre la callada por respuesta.

Si hacía buen día iba a pasear por los jardines del Palais Royal, en donde se reunía con otros ancianos como él. Juega con los niños. Todo el mundo le llama señor Manuel y todos ignoraban que aquel anciano había decidido el destino de España y sus Américas. Tal vez creían que era un viejo veterano y escuchaban sus relatos de la corte de España con interés y tal vez con cierto escepticismo.

El 31 de mayo de 1847 la reina Isabel II firma un decreto por el que se reconocen a Godoy su rango, sus dignidades y su fortuna. ¿Sabía la reina que tal vez era descendiente del príncipe de la Paz?

Godoy se dispone a luchar. Tiene ochenta años pero si se le ha devuelto el honor, vive todavía en la miseria. Inicia procesos que durarán tantos años que a su muerte, el 4 de octubre de 1851, todavía no han sido sustanciados. Ni lo serán jamás.

Fue enterrado en el cementerio de Père Lachaise en donde todavía se puede ver su tumba.

INTERMEDIO

MARÍA ANTONIA DE NÁPOLES

La princesa que no llegó a reinar

Cuentan que un día el rey Alfonso XIII recibió en audiencia a un historiador que le dijo:

—Señor, estoy escribiendo un libro para reivindicar la memoria de vuestro ilustre bisabuelo Fernando VII.

—¿Reivindicar a Fernando VII? ¡Pues trabajo te doy! —respondió el monarca.

Y tenía razón el rey. Fernando VII, como ya se ha visto, fue un hijo mal nacido, mal esposo, mal gobernante, pésimo rey, vil, cobarde, traidor, ladrón... y así podrían continuar los epítetos hasta la náusea, pues sólo náusea produce la historia de tan innoble individuo.

Tenía Fernando, entonces príncipe de Asturias, sólo trece años de edad cuando se empezó a buscarle novia para casarlo lo más pronto posible. Se pensó primero en casar al príncipe con la princesa Augusta, hija del rey de Sajonia, que además de ser guapa, era inteligente y culta y por añadidura llevaría al matrimonio una dote de setenta millones de duros, pero la idea no prosperó.

Se pensó luego en casar a la infanta María Isabel con el príncipe heredero de Nápoles, a lo que no se prestó la reina napolitana si no se concertaba al propio tiempo el matrimonio del príncipe de Asturias con su hija María Antonia. Ello no era muy del agrado de María Luisa, la cual buscó alianza de parentesco con Napoleón, fracasando después de una inútil gestión del embajador Azara en París, cosa que disgustó mucho a María Luisa, que en una carta a Godoy escribía: «Hablamos de María Isabel: le dije cuánto me alegraría se verificase la boda; me respondió: *peut-étre, il ne faut pas se presser*. Luego vimos la torpeza que ha cometido ese bufo de Azara, pues ya está lelo.»

Fracasado también este proyecto, se pensó en casar a la infanta con el príncipe heredero de Nápoles, a lo que la reina María Carolina de este país respondió como antes que consentía en ello a condición de que su hija la princesa María Antonia casase con el príncipe de Asturias.

Lo bonito del caso es que mientras se trataba de este asunto el príncipe heredero de Nápoles estaba casado con la archiduquesa María Clementina, aunque, minada por la tisis, se daba por próxima su muerte. Falleció en efecto el 15 de noviembre de 1801 y diez días después el príncipe se mostró deseoso de casarse con la princesa española. Se concertaron, pues, el mismo mes de noviembre las dos bodas que se celebraron por poderes en Nápoles el 25 de agosto de 1802.

En septiembre del mismo año la corte se trasladó a Barcelona, en donde permaneció hasta el 8 de noviembre. La ciudad condal no omitió esfuerzo para agasajar a los reyes con los más variados festejos. Hubo cabalgatas y mascaradas, corridas de toros, bailes en palacio y populares, iluminaciones, fuegos artificiales, ejercicios de artillería, besamanos por el cumpleaños del príncipe y el santo del rey, bautizo de la infanta hija de la reina de Etruria,[1] ascensión en globo por el capitán don Vicente Lunardi, ofrenda, por los cuerpos de comercio y fábricas, de medallas de oro y plata acuñadas para conmemorar la regia visita, y por último, en la noche del 7 de noviembre, una representación alegórica ofrecida por los colegios y gremios, a cuyos delegados, al besarle la mano, se dignó el rey dirigirles en su estilo lapidario el siguiente discurso, el más largo de cuantos pronunció en Barcelona: «Nos vamos porque es preciso: lo sentimos; no nos olvidaremos de vosotros: os quedaremos muy agradecidos; y estamos muy contentos, porque hemos visto lo mucho que nos queréis.» Y no hay que decir que Carlos IV, por no perder el tiempo y la costumbre, salió también de caza algunos días.[2]

María Antonia de Nápoles en la primera carta que desde Aranjuez escribió la princesa a su cuñado el archiduque Fernando de Toscana, empezada el 23 de enero y continuada el 11 de febrero de 1803, dábale cuenta en estos términos de la impresión que, a su llegada a Barcelo-

1. La reina de Etruria había dado a luz a bordo de la nave *María Luisa* que la conducía de Liorna a Barcelona.
2. Villa-Urrutia, *Las mujeres de Fernando VII*. Sigo en este capítulo este libro que, a mi parecer, es el más completo sobre el tema, por lo menos en lo que se refiere a la primera esposa de Fernando.

na, le había producido el príncipe de Asturias: «Bajo del coche y veo al príncipe: creí desmayarme: en el retrato parecía más bien feo que guapo; pues bien, comparado con el original, es un Adonis, y tan encogido. Os acordaréis que Santo Teodoro escribía que era un buen mozo, muy despierto y amable. Cuando está uno preparado encuentra el mal menor; pero yo que creí esto, quedé espantada al ver que era todo lo contrario.» No tuvo otro remedio que llorar a lágrima viva, maldiciendo el momento en que había consentido en semejante boda y a la persona que así la había engañado.

El príncipe contaba dieciocho años, su esposa unos pocos meses menos y a pesar de que esta edad es adecuada para la energía sexual, el matrimonio no se consumó. El 10 de noviembre de 1802 la reina María Carolina de Nápoles escribía: «Mi hija está desesperada. Su marido es enteramente memo, ni siquiera un marido físico, y por añadidura un latoso que no hace nada y no sale de su cuarto.» El 20 de noviembre: «Es un tonto, que ni caza ni pesca; no se mueve del cuarto de su infeliz mujer, no se ocupa de nada, ni es siquiera animalmente su marido.» El 3 de mayo de 1803: «Mi hija es completamente desgraciada. Un marido tonto, ocioso, mentiroso, envilecido, solapado y ni siquiera hombre físicamente, y es fuerte cosa que a los dieciocho años no se sienta nada y que a fuerza de orden y persuasión se hayan hecho inútiles pruebas sin consecuencias: ni placer ni resultado.» El 13 de abril: «El marido no es todavía marido y no parece tener deseo ni capacidad de serlo, lo cual me inquieta mucho.» En fin, el 29 de septiembre aparece el anuncio de que, gracias a un buen sermón de Santo Teodoro, el príncipe, al cabo de un año de casado, había llegado a ser marido de su mujer. Por su parte María Luisa escribía a Godoy el 2 de febrero de 1803: «Acaba de estar conmigo el padre Fernando [el confesor de la princesa] con la respuesta de lo que sabes le encargamos: le ha dicho hacía mucho tiempo nada había hecho, pero no le ha dicho el por qué, ni el buen padre se lo preguntó, sólo dice lo halla tímido, cobarde; qué te parece haga o el padre o yo.»

Adelantemos que Fernando se desquitó con creces de su poca virilidad con su esposa con las demás que tuvo y con hembras de diverso pelaje y generalmente de baja estofa.

La princesa María Antonia era, según dice Villa-Urrutia, de rubios y abundantísimos cabellos, que tocaba a semejanza de áureo casco, garzos los ojos, dulce y triste la sonrisa con que templaba la severidad del rostro; majestuoso el porte, recio y exuberante el pecho, que ceñido muy alto, por sujetarse a la moda, resultaba aún más copioso y prominente; y toda ella rebosaba salud y frescura. Mas esa aparente salud y la alegría que trajo de Viena perdiólas bien pronto en la corte de España, en la que, al amparo de una severísima etiqueta palatina, reinaba el más profundo tedio.

La falta absoluta de libertad es lo que más molestaba a la princesa, que en carta al archiduque Fernando se quejaba de que para todo había que pedir permiso: «para salir, para comer, para tener un maestro, etc., etc., creo que hasta para ponerse una lavativa».[1]

Fernando, por su parte, era hombre de una incultura total, lo que contrastaba con la viveza de ingenio y los conocimientos de su esposa. Perezoso, sin ninguna afición, ni siquiera a la caza, tan característica de los Borbones, pasaba las horas tumbado en un sofá o sentado en un cómodo sillón fumando puros ininterrumpidamente sin hacer nada y sin dejar que nada se hiciese.

Alquier, el ministro de Francia en Nápoles, en despacho de 4 de mayo de 1803 refiere una anécdota que había oído de la reina y que probaría que el príncipe era más impetuoso en sus antojos que en sus amores. Una tarde en que la princesa quiso retirarse a su cuarto después de comer, empeñóse el príncipe en que se quedara. Negóse ella, él insistió, y como siguiera ella resistiendo, la cogió violentamente por el brazo y le dijo: «Aquí soy yo el amo: tienes que obedecer y si no te conviene te marchas a tu tierra, que no he de ser yo quien lo sienta.» Terminaba la princesa la relación de esta disputa con la siguiente reflexión, que leyó a Alquier la reina María Carolina: «Este proceder, de haberle yo querido, me hubiese hecho morir de pena; pero me sirve de consuelo el desprecio que me inspira su persona.»[2]

El 22 de noviembre de 1804 y el 18 de agosto del año siguiente tuvo la princesa dos abortos, lo cual hizo que

1. Villa-Urrutia.
2. Id.

tanto su marido como su suegra la reina María Luisa le cobrasen más antipatía.

La reina habla de su nuera con rabia y desprecio; la llama «escupitina de su madre, víbora ponzoñosa, animalito sin sangre y sí todo hiel y veneno, rana a medio morir, diabólica sierpe». No se puede decir nada peor.

La reina fiscalizaba a María Antonia desde los trajes que llevaba y que consideraba indecentes hasta sus lecturas. Se incautaba de sus libros y en una carta decía: «María Antonia ha tenido hoy su terciana, nada la he dicho de los libros por estar así y porque me han dicho que los que son, dudo lo diga y sí los guarde; dicen son de aquellos malos con unas estampitas diabólicas, y que anda tras un abanico, como uno que dicen había visto a una dama (la que no he podido saber quién es) pero que no aparecen lo que son no viéndolos al vislumbre; qué haré, pues eso es intolerable. Dicen que Fernando echa ojeadas a esas estampas. Esto lo han dicho las Daquieres [las Dehier], que son las mozas de retrete que vinieron de allá.» «El rey ha visto hoy uno de los libros que tenía allí, en papel rústico azul, creo su título es *Les folies de ces tems: An neuvième de la Republique*, impreso en París, que le ha parecido malo por una lámina que tenía al principio. Maleará a Fernando. Esas mozas de retrete me parece que no convienen, pues por lo mismo que son dos mujeres que no suenan en el mundo pueden hacer más daño, y en aquel cuarto todos las respetan por las alas que les da su ama.» «Hoy le he dicho a María Antonia lo de los libros y sólo me ha confesado tenía cuatro muy malos, que sin saberlo ella le habían venido con otros que había comprado, que los tenía escondidos, que se los daría a Montemar para que se los llevase (yo que me creo puede ser uno de los conductos); le dije que no, que me los diese, y ha quedado en traérmelos mañana; te los enviaré por la noche. Me ha confesado le gustaban los romances y que no los veía Fernando, pues tenía un cajón donde los guardaba y había llave que tenía ella. Dice la riñe también su madre por eso. La he hecho aquellas reflexiones que me dices, parece se convence, pero veo sacaremos poco partido con ella.» Al día siguiente devolvió la princesa los cuatro libros, que pasaron a poder de Godoy, después de haber echado probablemente la reina su ojeada a las estampas para cerciorarse de su maldad. Debían ser estos libros de los ilustrados el siglo XVIII, hoy tan buscados y pagados, que abundaban en la rica biblioteca de Valençay, y que el infante don Antonio no arrojó al fuego por no entender el francés, contentándose con despojarlos de sus preciosas láminas.[1]

Poco iba a durar el martirio de la princesa. Tísica, el clima de Madrid no le sentó bien y menos todavía el ambiente frío del palacio real. Como era joven, tenía ilusiones de vivir y esperanzas de sanar, pero, cuando tuvo que guardar cama, se vio por los médicos que su fin se acercaba sin remedio. Se fue agravando hasta el punto de que el 18 de enero de 1806 se le administró la unción, creyendo que no saldría de la noche. El 24 estaba con mucho dolor en el pecho, no podía estar sino sentada, comía con ansia y las fuerzas eran pocas. El 20 de febrero hablaba la enferma como si tal no estuviese, pero con su buena calentura y principios de hidropesía en el vientre. El 21 se vistió de una y media a cinco y tocó el clave, y a pesar de eso tenía su buena calentura con la opresión y fatiga al pecho. El 26 de abril le dio la manía de comer lechuga y tortilla con mucha pimienta, y al día siguiente hablaba de divertirse y de salir de casa; que mientras no saliera no se pondría buena y que ya no quería hacer remedios. El 14 de mayo se creyó que no saldría de la noche; pero vivió hasta las cuatro de la tarde del 21.

El vulgo, en su tendencia a creer siempre lo más complicado, atribuyó la muerte de la princesa a envenenamiento producido por una pócima suministrada por Godoy a instancias de la reina María Luisa. También se dijo que el fallecimiento se había producido por la introducción de un alacrán en el lecho de la princesa.

No eran más que bulos, pero alimentados por el odio que se sabía que sentía la reina hacia su nuera.

1. Villa-Urrutia.

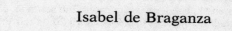
Isabel de Braganza

Durante su estancia en Francia, estancia que no cautiverio, Fernando VII demostró una vez más la bajeza de su carácter y sus sentimientos adulando a Napoleón mientras en la península corría la sangre española en la guerra de la Independencia.

Fernando, a quien los españoles llamaban el Deseado, adulaba a Napoleón de todas las maneras posibles. Uno de sus primeros actos fue pedir a Napoleón la mano de su sobrina Lolotte, la hija de Luciano Bonaparte y de Catalina Boyer, nieta de unos humildes hosteleros. En una carta que escribió al usurpador José I le decía «que se consideraba miembro de la augusta familia de Napoleón a causa de que había pedido al emperador una sobrina por esposa y esperaba conseguirlo».

Dice Villa-Urrutia que Fernando VII, como príncipe de Asturias, se mostró hijo rebelde y descastado con los reyes, desleal y cobarde con sus amigos, felón para su patria. De estos rasgos distintivos de su carácter dio también hartas pruebas durante el mes que reinó en España y las tres semanas que pasó en Bayona; pero lo que resultó más de relieve y hubo de influir principalmente en su destino, fue la falta de valor personal. Fernando, que era de suyo en extremo cobarde, sólo pensó en poner a salvo su persona, dejando que sus súbditos, cuya suerte le importaba poco, se arreglaran como mejor pudieran con los franceses. El miedo le hizo salir de Madrid al encuentro del emperador; el miedo no le consintió detenerse en Vitoria ni intentar la fuga; el miedo le obligó, después de las frustradas negociaciones con Napoleón y las vergonzosas disputas con Carlos IV, a abdicar la corona y a firmar en Burdeos la proclama a los españoles y en Valençay la carta a José, felicitándole por su advenimiento al trono, sin que temblara la mano ni se enrojeciera la mejilla.

Fracasado el proyecto de Fernando con Lolotte, no cejó el rey español en su empeño de emparentar con Napoleón, para lo cual se le ocurrió nada menos que pedir la mano de Zenaida Bonaparte, hija del rey intruso José I y de Julia Clary, lo que tampoco cuajó.

En su estancia en Valençay, Fernando se dedicaba a bordar, lo que al parecer hacía primorosamente, en competencia con su tío el infante don Antonio, que se distinguió en las labores de aguja cosiendo y bordando para la iglesia de Valençay un dosel de glasé de plata con franja y flecaduras de oro.

Cuando se divorció Napoleón y se volvió a casar, Fernando y su hermano don Carlos —el ultracatólico *Señor* de los carlistas— dispusieron alegres fiestas en el palacio de Valençay, una gran parada militar en el patio del mismo, músicas e iluminaciones.

Hizo cantar también un solemne tedéum en la capilla, y dentro de ella, al concluir la sagrada ceremonia, se volvió lleno de entusiasmo hacia la concurrencia y dio repetidas veces los gritos de «¡Viva el emperador! ¡Viva la emperatriz!». Dio además un suntuoso banquete, en el que pronunció este brindis tan servil como los que después pronunciaron Antonio y Carlos y el caballerizo e intendente Amézaga: «A *nuestros* augustos soberanos el gran Napoleón y María Luisa, su esposa.» Después de tan bajo proceder, escribió a Bonaparte dándole la enhorabuena y luego al gobernador de Valençay para que, testigo de lo ocurrido, interpusiese su valimento ante el emperador, a fin de que le premiase como merecía, siendo su mayor deseo que, en atención a su conducta, a tenerle por su soberano y a prestar sumisión y entera obediencia a sus intenciones y deseos, le recibiese como su hijo adoptivo, lo cual haría la felicidad de toda su vida.[1] Napoleón, que debió ver en Fernando un ser algo más abyecto y ruin que los senadores que causaban hastío a Tiberio por verlos «tan preparados para la servidumbre», queriendo deshonrarle ante Europa, hizo insertar en *Le Moniteur* estas cartas, y lejos de tomarlo a mal su envilecido autor, se apresuró a dar las gracias al déspota en otra epístola.»[2]

1. Nótese que todo esto pasaba en 1810, es decir, en lo más enconado de la guerra de la Independencia.
2. García Ruiz, ex ministro de la Gobernación, citado por Gonzalo de Reparaz.

138

No puede existir mayor demostración de la bajeza de Fernando VII que la carta abyecta que dirigió al emperador para agradecerle la bofetada que le acababa de dar. Es tan vil y rastrera, que por lo larga y por su carácter me abstengo de publicarla. Pero ¿qué se puede esperar de un individuo que escribe a Napoleón la siguiente carta, fechada en 22 de junio de 1808, cuando fue nombrado rey de España José Bonaparte?

«Doy muy sinceramente en mi nombre, de mi hermano y tío, a V. M. I. la enhorabuena de la satisfacción de ver instalado a su querido hermano en el trono de España... No podemos ver a la cabeza de ella un monarca más digno y más propio por sus virtudes.»

Terminada la guerra de la Independencia, Fernando VII regresó a España dispuesto a ser, según sus palabras, «un rey absolutamente absoluto», de lo que dio prueba a su llegada a Madrid al indicar a la comitiva que le acompañaba la orden de no pasar ante el edificio de las Cortes en donde le esperaban los representantes del pueblo que había luchado por su regreso.

Una de las pocas cosas que aceptó Fernando de lo decidido por ellas fue la propuesta imaginada por Zea Bermúdez[1] de casar al rey con una princesa rusa. La idea, descabellada por cierto, no tuvo éxito y fue contemplada con sorna por la corte rusa ante la que el embajador Bardají hizo las oportunas gestiones.

Pero el rey tenía prisa en casarse. Hacía ocho años que se había quedado viudo y como dice González-Doria en su obra *Las reinas de España*, tantas veces citada: «Lo que en verdad conviene ahora al rey de España es tener un aliado importante que sea vecino de los territorios coloniales de América, en los que va prendiendo la antorcha de la insurrección, y da por ello en pensar que nadie mejor que su cuñado Juan VI de Portugal, casado con su hermana mayor, la infanta doña Carlota Joaquina, quienes están instaurando la monarquía imperial del Brasil, en donde se encuentran desde que las tropas napoleónicas se aprestaron a invadir el territorio lusitano. Tienen los monarcas portugueses tres hijas y dos hijos: María

---

1. Indistintamente he visto escrito este apellido como Zea o Cea. En los libros de la época figura con más frecuencia la primera versión. En el callejero actual de Madrid se lee Cea.

Teresa, Isabel, Pedro, María Francisca y Miguel. La mayor de las hermanas, Braganza, ha casado en 1810 con un primo hermano de su madre, el infante don Pedro de Borbón, hijo del infante don Gabriel y nieto del rey Carlos III; están solteras, por tanto, en este momento Isabel y María Francisca; Fernando VII elige para sí a la mayor de éstas, y adjudica la otra a su hermano don Carlos, pero previamente tiene que convencer al infante para que vuelva atrás de su propósito de mantenerse célibe, lo que más hubiese valido, pues se habría ahorrado España posiblemente la escisión dinástica que, originada por este infante, se producirá años después.

Con garbo y donosura, que en vano quisiera imitar, el marqués de Villa-Urrutia escribe: «Era Fernando hombre de muchos y desordenados apetitos, harto dañosos para la enfermedad que padecía; pero no gustaba de solazarse con las damas de su corte, como su ilustre antepasado el gran rey francés, antes de que lo sometiera a su severa disciplina madame de Maintenon. Aunque muy aficionado a las mujeres, no las tenía en más estima que a los hombres, ni le inspiraban mayor confianza, sintiendo una instintiva repugnancia a dejarse gobernar por privados o queridas. Solía salir disfrazado por las noches en compañía del duque de Alagón, tanto para enterarse, a guisa de sultán oriental, de lo que se decía y hacía en la coronada villa, capital de sus reinos, como para entregarse fuera de palacio a ciertos deportes que los musulmanes practican dentro del harén; siendo las hembras con quienes el amanolado monarca gustaba de platicar y de juntarse mozas de rompe y rasga, de mucho trapío y poco señorío, que en los barrios bajos gozaban de renombre, sin excluir alguna que otra doncella menesterosa que, para dejar de serlo, invocaba como excusa la dura ley de la necesidad y el respeto que hasta en sus deslices impone la realeza.»

La gestión del casamiento de Fernando VII con la princesa Isabel de Braganza tenía que llevarse en secreto, hasta el punto de que el ministro de Estado no tenía la menor noticia de ello, pero cuando los enviados de Fernando llegaron a Río de Janeiro supieron con asombro que la corte de Brasil había hecho pública la noticia de la proyectada boda.

A fines de agosto de 1816 llegó a Cádiz la flota que

transportaba a las princesas lusitanas, celebrándose a bordo del navío *San Sebastián* los desposorios en los que el duque del Infantado representaba por poderes al rey.

Era la nueva reina gordita, mofletuda, cara de pálido color, ojos saltones, gran nariz y pequeña y torcida boca. Por otra parte llegaba a Madrid sin dote alguna y sin el ajuar principesco de costumbre en estos casos, por lo que el pueblo de Madrid quedó asombrado y no faltó quien, anónimamente por supuesto, colocase a la puerta del palacio real un papel en el que se leía:

> *Fea, pobre y portuguesa...*
> *¡Chúpate ésa!*

A los dos meses de casada, la reina sintió los primeros síntomas de embarazo, lo cual alegró al rey que veía así asegurada su sucesión.

No por ello dejó sus costumbres de francachelas nocturnas, frecuentando las tabernas de Madrid y recalando casi cada noche en una casa de mala nota regentada por una tal Pepa la Malagueña.

Pero no era sólo la Pepa y sus pupilas las que alegraban la vida del monarca. Para aliviar el dolor que le producía la gota que padecía visitaba con cierta frecuencia las aguas de Sacedón y allí se encaprichó de una moza de rompe y rasga y de buen ver a la que hizo ir a Madrid, en donde la instaló convenientemente.

Enterada la reina de las habitudes de su marido, se le ocurrió nada menos que hacerse confeccionar un traje de manola con el que se vistió. Se puso unos claveles en el moño y disfrazada de esta guisa esperó la llegada de su marido. Éste, cuando la vio, no pudo contener la risa y sus carcajadas se oyeron en todo el palacio real. La reina comprendió que había hecho el ridículo y se retiró llorando a sus habitaciones, pero lo chusco del caso traspasó los límites de la real morada. No hay que decir lo que se divirtió el pueblo al enterarse de lo sucedido.

El 21 de agosto de 1817 Isabel de Braganza da a luz una niña a la que se impone el nombre de María Luisa en homenaje a la reina esposa de Carlos IV, que era a la vez abuela y suegra de doña Isabel. La niña vivió pocos meses.

El rey pareció muy apenado por lo sucedido pero no

por ello dejó de frecuentar deifas y rabizas como era su costumbre. Recientemente establecida la policía en España, habíase organizado una sección para los Sitios, hallándose la de Aranjuez a cargo del entonces coronel y más tarde general don Trinidad Balboa, que pretendía hacer creer al rey que ni él mismo escapaba a su vigilancia. Cierto día Balboa, a quien S. M. le hacía dar diariamente noticias de la chismografía del Sitio, escribió en uno de sus partes «que no ocurría más novedad que la alarma en que vivían los fieles súbditos de S. M. temiendo que los aires fríos y húmedos de la noche en los jardines atacaran su preciosa salud». Descontento el rey de injerencia tan incómoda en sus interioridades, se apresuró a advertirle con adusto ceño que «cierta clase de indagaciones podrían concluir con un viaje a Ceuta».

Ni que decir tiene que el general Balboa, si se enteró de algo, fue discreto y no volvió a emitir ningún comunicado preocupándose por la salud del rey.

Volvió otra vez la reina a quedar embarazada, y estando en Aranjuez, cosa que habían recomendado los médicos por creer que el clima de esta población sería más propicio para la salud de la reina, cuyo embarazo presentaba problemas, el 26 de diciembre de 1818 los médicos decidieron hacer una cesárea para extraerle el feto. Creían los doctores, según se dijo entonces, que la reina había muerto y al extraer la niña que llevaba en su seno, y que nació sin vida, lanzó la madre un grito que dejaba de manifiesto que no había fallecido aún, como creían los médicos, los cuales hicieron en ella una espantosa carnicería. Según dice Balansó, la operación se llevó a cabo de modo tan atroz que según el testimonio de un contemporáneo la sangre corría a raudales por el cuarto.

La reina —que sufría de alferecía— murió, esta vez definitivamente.

Fue Isabel una reina modesta y opaca. De su paso por la corte queda, no obstante, algo imperecedero: la formación del Museo del Prado. Lo que no es poco.

Cuando murió tenía la reina Isabel 21 años y había reinado durante dos.

María Josefa de Sajonia

Al quedarse viudo por segunda vez tenía Fernando VII treinta y nueve años, y sigue sin tener descendencia. Sigue con su vida disipada en compañía del duque de Alagón y de Chamorro, un aguador de la fuente del Berro que se había convertido en favorito del rey gracias a sus palabras chabacanas y su grosera forma de hablar. Fernando fuma como un carretero y, como muestra de amistad, a mitad del puro se lo entrega babeado a quien quiere favorecer, diciéndole: «Toma, acábatelo», lo que tiene que hacer el pobre cortesano a quien le toca esta gracia, aunque no haya fumado en su vida.

La nueva novia buscada por el rey fue la princesa María Josefa Amalia de Sajonia, que tiene quince años de edad. Era prima segunda del rey. Había nacido en Dresde el 7 de diciembre de 1803 y su padre, el duque Maximiliano de Sajonia, cuando era todavía muy pequeña la encerró en un convento a orillas del Elba, del que no salió hasta convertirse en esposa del soberano español.

El 2 de agosto de 1819 llega a España la prometida del rey y el 20 de octubre de ese mismo año tiene lugar la ceremonia del matrimonio.

La noche de bodas fue un fracaso. González-Doria lo explica con la máxima delicadeza con que este tema se puede tratar: «No había cumplido la reina todavía los dieciséis años, cuando se veía casada con un hombre casi veinte mayor que ella, quien además de resultar un galán más que corrido, y ya con algunos achaques por su dolencia de gota, era físicamente un verdadero adefesio. A doña María Josefa nadie se había tomado la molestia de ponerle en antecedentes de algunas circunstancias, por lo que la pobrecilla no tenía ni la más remota idea de que los niños no vienen al mundo merced a los desinteresados servicios de una amable cigüeña, como le habían dicho las monjitas de su convento de las orillas del Elba, sino en virtud de realizar determinadas prácticas, que le causaron tal horror cuando estuvo a punto de poder experimentarlas la noche de bodas, que la ingenua soberana, presa de verdadero pánico, como jocosamente nos relata un autor, no pudo evitar orinarse en el lecho, dando lugar a que Fernando VII, "a poco de haber entrado en la regia alcoba, salió de ella más que de prisa, en paños muy menores, echando pestes y apestando a demonios"; de donde se deduce que la reina no solamente no logró reprimirse la orina, sino alguna otra evacuación fisiológica.

»A partir de esa noche se cerró en banda doña María Josefa para admitir contacto íntimo alguno con su consorte, firmemente persuadida de que los naturales deseos de don Fernando eran altamente pecaminosos.»

Cuando el rey insistía en cumplir como marido, la reina le respondía: «¿Por qué no rezamos un rosario, Fernandito?»; y al rosario seguía un trisagio, luego una novena y así sucesivamente hasta que el rey, bufando, salía de estampida de la alcoba echando por la boca venablos y las palabrotas más gruesas de su vocabulario, que en este campo no eran pocas.

Intervinieron en el asunto los clérigos de la corte y el confesor de la reina, pero todo era inútil. La reina se cerraba en banda diciendo: «Lo que el rey quiere de mí es pecado mortal.»

«No hay nada que hacer: frenético y fuera de sí, Fernando VII envía un urgente mensaje al pontífice romano, un duro escrito redactado personalmente por él en el que exige al Vaticano la anulación inmediata de su matrimonio "a la vista de que no puede consumarse por voluntad manifiesta de la reina".

»Uno de los consejeros lo lee y se permite hacerle observar al rey la dureza de los términos empleados en el documento. El rey se vuelve hacia él y fulminándolo con la mirada exclama: "¡Demasiado suave! ¡O yo jodo de una vez con esa pazguata o que el santo padre anule mi matrimonio!"[1]

1. No se extrañe el lector del lenguaje soez del monarca. Era grosero y mal educado. De todos modos, lo usa también en nuestros días, si hemos de creer a los periódicos, una linajuda duquesa.

»La sabia decisión papal devolverá las aguas a su cauce: la reina María Josefa Amalia se rendirá al fin ante el argumento esgrimido nada menos que por el papa, un argumento en forma de otro mensaje sellado con el escudo pontificio y que la exhorta "a aceptar como bueno el obligado tributo conyugal, bendecido por la Santa Madre Iglesia".

»Al fin, pues, la reina asume su papel como esposa. Pero, en tanto viva, se estremecerá siempre de angustia y de pavor cada vez que el rey cierre la puerta de la alcoba y se despoje de sus calzones dispuesto a copular. Y aun accediendo a ello, no pasará una sola de tales ocasiones sin que, previamente, ante las impaciencias del marido, le obligue al consabido rezo del rosario. De tal manera que en los diez años que durará este matrimonio, Fernando VII habrá rezado más que el resto de toda su condenada vida...»[1]

Aparte de sus remilgos religiosos, la reina no era nada tonta. En poco tiempo aprendió el castellano y, con esfuerzo digno de mejor causa, se inclinó por los pinitos literarios, pariendo, ya que no hijos, unos versos ramplones y de feroz cursilería.

He aquí una muestra de ellos:

«Oda escrita con motivo de hallarnos mi esposo el rey y yo solos la víspera de la Inmaculada Concepción. Él rezando el oficio del día[2] y yo el parvo de la Virgen María:

> *La víspera del día,*
> *de excelsa gloria lleno,*
> *que apareció sin mancha*
> *la Madre del Eterno,*
> *en el dulce recinto*
> *de nuestros aposentos*
> *me hallaba con mi esposo*
> *solos los dos y quietos,*
> *y entrambos de la Iglesia*
> *con los himnos selectos*
> *cantábamos las glorias*
> *de Aquél que es sólo excelso*

1. José Antonio Vidal-Sales.
2. El que imagine a Fernando VII leyendo el oficio del día es que tiene mucha imaginación.

Parece casi una excusa que para huir de tan cursi y pazguata mujer el rey no abandonara sus correrías nocturnas y sus placeres extramaritales. Citemos a Fernando Díaz-Plaja en su libro *La vida cotidiana de los Borbones*.

«Fernando VII sabía como nadie limpiarse con el dorso de la mano las escurriduras que en sus labios dejaban el chinchón, el pardillo de Arganda y el peleón de Valdepeñas. Fernando VII sabía como nadie azotar a su maja después de un paso de bolero y simular un torero desplante a la vuelta de la encrucijada de una casa de compromiso. Estos gustos, regustados secretamente, no eran inconvenientes para que, en público, rezara con sus mujeres trisagios, oficios y rosarios; para que acudiera a los conventos cubierto el pecho de escapularios y adorara compungido las imágenes de los altares, dándose graves golpes de pecho. ¡Y vaya si era feo don Fernando VII! Feo del todo y por partes. Carirredondo, mejillas deformes, nariz gruesa y torcida, boca hundida, barba saliente; únicamente los ojos eran grandes y vivos. Rechoncho, ordinario, sin un movimiento discreto, sin una actitud noble. Se le creería un arriero disfrazado. O un frailazo lego secularizado.»[1]

Lo que divertía siempre al monarca, como le ocurrirá a otras personas de su familia más tarde en los jardines de San Ildefonso o La Granja, era hacer brotar de pronto los surtidores cuando más distraídos estaban un sencillo labriego, un currutaco o una remilgada polla» [por señorita joven].

Fernando VII no cazaba, cosa rara en su familia, ni hacía ningún otro ejercicio físico. Iba, eso sí, a todas las corridas y dirigía eficazmente la lidia con señales secretas, la mano derecha en el sombrero para el cambio de banderillas, por ejemplo, o si éstas eran de fuego, sacando los avíos de encender los cigarros. Si fallaba, según el público, le silbaban y le cantaban el estribillo acostumbrado para esos casos: «No lo entiende usted», lo que hacía reír mucho al monarca, una curiosa actitud en quien no toleraba ninguna falta de respeto al absolutismo, pero que en ese caso aceptaba democráticamente el veredicto de la mayoría de los espectadores.

1. Federico Carlos Saiz de Robles.

Pero lo que más le gustaba era reunirse por la noche con la llamada «camarilla».

«La camarilla se dividía en dos, como suma en dos sumandos; la llamada familiar, compuesta por el infante don Antonio, el canónigo Escoiquiz, el duque de San Carlos y Chamorro; y la religiosa, por el canónigo Ostolaza, el fraile Casto y el cura Creux. De estos personajes, eran los más interesantes: Chamorro, el fraile Casto y el canónigo Ostolaza. Pedro Collado, llamado Chamorro, era natural de Colmenar Viejo, y tuvo en su juventud oficio de aguador de la Fuente del Berro. Casualmente pudo entrar en la servidumbre de Fernando VII cuando todavía era éste príncipe de Asturias. Su lenguaje truhanesco y crudo, su cómica garrulidad, su aptitud para el espionaje y su buena mano para conseguir platos de cocina plebeyos, le ganaron la amistad de Fernando, que se lo llevó a Valençay para que le sirviera de bufón, de lacayo y de sicario. Para pintar al canónigo Ostolaza basta este brochazo: desterrado a Granada por el propio rey y encargado de un orfanato de niñas... hubo de formársele proceso por haber abusado de varias de ellas. El fraile Casto, de residencia en El Escorial, energúmeno de soberbia, había fundado un periódico, de una falta de educación absoluta y una fértil inventiva que, de cópulas con dicho religioso y otros varios tan bellacos, daba frecuentes partos de calumnias y de odios. Uno de los titulares de dicho periodicucho que tuvo más éxito fue aquel de "Triunfos recíprocos de Dios y de Fernando VII". En aquella tertulia de antesala —escribe Lafuente—, tan correspondiente con la dignidad de la corona y tan contraria a la ceremoniosa gravedad del alcázar regio de nuestros antiguos soberanos, entre el humo de los cigarros y la algazara producida por tal cual gracejo o chiste de la conversación, se iniciaban y fraguaban los proyectos y resoluciones que en forma de leyes se dictaban para el gobierno de la monarquía.»

¡Qué diferencia entre este ambiente de camarilla y la cámara real que en presencia de la reina desgranaba rosarios y más rosarios!

A todo esto la reina no quedaba embarazada. Se le recomendaron muchos remedios que no produjeron ningún efecto. Se le aconsejó por fin que tomase las aguas de Solán de Cabras y hacia allí parte la comitiva real en pleno mes de agosto, bajo un sol de justicia que parte las piedras. La comitiva, en coche de mulas, camina lentamente entre nubes de polvo. El calor es sofocante y hubo un momento en que el rey sofocado y mascando polvo saca la cabeza por la ventanilla de su coche y dice al oficial que cabalga a su lado:

—De este viaje salimos todos preñados menos la reina.

Y, en efecto, la reina no quedó preñada pero se consoló pariendo, ya que no un retoño, unos melifluos y cursis versos como suyos que terminaban diciendo:

> Por mí no quedó qué hacer,
> obre Dios con su clemencia.

A todo esto se sucedían en España una tras otra situaciones políticas de distinto signo.

A los liberales les suceden los absolutistas y el monarca traiciona a unos y a otros. Como había prometido no verter sangre, lo cumple mandando ahorcar a los reos.

Los franceses invaden otra vez la península, pero esta vez llamados por el rey. Los Cien Mil Hijos de San Luis, que así se llamó a los regimientos que, mandados por el duque de Angulema, ayudaron a Fernando a instaurar de nuevo el régimen absolutista, llegaron hasta Cádiz en donde los liberales custodiaban la persona del rey.

Fernando hizo un viaje triunfal de Cádiz a Madrid a los gritos para él suavísimos de «¡Viva el rey absoluto! ¡Vivan las cadenas! ¡Muera la nación!», que lanzaba entusiasmado el estúpido populacho.

Siempre fue su regla de conducta la hipocresía. Durante la época constitucional organiza las conjuraciones de sus fieles, y cuando por fin se establece la junta de los absolutistas en Urgel, proclama oficialmente en un manifiesto «que había aceptado y jurado gustosamente la Constitución así que conoció los deseos de sus pueblos; que la impostura era la que había levantado un trono de escarnio y de ignominia en Urgel», etc.

Contra los solemnes compromisos que veremos, al día siguiente de su salida de Cádiz, es decir, el 1 de octubre de 1823, inició la más feroz represión y las persecuciones más horrorosas que puedan imaginarse. Pero lo que aquí nos interesa es hacer resaltar su hipocresía: el mismo día 1 de octubre condenó en secreto a la horca a tres individuos de la regencia de Sevilla: Valdés, Císcar y Vigodet.

Císcar había aceptado la plaza de regente consultándolo antes con Fernando, quien le contestó que aceptase so pena de su real desagrado.

Vigodet había consultado igualmente al monarca y conservaba un autógrafo de Fernando en el que le ordenaba que no renunciase al cargo, a fin de que las Cortes no nombrasen en su lugar a un enemigo del Borbón.

Sorprendidos los tres por la felonía del degenerado monarca, y no pudiendo creer semejante monstruosidad, se resistían a escapar cuando el general francés Bourmont los avisó del peligro que corrían.

Valdés, hombre honrado y leal, que de nada se sentía culpable, no acertaba a comprender la felonía del rey, y se negó a huir, prefiriendo la muerte a la fuga, teniendo el mismo Bourmont que llevarle casi a la fuerza a bordo de un navío francés.

Lo mismo hacía, mientras tanto, el conde de Ambrageac con Vigodet y Císcar. Este glorioso marino murió en el destierro en la mayor miseria.[1]

Y a todo esto la reina sin enterarse de nada. Recluida en su oratorio privado, envuelta en unas hipotéticas gasas azul celestes, estaba convencida de que su marido era un santo varón al que ella, con sus rosarios y oraciones, conducía de la mano por el camino de la salvación eterna.

No fue madre, cosa que le dolió después de los sacrificios que le suponía cumplir con su deber conyugal. Era un alma pura, como dice Villa-Urrutia, dechado de cristianas costumbres y de nobilísimos sentimientos.

Estando en Aranjuez se le presentaron unas mortales fiebres y falleció el 18 de mayo de 1829. Contaba veinticinco años de edad y había reinado poco menos de diez años.

1. Gonzalo de Reparaz.

151

María Cristina de Borbón

Nuevamente viudo Fernando VII, pensó en seguida en contraer nuevas nupcias, pero esta vez indicó sus intenciones con una frase gráfica: «No más rosarios. Estoy de rosarios hasta el coco.» En realidad el rey no habló del coco, sino que citó ciertos órganos sexuales masculinos que el lector podrá sin dificultad adivinar.

Entre las princesas cuyo posible enlace se había seleccionado para el rey se fijó éste en María Cristina de Borbón y Borbón, hija del rey Francisco I de Nápoles y la infanta María Isabel, hermana menor de Luisa Carlota, casada con el infante Francisco de Paula.

La salud del rey, minada por los excesos, inspiraba preocupación a los liberales. Los absolutistas, en cambio, veían con desagrado el nuevo matrimonio del rey porque tenían la mirada puesta en su hermano don Carlos, príncipe conocido por sus tendencias absolutistas, su fanatismo religioso y su odio a la masonería, que en aquellos años se desarrolló extraordinariamente. El propio infante Francisco de Paula entró en ella a los veinticinco años de edad con el nombre de *Dracón* y llegó a presidir temporalmente el Gran Oriente español.

María Cristina tenía veintitrés años, por haber nacido el 27 de abril de 1806, en Palermo, donde se había refugiado la familia real de Nápoles durante la ocupación de aquel reino por Napoleón.

Cuando Fernando VII vio el retrato de María Cristina sintió una viva impresión. Dice el inevitable marqués de Villa-Urrutia en su libro *La reina gobernadora*.

«Era considerada Cristina como hermosa, no por la corrección de sus facciones, sino por el conjunto, según se puede apreciar en el retrato de don Vicente López, cuyo pincel, como el de Goya, no pecó de cortesano y lisonjero. Su cabello era castaño; los ojos, pardos, pare-

cían negros a cierta distancia, y sin ser grandes resulta-
ban expresivos y dominantes; la boca, graciosa, con pro-
pensión constante a la sonrisa; la frente, proporcionada
al rostro; la nariz, más bien grande sin ser borbónica; el
color, blanco nacarado; los pómulos, ligeramente rojos;
las orejas, menudas y bien puestas, llamaron la atención
de un marino americano como las primeras que había
visto verdaderamente bellas;[1] el cuerpo, airoso y esbelto; la figura, de intachables líneas esculturales; los ademanes, naturalmente distinguidos, y el aire, siempre elegante, cualquiera que fuera el traje que vistiese, para paseo, campo, montar a caballo o recepción palatina. Cuando entró en Madrid, sin estar delgada, no era mujer de
mucho volumen; pero al poco tiempo adquirió su cuerpo
ciertas líneas curvas, en España como en Oriente muy
apreciadas,[2] por el mayor relieve que dan a la hermosura femenina. Además, como remate de estas cualidades
se dibujaba siempre en su rostro una expresón de placi-
dez, de franqueza, de amabilidad, que producía irresisti-
ble y halagüeña sugestión.

»Su educación había sido la superficial que se daba
a los hijos de los reyes: elementos de historia, de geografía, de gramática, de literatura, de idiomas y de música
o pintura, o de ambas cosas a la vez, según la inclinación
que se notaba en el alumno. La niña poseía una inteligencia despejada, una imaginación fecunda y un corazón
bondadoso; pero no demostraba en el estudio, quizá por
exceso de la imaginación, la perseverancia tan necesaria
para obtener provechosos resultados. En cambio, logró
ser una notable amazona, aventajando a los más notables jinetes de la corte de Nápoles.

»Excelentes condiciones de carácter se descubrieron
en la joven princesa desde sus primeros años, pues tenía
una docilidad espontánea para seguir los consejos de las
personas que por sus condiciones daban cierta garantía
de acierto, y una aquiescencia natural ante cualquier
opinión sensata que oyera; circunstancia que, si bien es
recomendable para las relaciones corrientes del individuo con la sociedad, en determinados casos puede llegar

1. Otros historiadores dicen que no fue un marino, sino Washing-
ton Irving.
2. Esto se escribió en 1925.

a constituir un defecto. Su genio era alegre; no se preocupaba por las nimiedades que suelen contrariar a la gente joven, y poseía gran facilidad para expresar sus ideas por medio de la palabra con genial desenfado, intercalando frecuentemente en la conversación frases y agudezas que sin esfuerzo alguno brotaban de sus labios. Su temperamento recordaba al de sus abuelas, las reinas María Luisa y María Carolina, y el de la tierra en que había nacido y se había criado, siendo una verdadera siciliana.»

Ante su esposa, «el veletudinario monarca, de cuarenta y cinco años de edad y ochenta de experiencia, lamentaba haber prodigado sin tino sus energías en el pasado, porque lo cierto es que sus fuerzas viriles ya no eran lo que antaño fueron, aunque todavía se sentía capaz —pese a la villana gota— de comportarse cumplidamente con una dama. ¡Lástima que María Cristina no le hubiera cogido con diez años menos, en plenitud de su vigor! Con esa esposa sí que se hubiese entendido bien, pero lo que se dice bien. Ella era como una gatita, le gustaba jugar y participar en el divertimiento. Fernando, cuanto más se esforzaba en la cama poníase peor, como es lógico. Malditas noches de crápula, maldita Pepa "La Malagueña" y su chabacana mercancía; malditos Alagón y "Chamorro", inductores y cómplices del despilfarro de salud que ahora echaba de menos, obligándole a sincerarse, a veces, ante su "pichona" —como llamaba amorosamente a Cristina— en tono avergonzado:

»—No creas que ya soy un vejestorio ni un enfermo...

»Lo era, evidentemente. Pero María Cristina sonreía siempre, disculpándolo todo, transigiendo con todo. En cuatro años de casada fue una esposa modelo. Nadie, ni sus más acérrimos enemigos, pudieron dejar de reconocerlo. Y eran legión. Desde su llegada, corrió de boca en boca la noticia de que la nueva reina tenía opiniones liberales y ese rasgo le había abierto crédito de simpatía popular entre los más amplios sectores de la nación, así como la animosidad implacable de los absolutistas, refugiados, ya para siempre, en el regazo codicioso de poder de la infanta María Francisca, la esposa de don Carlos».[1]

1. Juan Balansó.

La boda se había celebrado en Aranjuez el 9 de diciembre de 1829 y la nueva reina entró en Madrid dos días después en medio de gran algazara. Todos los poetas parieron poesías que en realidad tenían más de fetos que de recién nacidos. Siempre la musa de encargo ha salido coja y mal parada. Como entre los poetas el rey encontrase a faltar a Quintana, se le observó que éste había sido perseguido y estaba en la oposición y el rey encomendó a un cortesano que hiciese llegar al poeta su deseo de que también él colaborase en el ramillete de flores dedicado a la nueva reina. Y así lo hizo Quintana.

Pedro Voltes cita al escritor inglés Henry D. Inglis: «El esplendor del cortejo era verdaderamente regio, la carroza de su majestad era digna de un monarca más poderoso; tiraban de ella ocho hermosos caballos, elegantemente enjaezados, e iba seguida por las dos carrozas de don Carlos y don Francisco y por la de la princesa de Portugal, cada una de ellas con seis caballos, y la comitiva estaba escoltada por una nutrida tropa de húsares. En la carroza real no iban más que sus majestades. El rey iba de uniforme militar y su regia consorte lucía un sombrero rosa de estilo francés y un vestido estampado de muselina. Cuando pasó la cabalgata real, el monarca fue recibido con las habituales muestras silenciosas de respeto, pero cuando pasó la carroza del infante don Carlos pude percibir unos pocos "vivas". El rey apenas hacía caso de las pleitesías de sus súbditos, pero la reina parecía ávida de ganarse su favor con muchas sonrisas dulces y afables inclinaciones de cabeza. En cuanto a don Carlos, ninguno de los "vivas" se perdía para él, porque tenía una inclinación y una triste sonrisa para cada uno. Se dice, y creo que con razón, que al rey no le gusta esta competición pública con su hermano en pos del favor popular...» Constan diversas escenas de piques y rivalidades entre Fernando VII y su hermano por ver quién era más aplaudido por la gente y más grato. Desde aquella misma época es manifiesto que esta competencia se saldaba en favor de los reyes, gracias a la simpatía y gentileza de la reina María Cristina.

La influencia de la reina en la política se empezó a notar prontamente. Se abrieron las universidades cerradas por Fernando —o por Calomarde, que es lo mismo—; hubo pequeños inicios de amnistía. Pero ni los liberales, o blancos, ni los absolutistas, o negros, las tenían todas consigo. No olvidaban las continuas traiciones del rey y temían con razón sus tradicionales veleidades, por no decir traiciones.

Los liberales cantaban:

> *Este narizotas*
> *cara de pastel,*
> *a los liberales*
> *no nos puede ver.*

Lo mismo, con pequeñas variantes, cantaban los absolutistas, y el rey, que lo sabía, canturreaba en su palacio:

> *Este narizotas*
> *cara de pastel,*
> *a blancos y a negros*
> *os ha de joder.*

Lo cual indicaba patentemente cuál era su estado de ánimo.

El mes de marzo de 1830 la reina comunica que está encinta. Fernando VII, cuya salud iba empeorando, quiso asegurar el trono al hijo que iba a nacer, aunque fuese una niña, para lo cual exhumó una Pragmática Sanción dada en 1789 por Carlos IV a las Cortes cuando el juramento del príncipe de Asturias (el futuro Fernando VII, entonces de cinco años de edad) y anulando el acta real por la cual, en 1713, Felipe V había introducido en España una especie de ley sálica. Esta Pragmática, en total, no hacía más que restablecer la antigua ley de las Partidas y el uso según el cual, en Navarra como en Castilla, y, en fin, en toda la península menos en Aragón, las mujeres habían recogido la corona en defecto de sucesores masculinos en la misma línea. Era, pues, la más pura tradición de la monarquía española, y sus más fervientes defensores deberían haber sido los que —hoy serviles o apostólicos, mañana carlistas o tradicionalistas— iban a atacarla con más furia. La desgracia es que, por un profundo cálculo de María Luisa o de Godoy, la Pragmática de 1789 se había mantenido en secreto. La Constitución de 1812 había, es verdad, consagrado las viejas tradiciones españolas, pero en 1829 esta constitución ya no regía, tanto que todo el mundo en España, empezando por don Carlos, creía vivir todavía bajo el régimen del acta de Felipe V.

El historiador Carlos Cambronero, en su libro *Isabel II íntima*, narra en forma de diálogo las opiniones de las diversas facciones españolas que en Madrid discutían en tertulias el presente y el futuro de España:

«—Las antiguas leyes de Castilla dan la corona a las hembras a falta de hijos varones, y ahí tenemos ejemplo bien honroso para España con Isabel la Católica. Pero hay más: la unión de los reinos de León y Castilla en el siglo XI, ¿a quién se debe sino a dos mujeres? El rey don Fernando I heredó el trono de León por su esposa doña Sancha, y el trono de Castilla por su madre doña Mayor. ¿Y dónde me dejan ustedes a la famosísima doña Berenguela?

»—Yo no la toco ni para bueno ni para malo, pero sostengo, y ésta es la opinión de mis paisanos, que aquí se necesita un rey que, ante todo y sobre todo, mire por la religión y por los fueros de Vizcaya. Este tal no puede ser otro que don Carlos, el hermano de Fernando VII. ¡Pues bonita quedaría España con las ideas disolventes que nos ha traído del extranjero esa mujer!

»—Esa señora.

»—Esa señora. Bien se traslucen sus inclinaciones a la gente constitucional, y a eso que malamente llaman ustedes progreso. Catecismo, catecismo y catecismo es lo que aquí nos hace falta. Y ya que toca usted la cuestión de derecho, señor diarista, no olvide que la ley sálica, dada por Felipe V, fundador de la dinastía de los Borbones, excluye a las mujeres del trono. ¡Alto! —exclamó tapando la boca a su contrincante—. Ya sé lo que va usted a decir: que en las Cortes de 1789 quedó abolida esa ley, cosa que nadie sabía hasta que la *Gaceta* nos la dio a conocer el día 19 de marzo de este año. Todo esto son intrigas de los constitucionales que tienen embaucada a esa señora. Abolen... o abuelen... o como se diga.

»—No se usa el verbo abolir en este tiempo. Diga usted han abolido.

»—Pues bien, han abolido la ley sálica para que esa señora gobierne España a nombre de lo que el cielo le dé por descendencia, hembra o varón, pues ya sabemos que el rey Fernando no comerá la sopa de almendras muchas Navidades.

»—¿Ha dicho usted que Felipe V es el fundador de la dinastía de los Borbones en España? Es cierto; pero venga usted acá hombre de Dios... ¿En qué derecho se fundó Felipe de Anjou para ser rey y transmitirlo de generación en generación a Fernando VII, y por ende, según ustedes, a su hermano don Carlos? Pues en el casamiento de Luis XIV con María Teresa de Austria, hermana de Felipe IV de España. Además, las cortes de 1810 al formar la Constitución, inspirándose en un criterio equitativo e histórico, reconocieron el derecho de las hembras en la sucesión del trono, precisamente cuando el entonces príncipe don Fernando y su hermano se hallaban cautivos en el extranjero, y no podía, por lo tanto, inculpárseles prejuicio alguno en favor de persona determinada. ¿Ustedes no aceptan como legales las decisiones de las Cortes de Cádiz?

»—No.

»—Pues miel sobre hojuelas. Asumiendo el rey todas las atribuciones del poder, principalmente la legislativa, según el dogma del absolutismo, es potestativo de sus funciones determinar las reglas de la sucesión a la corona; de suerte que, por fas o por nefas, al rey hay que darle la razón, y, como decía al principio, el varón o hembra que Cristina haya dado a luz tiene derecho indiscutible al trono el día en que muera Fernando VII.»

El 10 de octubre de 1830 el rey dirigía al secretario del despacho de Gracia y Justicia, don Francisco Tadeo Calomarde, un parte redactado en los siguientes y significativos términos:

«En la tarde de hoy, a las cuatro y cuarto, la reina mi augusta esposa ha dado a luz con felicidad una robusta infanta. El cielo ha bendecido nuestra venturosa unión y colmado los ardientes deseos de todos mis amados vasallos que suspiraban por la sucesión directa de la corona. Daréis conocimiento de ello a las autoridades y corporaciones de toda la monarquía, según corresponda, para su satisfacción y que se tribute al Señor la más rendida acción de gracias por tan inestimable beneficio; rogando al mismo tiempo por la salud de la reina, y que ampare con su divina omnipotencia el primer fruto de nuestro matrimonio. En palacio, a 10 de octubre de 1830.»

Fíjese el lector en la frase «sucesión directa de la corona», que tanta importancia iba a tener.

Esta niña será la futura reina de España Isabel II, y aunque se le impusieron en el bautizo los nombres de María Isabel Luisa, desde el primer día no se la designó en palacio más que por el segundo.

El 30 de enero de 1832 María Cristina da a luz a su segunda hija, a la que se impone el nombre de Luisa Fernanda, y que a los catorce años casará con el duque de Montpensier.

Este nacimiento de una segunda niña aumenta la oposición del infante don Carlos a reconocer a su sobrina Isabel como sucesora de la corona. Por un lado, durante un cuarto de siglo se ha considerado sucesor del rey, por otro ve con angustia que su absolutismo y su fanatismo religioso se ven amenazados por las ideas liberales que poco a poco se van introduciendo en España, principalmente a través de los círculos que hoy llamaríamos intelectuales, y por último, y no menos importante factor de su posición, está la esposa doña María Francisca, que odia a María Cristina y que se rodea de una camarilla de clérigos y absolutistas intransigentes.

Parece ser que el inicio de esta antipatía estaba en el hecho de que cuando en Cádiz se fue a recoger a la que había de ser segunda esposa de Fernando VII no se le avisó de que debía vestir de gala y de corte, con lo que su vestimenta destacó entre las otras damas de la corte, y no precisamente a su favor. La pobre María Cristina no tenía ninguna culpa de ello, pero recibió las consecuencias de la animadversión de María Francisca hacia toda la corte. Por otra parte se había hecho a la idea de ser reina de España, lo que halagaba su gran ambición y su desmedido orgullo. Su bestia negra era la infanta Luisa Carlota.

«Al comenzar el mes de julio de 1832 se trasladó la corte a La Granja, según tradicional costumbre. No fueron el infante Francisco de Paula y su esposa Luisa Carlota, que estaban en Cádiz tomando baños. El 14 de septiembre, un ataque de gota puso la vida del rey en peligro. La reina, desconsolada, no salía del dormitorio regio. Era creencia general que el rey iba a morir, y la reina, atribulada, no se apartó un instante del lecho del enfermo. Calomarde, dispuesto a maniobrar, como siempre, en provecho propio y a combinar todo lo combinable, ideó que Fernando VII decretase que la reina llevara el despacho de los asuntos durante su enferme-

dad y que, si muriese, continuaría como reina gobernadora durante la menor edad de su hija, quedando don
Carlos como consejero de la reina.

»Este primer fruto de la inventiva de Calomarde no
prosperó porque don Carlos, muy severo y tajante, expresó que no dejaría de sostener los derechos legítimos
que al nacer le había dado Dios y que repudiaba toda fórmula que los menoscabase. Vista esta actitud resuelta y
hallándose el rey más en el otro mundo que en éste, en-
tendió Calomarde que sólo unas horas separaban a don
Carlos del trono, y se dispuso a aprovechar el desconsue-
lo y la turbación de la reina. Ideó entonces que el rey re-
vocase la Pragmática Sanción, con lo cual se restablecía
la postergación de la sucesión femenina. Era la tarde del
18 de septiembre, y Calomarde obtuvo, en presencia de
otros ministros, que el rey firmase el decreto con un ga-
rabato ilegible, tras lo cual se sacaron copias de él para
darle publicidad y ejecución apenas hubiese fallecido.»

La Providencia dispuso, sin embargo, las cosas de
otro modo, dice Villa-Urrutia. Volvió el rey en sí y fue
poco a poco recobrándose y dándose cuenta de lo ocurrido. En la madrugada del 22 llegó a La Granja la infanta
Luisa Carlota, que regresó precipitadamente de Andalucía, y en Madrid se enteró de las escenas de San Ildefonso y del decreto. Dotada la infanta de natural talento y
de esforzado carácter, tras culpar a la reina por su debilidad ante los artificios de sus enemigos, llamó a Calomarde, y no se contentó con echarle en cara su perfidia,
sino que, entreviendo en su rostro un gesto de mal repri-
mida cólera, enfurecióse y descargó sobre la mejilla del
ministro una tremenda bofetada. Y añade la fama que
Calomarde respondió en tono medio de despecho, medio
de sarcasmo: «Manos blancas no ofenden, señora.» Y haciendo una reverencia, volvió la espalda y fuese.[1]

¿Qué había sucedido? El 13 de octubre de 1830 Fer-

1. Pedro Voltes. Calomarde salió de España. Estuvo primero en
París, luego pasó a Roma —donde no obtuvo el capelo que pretendía—,
retirándose por último a Toulouse. Había brindado su apoyo al infante
don Carlos, al estallar la guerra civil, pero el Pretendiente rechazó su
ofrecimiento. Posteriormente se consagró a ayudar con sus exiguos
medios económicos —su mujer le había dejado algunos bienes en
Zaragoza— a todos los españoles emigrados sin tener en cuenta para
ello sus ideas políticas. Murió en 1842. J. de la V., *Diccionario de Historia de España.*

nando había hecho insertar un real decreto en la *Gaceta* que decía:

«Es mi voluntad que a mi muy amada hija la infanta María Isabel Luisa se la hagan los honores como a príncipe de Asturias por ser mi heredera y legítima sucesora a mi corona mientras Dios no me conceda un hijo varón.»

La cosa estaba clara, pero como dice Carlos Cambronero en su libro ya citado, «Fernando cogió a mediados de septiembre un catarrito de poca importancia, al parecer, pero grave por el mal de gota que el pobre hombre padece. Catarrito fue que durante tres días estuvo el rey si se va o no se va, entre la vida y la muerte, creyendo todos que aquella enfermedad era la última. Dicen que Cristina, constituida en tan triste situación a la cabecera del lecho, no abandonaba por un instante a su marido, curándole las heridas abiertas por las sanguijuelas, cantáridas y demás medicinas con que la farmacopea atormenta a los enfermos. Vista en aquellos momentos de angustia, rodeada de los médicos y de la servidumbre de palacio, vestida con el hábito del Carmen que ofreció llevar para que Dios devolviese la salud a su esposo, parecía un ángel enviado del cielo. Pasaba las noches sin desnudarse sentada en una butaca junto a la cama del rey, recostando breves instantes la cabeza sobre un almohadón durante los cortos intervalos en que aquél parecía conciliar el sueño. Más de una vez sus bucles quedaron enredados entre las manos de su esposo, haciéndola exhalar un gemido de que el causante no pudo darse cuenta. El rey se puso tan grave que los médicos de cámara dieron el día 17 de septiembre el parte diario concebido en estos o parecidos términos: "S. M. ha pasado muy mala noche, habiendo sufrido varios y violentos ataques de fatiga que le pusieron en el mayor conflicto; y aunque a beneficio de los auxilios que se le han prodigado se consiguió a las cuatro de la madrugada moderar la vehemencia de los paroxismos, sigue muy abatido y en constante riesgo." Cuando los médicos se aventuraban a decir esto, era que la cosa iba mal. Figúrense el estado moral de Fernando VII en aquellos momentos. Pues entonces fue cuando, sorprendido su real ánimo, firmó el decreto declarando sucesor del trono a su hermano.

»—¿Quiénes fueron los que sorprendieron su real ánimo?

»—Antonini, embajador del reino de Nápoles; el conde de Alcudia, un pobre señor de cortos alcances que por casualidad era ministro de Estado; el obispo de León, el padre prepósito de los jesuitas, y por fin, el señor Calomarde, que quiso granjearse el afecto de don Carlos, algo enfriado desde el otro decreto declarando heredera a la chiquilla, concesión hecha a su vez para captarse la benevolencia de Cristina. Pintáronle estos señores a Fernando y a su esposa la horrible situación en que se iba a encontrar el país, partidario en su inmensa mayoría de la política de don Carlos, quedando por lo tanto desamparada y en grave peligro la reina y sus dos hijas. Decían ellos que si pasaba la corona a la princesita Isabel, la guerra civil vendría fatalmente, y la responsabilidad de la sangre que se vertiera caería de lleno sobre la conciencia del rey, en cuya mano estaba la evitación de los males sin cuento que amenazaban a la patria. Y que la guerra estallaría era vaticinio seguro, porque los mismos que la auguraban son los que pensaban promoverla.

»Durante aquellos días, don Carlos estaba en sus habitaciones del palacio de La Granja, alentando a los de la conjura, de los cuales recibía avisos continuamente, enterándose del curso que llevaban las gestiones y del terreno que iba ganando la camarilla. Hay que confesar que el espíritu maligno que soplaba la hoguera con animoso brío, digno de mejor empresa, era doña Francisca, esposa del pretendiente y alma de la conspiración. Todo se ha de decir. En vista de que Fernando no había tenido sucesión en ninguno de los tres matrimonios que había contraído, doña Francisca abrigó la esperanza de ser reina de España, hasta que el último enlace de su cuñado y el nacimiento de la princesa Isabel vinieron a dar al traste con sus ilusiones. La belleza, el corazón hermoso de la reina Cristina y la simpatía que generalmente inspira han fructificado el odio en el pecho de doña Francisca, y el enemigo malo, como ella diría, la persigue día y noche para mortificarla con ensueños de majestad y realeza. Créanlo ustedes; Fernando VII y su hermano no son más que el brazo inconsciente de la voluntad de esas dos mujeres que se odian. Habrá guerra porque doña Francisca no cede, ni la madre de Isabel se quiere confesar vencida.

»¡Pobre Cristina! Fue aquélla una situación horrible

para ella. Sola en medio de una agrupación de personas que, encadenadas por el egoísmo, se unían en contra suya; sin encontrar ni mano amiga que la amparase, ni voz que la defendiese; atemorizada en presencia de su esposo, a quien creía agonizante, con el triste augurio de los males y desventuras que por causa de la princesa Isabel iban a caer sobre este mísero país, cedió al fin, y aconsejó también a Fernando que firmara la desheredación de su hija, dando suelta a los nobles arranques de su generoso corazón.»

Una vez recuperado Fernando VII, hizo publicar el siguiente manifiesto:

«Sorprendido mi real ánimo en los momentos de agonía a que me condujo la gran enfermedad de que me ha salvado prodigiosamente la divina misericordia, firmé un decreto derogando la *Pragmática Sanción* del 19 de marzo de 1830 decretada por mi augusto padre a petición de las Cortes de 1789 para restablecer la sucesión regular en la corona de España.

»La turbación y congoja de un estado en que por instantes se me iba acabando la vida, indicarían sobradamente la indeliberación de aquel acto, si no la manifestasen su naturaleza y sus efectos. Ni como rey pudiera yo destruir las leyes fundamentales del reino cuyo restablecimiento había publicado; ni como padre pudiera yo con voluntad libre despojar tan augustos y legítimos derechos a mi descendencia.

»Hombres desleales e ilusos cercaron mi lecho, y abusando de mi amor y del de mi muy cara esposa a los españoles, aumentaron su aflicción y la amargura de mi estado, asegurando que el reino entero estaba contra la observancia de la *Pragmática*, y ponderando los torrentes de sangre y desolación universal que habría de producir si no quedase derogada. Este anuncio atroz, hecho en las circunstancias en que es más debida la verdad, por las personas más obligadas a decírmela, y cuando no me era dado tiempo ni sazón de justificar su certeza, consternó mi fatigado espíritu y absorbió lo que me restaba de inteligencia para no pensar en otra cosa que en la paz y conservación de mis pueblos, haciendo, en cuanto dependía de mí, este gran sacrificio, como dije en el mismo decreto, a la tranquilidad española.

»La perfidia consumó la horrible trama que había

principiado la sedición; y en aquel día se extendieron certificaciones de lo actuado con inserción del decreto, quebrantando alevosamente el sigilo que en el mismo, y de palabra, mandé que se guardase sobre el asunto hasta después de mi fallecimiento.

»Instruido ahora de la falsedad con que se calumnió la lealtad de mis amados españoles, fieles siempre a la descendencia de sus reyes; bien persuadido de que no está en mi poder, ni en mis deseos, denegar la inmemorial costumbre de la sucesión establecida por los siglos, sancionada por la ley, afianzada por las ilustres heroínas que me precedieron en el trono y solicitada por el voto unánime de los reinos, y libre en este día de la influencia y coacción de aquellas funestas circunstancias:

»Declaro solemnemente que el decreto firmado en las angustias de mi enfermedad fue arrancado de mí por sorpresa, que fue un efecto de los falsos terrores con que sobrecogieron mi ánimo; y que es nulo y de ningún valor, siendo opuesto a las leyes fundamentales de la monarquía y a las obligaciones que como rey y como padre debo a mi augusta descendencia.

»En mi palacio de Madrid, a 31 días de diciembre de 1832. Fernando.»

Ello significaba el triunfo de la princesa de Asturias, que luego sería Isabel II, y, por ello, el de María Cristina.

El infante don Carlos no estuvo de acuerdo con el desenlace del episodio y cuando se anunció que se iba a proclamar solemnemente princesa de Asturias y heredera del reino a Isabel, por las Cortes reunidas ex profeso para ello, el infante Carlos, que se había liado ya, como suele decirse, la manta a la cabeza al ver echado por tierra el supuesto derecho que creía tener al trono en el caso del fallecimiento del rey, contestó por carta diciendo «que ni su conciencia ni su honor se lo permitían», no obstante, añadía al final, «te tendré siempre presente en mis oraciones», escrito lo cual abandonó Madrid trasladándose a Lisboa.

Dispúsose la jura para el día 20 de junio de 1833, en la iglesia de San Jerónimo. Se levantó un tablado en el crucero, a la altura del piso del altar mayor, quedando, por lo tanto, espacio más que suficiente para la ceremonia.

A la hora fijada se presentaron los reyes en la iglesia

con gran séquito de empleados y seguidores palatinos. Cristina, radiante de hermosura y satisfecha de su triunfo, pues por tal podía tomarse el acto, atravesó la iglesia conduciendo de la mano a la princesita. Vestía ésta un traje de raso blanco, sumamente sencillo, y cruzaba su pecho la banda de María Luisa: llevaba el pelo, que entonces lo tenía muy rubio, levantado y recogido sobre la cabeza con mucha gracia por medio de una rica peineta de brillantes; guante alto que le cubría el brazo, y falda que llegaba hasta el tobillo, donde terminaba un pantalón de la misma tela, ancho por la parte de arriba y ajustado en su remate inferior.

Cristina lucía un elegante vestido blanco adornado con listas de hojuelas y brocado de oro, y un manto de corte de raso verde-manzana, guarnecido de perlas. Solía usar este color en sus diferentes tonos, lo que nos hace sospechar que le era agradable, así como su hija Isabel II prefería el azul.

El rey vestía uniforme de gala de capitán general, y demostraba en la expresión de su semblante la satisfacción que experimentaba al ver el contento de su esposa.

El ama de la niña llamó la atención de todos por su saya montañesa.

Como dato curioso diré que la noche anterior a la jura la pasaron los reyes en la llamada Casa de San Juan, que estaba a mitad de camino entre el palacio real y San Jerónimo, para ahorrar al achacoso rey tan largo trayecto.

Citemos nuevamente al marqués de Villa-Urrutia en su libro *La reina gobernadora*: «El destierro de don Carlos a Portugal, país fronterizo donde podía seguir conspirando con mayor ventaja que en el palacio de Madrid, al amparo de su cuñado don Miguel, que representaba en el vecino reino los mismos principios que sostenía don Carlos en España, había sido un error, que quiso reparar Fernando VII tan luego como el infante se negó a jurar a la princesa, y en una correspondencia que el uno encabezaba: "Mi muy querido hermano de mi vida, Carlos mío de mi corazón", y el otro: "Mi muy querido hermano de mi corazón, Fernando mío de mi vida", dio el rey licencia al infante para que se trasladase con su familia a los Estados Pontificios en un buque de guerra que envió a Lisboa para que le condujese, y el infante, con uno u otro pretexto, ya el de la epidemia reinante en Lisboa, ya el de la fiesta del Corpus, que deseaba santificar en Mafra, demoraba su salida de Portugal, donde se hallaba muy a gusto. Al cabo de cinco meses, cansado el rey de la resistencia pasiva que a sus mandatos oponía el infante, le escribió el 30 de agosto una carta que empezaba: "Infante don Carlos", y que firmó "Yo, el rey", en la que, dejando de tutearle, le decía que todas las franquicias para facilitar su embarque y las repetidas manifestaciones de su voluntad, sólo habían producido la respuesta de que se embarcaría en Lisboa (donde podía hacerlo desde el momento), luego que hubiese sido conquistada por las tropas del rey don Miguel. Y añadía: "Yo no puedo tolerar que el cumplimiento de mis mandatos se haga depender de sucesos futuros, ajenos de las causas que los dictaron; que mis órdenes se sometan a condiciones arbitrarias por quien está obligado a obedecerlas. Os mando, pues, que elijáis inmediatamente alguno de los medios de embarque que se os han propuesto de mi orden; comunicando, para evitar nuevas dilaciones, vuestra resolución a mi enviado don Luis Fernández de Córdova, y en ausencia suya a don Antonio Caballero, que tienen las instrucciones necesarias para llevarla a ejecución. Yo miraré cualquiera excusa o dificultad con que demoréis vuestra elección o vuestro viaje como una pertinacia en resistir a mi voluntad, y mostraré, como juzgue conveniente, que un infante de España no es libre de desobedecer al rey." Y, sin embargo, el infante desobedeció al rey y en Portugal permaneció hasta el fallecimiento de Fernando VII.»

Y a pesar de todo Carlos y Fernando se amaban profundamente. Carlos había estado junto al rey en los momentos cruciales de su existencia desde el complot de Aranjuez hasta este momento, pasando por el exilio de Valençay. Pero era el paladín de una monarquía absolutista y teocrática, enemiga de toda libertad, en la que veía el inicio de la descomposición del régimen en que había sido educado. Por otra parte creía que la Providencia le había designado para ser rey de España. Es conveniente que los pueblos crean en hombres providenciales, pero no lo es el que se lo crean ellos mismos. Añádase a todo ello la nefasta influencia de su esposa María Francisca, ambiciosa, orgullosa y deseosa de ser la reina, lo que significaría la venganza definitiva sobre sus odiadas cuñadas.

El día 29 de septiembre de 1833 moría Fernando VII. El parte médico decía así:

«Desde que anunciamos a V. E., con fecha de ayer, el estado en que se hallaba la salud del rey nuestro señor, no se había observado en S. M. otra cosa notable que la continuación de la debilidad de que hablamos a V. E. Esta mañana advertimos que se había hinchado a S. M. la mano derecha, y aunque este síntoma se presentaba aislado, temerosos de que sobreviniese alguna congestión fatal en los pulmones o en otra víscera de primer orden, le aplicamos un parche de cantáridas al pecho y dos a las extremidades inferiores, sin perjuicio de los que en los días anteriores se le habían puesto en los mismos remos y en la nuca. Siempre en expectación, permanecimos al lado de S. M. hasta verle comer, y nada de particular notamos, pues comió como lo había hecho los días precedentes. Le dejamos en seguida en compañía de S. M. la reina para que se entregase un rato al descanso, según costumbre; mas a las tres menos cuarto sobrevino al rey repentinamente un ataque de apoplejía tan violento y fulminante, que a los cinco minutos, sobre poco más o menos, terminó su preciosa existencia.»

El jefe del equipo médico era el célebre doctor Pedro Castelló y Ginestá, que llegó a ser médico del rey debido a una curiosa circunstancia. Hombre de ideas liberales, había sido encarcelado en 1824 por el régimen absolutista. Al año siguiente, Fernando VII cayó gravemente enfermo y ninguno de sus médicos logró evitar que creciese su mal. El boticario mayor de su majestad y sus ejércitos, don Agustín José de Mestre, hubo de aconsejar a la desconsolada reina que se llamase a Castelló, sacándole de la cárcel. La reina lo propuso a su esposo, que conservaba el juicio claro, y observó: «Es el mejor médico de España, pero es "negro" (es decir, liberal), y sería capaz de acelerarme la muerte.» La reina contestó que tenía noticias de la probidad de Castelló y no temía que reaccionase de semejante modo.

Castelló fue sacado de la cárcel y llevado a palacio, donde entró en funciones sin perder la más severa dignidad. Al cabo de cosa de un mes, el rey pudo darse por curado. El médico pidió entonces venia para despedirse, y

Fernando VII se la negó, ordenándole que se quedase a su lado. Objetó Castelló que sus ideas políticas le impedían fingir adhesión a su persona, y el rey resolvió: «Si éste es el único inconveniente que existe, puedes considerarlo borrado. Desde hoy, tú serás el único español autorizado para decir "Viva la Constitución" en público y en privado. Esto te dará la medida de la necesidad que tengo de tus servicios y tu afecto.» Así quedó nombrado Castelló primer médico de la real cámara, puesto en el que no obtuvo ni pidió otra merced que la reposición en sus cargos de sus compañeros de facultad y la amnistía de diversos alumnos.»[1]

Deseaba Cristina que no se moviese el cadáver de su esposo hasta que hubiesen transcurrido cuarenta y ocho horas del fallecimiento; pero habiendo declarado los facultativos que por efecto de la descomposición del cuerpo no se podía esperar más tiempo, se le vistió con el uniforme de capitán general que había estrenado el día de la jura de la princesa depositándolo en el salón de embajadores. El duque de Híjar, sumiller de corps, cortó, antes de colocar el cuerpo en el féretro, un mechón de cabellos que entregó a Cristina, cumpliendo órdenes verbales recibidas de ella.

El día 3 de octubre, a las seis de la mañana, salió por la puerta principal de palacio la comitiva que acompañaba el cadáver de Fernando VII encerrado en el coche-estufa, tirado por seis mulas enlutadas, dirigiéndose desde la plaza de la Armería por las calles Mayor, Sacramento, Puerta Cerrada y Segovia a tomar el camino de San Antonio de la Florida, donde los señores que formaban el séquito ocuparon los coches. A la media tarde llegaron a Galapagar, en cuya iglesia quedó depositado el cuerpo del rey, y en el pueblo descansaron los del acompañamiento hasta la madrugada del día siguiente, 4, que se volvió a poner en marcha el fúnebre cortejo, llegando al monasterio de El Escorial a las seis de la mañana.

Al bajar el féretro al panteón rompióse una grada de mármol, quedando así memoria de la entrada de Fernando VII en aquel recinto.

Inmediatamente conocida la muerte de Fernando VII, María Cristina, de veintisiete años de edad, quedó inves-

1. Villa-Urrutia.

tida como regente del reino y de la pequeña reina Isabel. Al mismo tiempo, el infante don Carlos se consideró rey y así lo manifestó en la siguiente proclama:

«Carlos V a sus amados vasallos: Bien conocidos son mis derechos a la corona de España en toda la Europa y los sentimientos en esta parte de los españoles que son harto notorios para que me detenga a justificarlos... Ahora soy vuestro rey; y al presentarme por primera vez a vosotros bajo este título no puedo dudar un solo momento que imitaréis mi ejemplo sobre la obediencia que se debe a los príncipes que ocupan legítimamente el trono y volaréis todos a colocaros bajo mis banderas haciéndoos así acreedores a mi afecto y soberana munificencia; pero sabéis igualmente que recaerá el peso de la justicia sobre aquellos que, desobedientes y desleales, no quieran escuchar la voz de un soberano y un padre que sólo desea haceros felices. Octubre de 1833. Carlos.»

La primera guerra civil había estallado.

Creo que no estarán de más algunas reflexiones. Los partidarios de la causa monárquica quizá creen en abstracto, y así lo proclaman, que la monarquía es la mejor solución para asegurar la continuidad en el gobierno de los pueblos. Los republicanos consideran que el régimen por ellos preconizado es mejor y más justo, pues aducen que un hombre, por el mero hecho de haber nacido de una determinada mujer, no tiene por qué poseer unos derechos negados a los demás. Si cualquiera puede llegar a presidente de la república, sólo un hombre, bueno o malo, inteligente o tonto, puede ser rey. Los monárquicos arguyen en España el fracaso de las dos repúblicas, la primera terminada en el sainete protagonizado por el general Pavía, y la segunda en la tragedia de nuestra guerra civil. Pero la monarquía en España no puede presentar mejores finales de acto. El reinado de Carlos IV acabó con la vergonzosa farsa de Bayona; el de Fernando VII, con la guerra civil provocada por su propio hermano —causas monárquicas una y otra—; el de María Cristina, con abdicación y destierro, y el de Isabel II también con el exilio de la soberana. Amadeo I abdicó, y Alfonso XII fue el único que murió en su cama siendo rey. Alfonso XIII también sufrió exilio... No, no creo que un régimen sea mejor que otro; creo sinceramente que un hombre es mejor o tiene más suerte que otro. Deseo para mi rey don Juan Carlos I, que Dios guarde, el reinado venturoso y feliz que merece.

Unas dos semanas después del fallecimiento de Fernando VII, su viuda decidió ir a descansar al Real Sitio de San Ildefonso de La Granja, y en el camino sucedió un curioso acontecimiento que narra su nieta doña Eulalia de Borbón, hija menor de Isabel II, en sus sabrosas memorias:

«A mitad del camino comenzó mi abuela a echar sangre por la nariz, y la hemorragia continuó hasta consumir los pañuelos de que disponían sus damas de honor. Fue preciso, en el apuro, acudir al oficial de la escolta, que, doblegándose sobre la montura, extendió hasta la acongojada reina un pañuelo. Un minuto después, pasado el mal, Cristina sacó del coche la mano, pulida y blanca, y, con amable sonrisa, devolvió la prenda al capitán Muñoz, quien, bizarramente y con gesto galante, se lo llevó a los labios...»

Todas las damas se preguntaron cómo reaccionaría la reina. Todas se sorprendieron de ver que correspondía el gesto con una sonrisa.

¿Quién era el capitán Muñoz? Eulalia de Borbón dice que tenía el empleo de capitán, pero otros lo degradan hasta cabo. Algunos lo presentan como hijo de unos estanqueros de Tarancón, pero Fernando González-Doria, en su documentado, ameno e interesantísimo libro *Las reinas de España* (Ed. Cometa), escribe:

«Don Agustín Fernando Muñoz y Sánchez, Funes y Ortega, había nacido en Tarancón, Cuenca, el 4 de mayo de 1808, hijo de don Juan Antonio Muñoz y Funes, Carrillo de Torres y Martínez, conde de Retamoso, y de doña Eusebia Sánchez Ortega, nieto por línea paterna de don Javier Muñoz y de doña Eugenia Funes, que fue en 1774 nodriza de la infanta doña Carlota Joaquina, hija mayor de los entonces príncipes de Asturias don Carlos y doña María Luisa de Parma. El rey Carlos III, siguiendo la costumbre de ennoblecer a las nodrizas de los infantes de España, y a sus esposos y descendientes, había firmado en Aranjuez el 30 de mayo de 1780 el privilegio de hidalguía a favor de esta doña Eugenia Funes; así pues, aunque gozaban de calidad de hidalgos, la vida de los Muñoz era muy sencilla, aunque con cierto desahogo económico.»

La reina contaba veintisiete años y era viuda; él, veinticuatro y permanecía soltero. El flechazo fue fulminante. Juan Balansó explica así la declaración de la reina a Fernando Muñoz:

«... El dilema se solventa en diciembre, tras dos meses de lucha interior. En el curso de una excursión a una finca segoviana de nombre predestinado, «Quitapesares», María Cristina ofrece su mano a Fernando Muñoz. En el jardín de la quinta quedaron solos un instante (ella lo había previsto al detalle y envió al segundo oficial de la guardia en busca de una talma de piel "por el relente")... Miráronse a los ojos; dubitativos los de él, ardientes los de ella:

»—¿Será preciso que sea yo quien me declare? —murmuró la reina con sonrisa cautivadora.

»—¡Señora!...

»—¿Me obligarás a decirte que estoy loca por ti, que sin tu amor no vivo?

»—¡Señora!...

»Cuando el segundo oficial regresó portando el abrigo, su camarada era ya el prometido de la reina de España.»

Se casaron en el palacio real el 28 de diciembre de 1833, es decir, la víspera de cumplirse tres meses del fallecimiento de Fernando VII. Cuando el pueblo se enteró de la boda, mucho después, a Fernando Muñoz le llamó Fernando VIII.

Era María Cristina mujer creyente y de acendrada piedad, por lo que el matrimonio se realizó por la iglesia y clandestinamente, tal como las circunstancias obligaban. El marqués de Villa-Urrutia narra los hechos con escrupulosidad: «Los cristianos sentimientos de la reina la apartaban del trillado camino que siguió su abuela y la empujaban hacia el que siguió después su madre, la cual casó en segundas nupcias con Del Balzo,[1] por lo que, a los pocos días del trato con Muñoz, le significó su deseo de desposarse con él. Parecióle al guardia un sueño lo que oía; pero viendo que era serio el propósito de

1. La infanta doña María Isabel, viuda, el 8 de noviembre de 1830, de Francisco I de las Dos Sicilias, casó en segundas nupcias, con autorización de su hijo el rey Fernando II, el 15 de enero de 1839, frisando los cincuenta, con el general napolitano Francisco del Balzo, que contaba apenas treinta y cuatro años. (Nota de Villa-Urrutia.)

la señora y que se le metía en casa la fortuna, sólo pensó en abrirle de par en par la puerta, que atrancó luego para que no se le escapara.

»Todas sus relaciones en la corte se reducían al marqués de Herrera, al escribiente del consulado don Miguel López de Acevedo, a cuya mujer cortejó cuando era simple guardia, y al clérigo don Marcos Aniano González, su paisano que estaba accidentalmente en Madrid recién ordenado de misa y postrado en cama, en la callejuela de Hita. Dirigióse a este último Muñoz, ofreciéndole una capellanía de honor si hallaba modo de casarlos y de confesar a la reina, que no tenía confianza en los de la real capilla. Tentóse el medio de pedir licencia al patriarca, el cual, noticioso de la vida relajada del joven clérigo, y sospechando el misterio, por las personas que mediaban, se negó rotundamente. El obispo de Cuenca, a quien se pidió después, como diocesano de González, se negó del mismo modo; pero antes de que viniese su repulsa, urgía tanto el caso, que acudieron al nuncio de su santidad, el cardenal Tiberi. Resistióse al principio, pretextando, con socarronería italiana, que era muy joven el demandante; mas repetida la instancia con esquela autógrafa de la real novia, se concedió la licencia a González para una sola vez. Estas diligencias se practicaron del 25 al 27 de diciembre, y el día 28, a las siete de la mañana, es decir, a los diez días de trato y a los tres meses de fallecido el rey Fernando VII, se verificó el matrimonio morganático de su viuda, siendo el ministro del sacramento el presbítero don Marcos Aniano González y testigos el marqués de Herrera y don Miguel López de Acevedo, y haciendo de asistente el presbítero don Acisclo Ballesteros. Tuvieron conocimiento de este enlace la Teresita Valcárcel y la moza de retrete llamada Antonia, guarnicionista que había sido de la Teresita.

»No tardó Muñoz en recelar de los que estaban en el secreto, y procuró alejar a los que le estorbaban. La Valcárcel fue llevada a Bayona por un escribano que dio fe de su entrega a su marido, un francés de quien vivía separada; a su cortejo don Nicolás Franco, ascendido a teniente coronel, se le destinó a la Tenencia de Rey de Jaca, y al gentilhombre Carbonell se le hizo marchar a Andalucía. La única que continuó en palacio y en favor con la reina fue la Antonia Robledo, ascendida de moza de retrete a barrendera.»

Fernando VII había dicho antes de morir que él era como el tapón de una botella de cerveza que al desaparecer reventaría todo. Y tenía razón. Quedaba tras él una reina de tres años y una regente de veintisiete. Un pueblo dividido en dos. «Alrededor de María Cristina se alinearán los que, durante algún tiempo aún, en recuerdo de los grandes días de Cádiz, se llamarán los constitucionalistas, los liberales y los exaltados, y, más tarde, los progresistas, es decir, los españoles que han adoptado el dogma de la soberanía popular con todas o parte de sus consecuencias; los masones, la mayor parte del ejército, puesto que la mayoría de oficiales y suboficiales pertenecen a la masonería,[1] y en fin, toda esa masa de límites indeterminados de la cual la pequeña burguesía del comercio forma el núcleo y que, aun siendo profundamente monárquica y católica, tiene un miedo instintivo a los probables excesos de los apostólicos victoriosos y un secreto deseo de ver a la Iglesia desposeída de parte de sus tesoros.

»Bajo la bandera de don Carlos, ¿quién va a combatir? Ante todo, los doctrinarios, los teóricos del absolutismo, los denunciantes de los crímenes revolucionarios —casi todos los sacerdotes, regulares o seculares—. Y, naturalmente, todo el alto clero. Los españoles, seglares o religiosos, nobles o plebeyos, que temen la vuelta de las violencias liberales de 1820 a 1823 y los progresos de la masonería. Pero el grueso del ejército estará constituido por los regionalistas —vascongados, aragoneses, catalanes—, por todos los españoles que aspiran al mantenimiento de sus fueros y de sus franquicias.»[2]

La historia de María Cristina se mezcla entonces con la historia política de nuestro país que cualquier lector podrá encontrar en uno de los múltiples manuales de Historia de España.

María Cristina y Fernando Muñoz tuvieron ocho hijos. «Se ha dicho que a la muerte de Fernando VII quedó su viuda encinta y no quiso declararlo, bien por evitar

1. Sobre este tema, consúltense las magníficas e imparciales obras de Ferrer Benimelli.
2. Pierre de Luz, *Isabel II*.

que se pusiera en duda la paternidad del rey, dado el estado a que le redujo el ataque de gota que sufrió un año antes en La Granja, bien por no perjudicar, en el caso de que naciera un varón, el derecho de sus hijas legítimas, y que ésta fue la razón de su precipitado y clandestino matrimonio. Difícil hubiera sido a Cristina ocultar su embarazo. El 24 de octubre de 1833 fue proclamada reina doña Isabel, y el 1 de enero siguiente pasó la gobernadora una revista militar, vistiendo una amazona negra y montando, con su reconocida maestría, un precioso caballo tordo.»

¿Para qué el apresurado matrimonio si no servía para borrar la falta ni para legitimar el fruto del pecado? La calumniosa leyenda, grata al vulgo, no responde al carácter de Cristina, la cual creemos que decía la verdad cuando escribía a su hija la reina Isabel, casada ya con su primo don Francisco de Asís, y con él desavenida por causa de la privanza del «general bonito», don Francisco Serrano, de quien se quejaba el rey don Francisco porque no le guardaba el respeto que siempre tuvo Godoy a Carlos IV:

«Pude ser flaca; no me avergüenzo de confesar mi pecado, que sepultó el arrepentimiento; pero jamás ofendí al esposo que me destinó la Providencia, y sólo cuando ningún vínculo me ataba a los deberes de una mujer casada, di entrada en mi corazón a un amor que hice lícito ante Dios, para que disculpase el secreto que guardé a un pueblo cariñoso y por cuya felicidad me he desvelado.»

Dice González-Doria en su libro ya citado, que recomiendo vivamente a mis lectores:

«Ocho hijos tuvo el matrimonio; de ellos nacieron dos en el palacio del Pardo; tres en el palacio real de Madrid; y tres en París, por este orden. El 17 de noviembre de 1834 nacía doña María Amparo Muñoz y Borbón, a quien su medio hermana la reina doña Isabel II concedería el 9 de agosto de 1847 el título nobiliario de condesa de Vista-Alegre, que casó el 1 de marzo de 1855 con el príncipe Ladislao Czartoyski y falleció de tuberculosis en París el 19 de agosto de 1864. La segunda hija de la reina gobernadora y de su segundo esposo nació el 8 de noviembre de 1835, bautizándola con el nombre de doña María de los Milagros Muñoz y Borbón, otorgándole Isabel II el título de marquesa de Castillejo el 19 de agosto de 1847; contrajo matrimonio esta marquesa en el castillo de la Malmaison el 23 de enero de 1856 con Felipe de Drago, príncipe de Mazzano, de Antuni y de Trevignano. El 15 de marzo de 1837, la reina doña María Cristina de Borbón da a luz por tercera vez, en su segundo matrimonio, naciendo un niño a quien imponen el nombre de don Agustín Muñoz y Borbón, creado duque de Tarancón por Isabel II el 19 de noviembre de 1847; fue guardiamarina y falleció soltero en París en 1855. Fue el cuarto hijo de doña María Cristina, y de su esposo morganático y secreto, don Fernando María Muñoz y Borbón, que nació el 27 de abril de 1838, otorgándole su medio hermana la reina doña Isabel II el título de vizconde de la Alborada el 19 de noviembre de 1847; casó en Oviedo el 11 de septiembre de 1861 con doña Eladia Bernaldo de Quirós y González-Cienfuego, hija de los marqueses de Campo Sagrado, y falleció el 7 de diciembre de 1910. Otra niña traía al mundo la reina gobernadora el 19 de abril de 1840: doña María Cristina Muñoz y Borbón, creada marquesa de la Isabela por real despacho de 29 de febrero de 1848; casó el 20 de octubre de 1860 con don José María Bernaldo de Quirós y González-Cienfuego, marqués de Campo Sagrado.

»Ya desterrada la reina gobernadora, y abdicada su regencia por los avatares de la política, según veremos, dio a luz en París al sexto de los hijos de don Agustín Fernando Muñoz, el 29 de agosto de 1841; se le impuso el nombre de don Juan María Muñoz y Borbón, y la reina Isabel II le concedió el título de conde del Recuerdo el 29 de febrero de 1848; fue ayudante de campo del emperador Napoleón III, y falleció soltero. El séptimo hijo del matrimonio secreto de la reina doña María Cristina de Borbón fue don Antonio Muñoz y Borbón, que nació el 23 de diciembre de 1842 y falleció poco después. El último vástago del matrimonio de la reina con su antiguo guardia de corps vino al mundo el 6 de febrero de 1848, falleciendo soltero en Pau el 17 de diciembre de 1863.»

Algunos de estos títulos aparecen de vez en cuando en las notas sociales de las revistas del corazón.

Por todo ello, los carlistas iban cantando:

Clamaban los liberales
que la reina no paría,

y ha parido más Muñoces
que liberales había.

La infanta doña Eulalia escribe sobre su abuela María Cristina que «ocultar su matrimonio y su nutrida prole impuso a mi linda abuela sacrificios increíbles y la enamorada pareja suspiraba por el día en que la heredera del trono lo ocupara. María Cristina, durante la minoría de su primogénita, no podía alejarse de sus actividades políticas ni del ceremonial cortesano, de manera que cuando nació su último hijo se vio obligada a vestirse y acudir a leer el discurso de apertura de las Cortes a las cinco horas de haber dado a luz. A consecuencia de esto sufrió un desmayo que desató las habladurías...».

La moda de aquel tiempo permitía con sus faldas y miriñaques ocultar el embarazo, pero había ceremonias a las que la reina debía asistir inexcusablemente, lo que dio pie a que se dijese: «La reina gobernadora está casada en secreto y embarazada en público.»

En aquella época los idilios reales o principescos no estaban jaleados como ahora por la llamada prensa del corazón. Era impensable entonces una publicidad como la que «gozan» la princesa Margarita de Inglaterra o Carolina de Mónaco. Los soberanos eran intocables, y cuando perdían el halo de su realeza causaban más decepción que ahora entre las masas y llegaban a hacerse impopulares. María Cristina empezó a perder su prestigio. Hoy, una empresa de relaciones públicas podría dirigir la opinión a su favor, pero entonces esto era inimaginable. La realeza estaba rodeada por una aureola de respetabilidad y prestigio que la más insignificante mácula podía destruir.

A los problemas y situaciones personales de la reina gobernadora debían añadirse los inherentes a la situación del Estado, con la guerra civil en plena actividad.

En Madrid, los liberales veían cómo los gobiernos se sucedían sin arreglar gran cosa de los problemas nacionales. Martínez de la Rosa, gran poeta, escritor notable, intentaba aunar las diversas tendencias que se disputaban el gobierno del país. Sus esfuerzos y su atildado porte le valieron el apodo de *Rosita la pastelera*. Entonces se llamaba pastel a lo que ahora se conoce por consenso. Le sucedió el conde de Toreno, José María Queipo de Llano, y a éste Juan Álvarez Méndez, llamado Mendizábal o Juan y Medio por su estatura. Para rehacer la hacienda española se le ocurrió una idea que, de haberse realizado bien, hubiera sido genial. Buena parte de las propiedades rurales españolas estaban en manos de la Iglesia y no producían rentas al Estado. Por el decreto de desamortización del 19 de febrero de 1836, se ponían a la venta en subasta todas aquellas propiedades de las corporaciones religiosas extinguidas. De hacerse eso hoy en día, no hay duda de que se obtendrían pingües beneficios, pero hace ciento cincuenta años la sociedad española estaba aún muy influida por el estamento eclesiástico, y sucedió que muchos posibles postores dejaron de asistir a las subastas, que terminaron concediendo las propiedades a burgueses enriquecidos y sin los escrúpulos religiosos de los otros. De este modo, se quedaron con las propiedades religiosas por cantidades irrisorias. En el recinto del monasterio de Santes Creus —ahora parroquia—, en la provincia de Tarragona, hay todavía una dependencia propiedad de los descendientes de los compradores de aquel cenobio. Se trata de una familia española muy conocida, especialmente en la provincia de Málaga y en algún importante Estado europeo.

En el ínterin, continúa la guerra carlista. El Pretendiente llega hasta las puertas de Madrid, convencido de que María Cristina le reconocerá como soberano pactando el matrimonio de Isabel II con su hijo, pero la reina gobernadora no cede y, apoyada por su mejor ejército al mando de Espartero, se niega a pactar. Espartero derrota a don Carlos en Peñacerrada, Diego de León los aplasta en Belascoaín, y don Carlos debe retirarse. El 29 de agosto de 1839, en Vergara, Espartero y el general carlista Maroto firman la paz. Don Carlos pasa a Francia e Isabel II se convierte en soberana indiscutible de España.

Baldomero Espartero —su nombre completo era Joaquín Baldomero Fernández Álvarez, y el apellido Espartero era el segundo de su padre— había nacido en Granátula (Ciudad Real) en 1793. Cursó sus primeros estudios en el seminario de Almagro, que abandonó al estallar la guerra de la Independencia para incorporarse al ejército. Hallándose en Perú quiso proclamar la Constitución de 1812, *la Pepa*. De convicciones liberales, tomó el partido de María Cristina, que le concedió el título de conde de Luchana y duque de la Victoria por el abrazo de Vergara. Pero, siendo presidente del Consejo de Ministros, su ambición o sus convicciones políticas le indujeron a forzar la abdicación de la reina gobernadora.

El 12 de junio de 1840, María Cristina decidió viajar a Cataluña, por dos motivos: uno, que Isabel II tomara los baños de Caldas, recomendados por los médicos para su afección cutánea; otro, congraciarse con los catalanes, que en su mayoría, y especialmente en los ambientes rurales, habían sido partidarios de don Carlos. El 29 del mismo mes de junio llegó María Cristina a Barcelona y recibió en la Rambla el homenaje floral de los barceloneses. El 22 de agosto salieron las augustas personas hacia Valencia, donde se las recibió con gritos de «¡Viva Espartero! ¡Muera la reina absoluta!». Espartero ambicionaba la regencia y organizó una insurrección en Madrid el 1 de septiembre, mientras él permanecía en Barcelona. María Cristina le ordenó que regresara a Madrid a restaurar el orden, pero el general exigió públicamente que la reina gobernadora se comprometiera a formar un consejo de la corona compuesto por «liberales puros, justos y prudentes». El día 8, Espartero llegó a Valencia y fue recibido triunfalmente por el pueblo. Cedo la palabra al tantas veces citado González-Doria y vuelvo a recomendar la lectura de su libro:

«Doña María Cristina dice a Espartero que está decidida a abdicar y marcharse del país; pero don Manuel Cortina, único ministro que, según un autor, dará muestras de poseer verdadero talento político entre quienes en esta hora ha reclutado Espartero para gobernar, se entrevista a solas con la reina gobernadora y le hace saber que la renuncia de la regencia no está prevista en las leyes, y que solamente estaría justificada si fuese cierto el rumor que circula insistentemente desde hace tiempo y por ciertas esferas. Doña María Cristina le pregunta con cándida sonrisa:

»—¿Qué queréis decir...?

»—Señora, me refiero —responde el ministro— al casamiento que se atribuye a vuestra majestad...

»La reina no puede evitar ponerse encarnada, pero exclama con desparpajo:

»—¡Oh, no! ¡Eso no es cierto! ¡Yo no me he casado con nadie!»

181

Y la verdad es que María Cristina, sin saberlo, no mintió del todo, pues en Roma se le haría saber poco después que el casamiento celebrado cuando solamente habían transcurrido tres meses de la muerte de su primer esposo no era válido, por lo que se vio precisada a celebrarlo de nuevo. Pero en aquel momento era consciente de que mentía a don Manuel Cortina para salvar la legalidad de la regencia que había venido desempeñando, y para no restar elegancia y desinterés a la renuncia a seguirla ejerciendo; deseaba que su gesto se interpretara como altruista, ofreciéndose como víctima de la política de Espartero.

El 12 de octubre de 1840, a las ocho de la noche, en el salón principal del palacio de Cervelón, María Cristina, espléndidamente vestida, como años después haría su hija en similar circunstancia, leyó su renuncia a la regencia en presencia de la corte, el gobierno, el cuerpo diplomático, y de cuantas autoridades se encontraban en Valencia. El 17 del mismo mes abrazó llorando a sus hijas doña Isabel II y doña Luisa Fernanda, que la miraban atónitas sin comprender absolutamente nada de lo que estaba sucediendo, y embarcó en el vapor español *Mercurio*. Al arribar a Port-Vendres, se acogió a la hospitalidad que le brindaba el rey Luis Felipe I de Francia, casado con la princesa Amalia de Borbón, tía carnal de doña María Cristina.

Lo que resta de su vida se verá en el próximo capítulo dedicado a Isabel II.

Isabel II

Desde pequeña había sido Isabel II graciosa y turbulenta. Gordezuela con tendencia a la obesidad, que se acentuó con los años, sus manitas regordetas aparecían enrojecidas y llenas de pequeñas escamas.

El marqués de las Amarillas en sus memorias anota la impresión que le produjo Isabel cuando en octubre de 1833 fue proclamada princesa de Asturias y él le besó la mano: «Noté con pena —dice— que tenía las manitas muy ásperas y en un estado muy poco natural, que me hizo conocer debía padecer algún exantema, lo que a su edad tan tierna daba mala idea de su robustez y no muchas esperanzas de su existencia entre los peligros de los primeros años de la vida; hija de un padre lleno de males, que en su niñez había padecido casualmente de una afección cutánea, no pude extrañar el secreto del estado de las manos de su majestad.»

Aparte este herpes que sufrirá toda la vida, su salud no se verá perturbada más que por algún resfriado que otro y ligeros trastornos intestinales debidos a su afán de comer dulces y compota en cualquier ocasión.

Bermejo describe en *La estafeta de palacio* la escena de la despedida entre Cristina y sus hijas, con relación a una carta fechada en Valencia en aquellos días.

«Antes de acostarse las augustas niñas, las llamó a sí, indicándoles que se marchaba al día siguiente y que no las vería en algún tiempo. Decir esto y prorrumpir las niñas en llanto fue todo uno, y la madre también se anegaba en él. Pasados algunos momentos, S. M., ya algo repuesta, les dijo que el estado de su salud la obligaba a tomar otros aires, que si querían que se muriese; las niñas callaron, pero estaban fijas en los ojos de su madre. Cogiendo después entre sus brazos a la tierna Isabel, le dio consejos con ese lenguaje muy propio a su alcance, que ojalá más de cuatro periodistas lo hubiesen oído, inculcándole las ideas más sublimes y sobre todo relativas a la gratitud que siempre debe conservar a sus súbditos por los muchos sacrificios que por ella habían hecho. La abrazó y la besó repetidas veces con delirio, arrasados los ojos en lágrimas. Dioles el último adiós, los últimos besos maternales, teniéndolas a ambas colgadas de sus brazos sin saberse separar de ellas. Fue, pues, preciso arrancárselas de aquéllos. La infeliz cayó al suelo sin sentido, a impulso de una congoja violenta que nos dio mucho cuidado por su duración. Antes de marcharse, impulsada S. M. por el amor maternal, quiso ver a sus hijas por última vez; pero considerando lo que podrían sufrir, y guiada por aquella grandeza de alma y firmeza de carácter que siempre la ha distinguido, aun en las circunstancias más espinosas, se contentó con mirarlas y examinarlas con avidez, entregadas al sueño de la inocencia, y decirles: "Dios y los españoles os hagan felices, y quered a vuestra madre tanto como ella os quiere a vosotras." Las contempló un rato con éxtasis bañada en lágrimas. "Vámonos", dijo al fin, y se retiró.»

La educación que habían recibido Isabel II y su hermana Luisa Fernanda era muy deficiente. La condesa de Espoz y Mina, viuda del héroe de la independencia y aya de Isabel y su hermana, explica en sus memorias:

«El método que yo hallé establecido era el siguiente: S. M. y A. se levantaban de la cama a las nueve de la mañana; gastaban en su tocado una hora más o menos, especialmente S. M., que era más lenta en sus movimientos que su hermana, y se dejaba vestir, cuando yo entré en palacio, por sus camaristas y azafatas, con el mismo abandono que un niño de pocos meses. Almorzaban en seguida, en lo que se invertía bastante tiempo, y oían misa en su oratorio diariamente, empezándose luego las lecciones; de modo que apenas quedaba tiempo para éstas hasta la hora de las dos de la tarde, que era en verano la de la comida. Poco pretexto bastaba para suspenderlas o dejarlas completamente para otro día. Las lecciones empezaban por ejercicios de escritura en español, elementos de gramática castellana, geografía y traducción del idioma francés, en todo lo que se empleaba cortísimo tiempo. Las labores ni eran diarias, porque los demás ramos de enseñanza no dejaban tiempo para ocuparse de ellas, ni cuando las hicieron vi que se redujeran a otra cosa que a trabajar con suma dificultad algunos puntos de calceta y, con la misma falta de destreza, algunas puntas de festón. Noté, si bien el método que había usado el señor Ventosa para enseñar a las princesas era ingenioso, según comprendí por la explicación que me hizo de él, era sólo a propósito para niñas de menos años que los que contaba la reina, y que si cuando lo había puesto en práctica pudo ser conveniente, no lo era ahora, porque las lecciones debían ser formales y no de juego, tanto por exigirlo así el decoro de S. M., como porque debía empezar ya a no desperdiciar tiempo quien necesariamente tenía que aprovecharlo mucho en adelante. Debió pensarse en que S. M. tenía que tomar nociones de algunas otras cosas indispensables en el corto tiempo que le faltaba para ser declarada mayor de edad, según lo prescribía la Constitución del Estado.»

Las lecciones eran pocas; la atención de las discípulas, mínima.

«Parecióme, por lo mismo, que necesitaba examinarse y corregirse este punto, y desde los primeros días, y cuando ya me hallaba viviendo dentro de palacio, circunstancia por la que manifestaron las dos princesas gran impaciencia de que se realizara, resolví asistir diariamente a presenciar las lecciones. Vi en ellas que, si bien escribían ambas señoras con soltura, no era el carácter de su letra elegante, particularmente el de S. M.; que conocían la gramática y la ortografía, pero no se hallaban fijas en su uso, siendo indispensable casi siempre enmendar faltas de este género en cualquier escrito suyo. En la aritmética estaban enteramente atrasadas, pues apenas conocían la primera regla, y sea porque fuese falta del método que se empleaba o de otra causa, manifestaban la mayor repugnancia por aprenderla. En la geografía se hallaban bastante adelantadas, particularmente en la de España. Leían regularmente en castellano y con muy buen acento en francés, y conocían bastante bien los elementos de esta lengua; pero sin que haya yo podido, ni entonces ni después, atinar con la verdadera causa, mostraron siempre no sólo falta de gusto para soltarse a hablarla, traducirla y escribirla, sino aversión marcada, que no pudieron vencer ni los esfuerzos del señor Luján ni los míos, ya en palacio, ya valiéndome de diferentes medios en el paseo, ni las amonestaciones del tutor y del señor Quintana, ni aun las órdenes reiteradas de su augusta madre. Así es que ya sólo esperábamos que la edad y la reflexión les harían por fin conocer la grandísima utilidad y aun indispensable necesidad de que personas de su categoría hablasen con facilidad una lengua que ha venido a hacerse general en Europa.

»Después de la comida, que era frugal, así como el almuerzo y cena, pues que la salud de las dos señoras hacía necesario seguir el régimen que los médicos de cámara les tenían prescrito, se entretenían jugando hasta las cinco de la tarde, en que tomaban la lección de piano. Era esta lección la que S. A. tomaba con más aplicación y gusto, y la de canto S. M., y para ambas artes tenían las más felices disposiciones; de modo que en los dos años que tuve la honra de estar a su lado hicieron los mayores progresos.

»Concluida esta lección, salían a paseo y de regreso de él tomaban la lección de canto, cenando tan luego como ésta se concluía, a las nueve y media de la noche, y retirándose a acostar en seguida. Este método se alteró sensiblemente a medida que se pudo variar y mejorar el arreglo de horas, aprovechando el tiempo mejor.»

La misma condesa de Espoz y Mina narra una anécdota que muestra el carácter de la reina niña:

«A fin de que se pueda juzgar de la bellísima índole de las augustas niñas, referiré un hecho ocurrido por estos días. S. M. se hallaba una noche cantando su lección con el maestro, y yo leía al otro extremo del salón. Con motivo de una pequeña ausencia que hizo, me acerqué al maestro, que me dijo que S. M. había tomado el capricho aquella noche de no permitirle que la corrigiese, y me lo avisaba para que lo remediase. Con este aviso, cuando volvió S. M. me quedé al lado del piano, con el pretexto de que quería escucharla de más cerca, y el maestro, comprendiendo mi intención, a la primera nota falsa que le dio la enmendó, dando el verdadero tono con la voz. Al momento oí que le mandaba que se callase. Preguntéle entonces que por qué no le dejaba cantar, y me respondió: "Porque no me gusta." "Permitidme V. M. le diga que esto no es justo; los maestros, señora, vienen a enseñarnos lo que no sabemos, y es indispensable que nos corrijan nuestras faltas." "Pues yo no quiero que cante", volvió a repetirme. "Y yo espero que V. M. se ha de convencer que no tiene razón, y entretanto esto no suceda, con permiso de V. M. me iré al salón de S. A." "No quiero que te marches." "En ese caso V. M. permitirá que Valldemosa cante." "Eso no." "Pues permítame V. M. que me retire." Fuime, en efecto, al salón de la infanta, y a poco rato oí cantar al maestro; mas no queriendo perder el fruto de aquel paso, esperé a que la lección concluyese. Tan pronto como finalizó vi venir a la reina que, abrazándome, me dijo: "Ayita, ya me he convencido." Y en adelante no volvió a tener semejante empeño; por el contrario, por poco inclinada que se hallase a cantar su lección de solfeo, que era lo que menos le gustaba, si yo le pedía que la repitiese, ni una sola vez dejó de complacerme.»

Tras la abdicación de María Cristina, Isabel II y su hermana salieron de Valencia con dirección a Madrid y en unión de la marquesa de Santa Cruz, que había ido para acompañarlas durante el viaje, el día 20 de octubre, a las siete y media de la mañana. El 21 pernoctaron en Morgente, el 22 en Bonete, el 24 en Minaya y el 27 llegaron a Aranjuez, haciendo su entrada pública en Madrid el 29, a la una de la tarde, en carruaje descubierto a pesar de lo desapacible del día. El duque de la Victoria iba a caballo al estribo del carruaje. Abrían la marcha el Ayuntamiento ocupando varios coches, una carretela con cuatro niñas caprichosamente vestidas arrojando flores, y varias danzas en representación de las regiones de España. Hubo gran entusiasmo, vivas, versos y palomas. Entraron por la Puerta de Toledo, y cuando hubieron llegado a palacio se asomaron al balcón de la plaza de Oriente, presenciando el desfile de las fuerzas que habían cubierto la carrera.

Con motivo de la llegada de la reina y del triunfo de la revolución hubo festejos populares, iluminaciones y músicas. Una rondalla aragonesa cantó aquella noche, delante de la casa donde residía Espartero, entre otras coplas la siguiente:

> Cuando comenzó el Diluvio
> todos estaban alegres,
> y unos a otros se decían:
> ¡Qué buen año va a ser éste!

Baldomero Espartero ejerce la regencia durante casi tres años, durante los cuales la figura de Isabel II queda bastante apagada. En el ínterin la reina María Cristina, que desde Marsella había lanzado un manifiesto en el cual ella declaraba sin ambages que su renuncia le había sido arrancada y que se retiraba «para respirar libremente, desgraciada sin duda, pero con la frente serena, la conciencia tranquila y sin un remordimiento», se dirige a Roma con su esposo Fernando Muñoz, que viaja con el nombre de señor Medina. Pierre de Luz, en una nota en su libro ya citado, escribe: «La reina viaja con el nombre de "condesa de Vista Alegre"; la acompañan algunos amigos, entre ellos el "señor Medina".» En cuanto a los niños, han sido dejados en Suiza. Es que María Cristina, diga ella lo que quiera, no tiene la conciencia completamente tranquila, primero en cuanto a la validez de su matrimonio, y después en cuanto a la validez de ciertos actos políticos realizados durante su regencia y por los cuales la Iglesia ha debido sufrir. Le va a ser preciso, pues, pasar cerca de tres meses en Roma, sin hacer alcoba común con Muñoz, para negociar, muy laboriosamente, con la Santa Sede una absolución general, que al fin recibe, el Miércoles de Ceniza, de la mano de Gregorio XVI.

Esta absolución no es lo único que María Cristina ha ido a buscar a Roma. Ella hubiera igualmente querido adquirir para su marido una tierra noble que le permitiera convertirse a la vez en ciudadano romano y en príncipe romano. La principalidad de Poggio Nativo, situada en los Estados Pontificios y perteneciente a los Borghese, se hallaba precisamente en venta. Pero la Iglesia, siempre generosa en lo grande, se muestra a veces intratable en las cosas pequeñas. El Vaticano rechaza la autorización necesaria. Muñoz, a quien la reina no se ha atrevido a ennoblecer por sí misma cuando tenía el poder, va a permanecer aún durante algún tiempo siendo Muñoz a secas.

Pero la viuda de Fernando VII no cejaba en su intervención en las cosas de España y por ello prestó aliento de ocho millones de reales y cuarenta mil duros que habían sido confiados a Narváez y que fueron honradamente devueltos por éste cuando fracasó la empresa de un complot que estalló el 7 de octubre 1841.

Alrededor de las siete de la tarde de ese día, cuando

Isabel II se disponía a iniciar su habitual lección de canto, se oyó en palacio un gran alboroto, algún disparo y ruido de cristales rotos. Un grupo de militares capitaneado por Diego de León, conde de Belascoaín y héroe de la guerra contra los carlistas, estaba dispuesto a raptar a la reina para sustraerla a la regencia de Espartero. Pero el golpe fracasó porque los alabarderos de guardia del palacio real, al mando de Domingo Dulce, futuro marqués de Castellflorite, se opusieron al pronunciamiento. Al propio tiempo se sublevaron las guarniciones de Pamplona, al mando de O'Donnell, la de Zaragoza, mandada por Borso di Carminati, Andalucía con Narváez al frente, y Montes de Oca, que dirigía las sublevaciones de las provincias Vascongadas. Pero todo fracasó. Algunos generales, como O'Donnell, consiguieron escapar; los otros fueron detenidos y fusilados.

La figura principal de este pronunciamiento fue Diego de León. Dice el historiador Eduardo Chao: «León, joven de 31 años, de hermosa presencia y cubierto su pecho de cruces, símbolo de su valor y sus servicios en la guerra última, interesó la compasión de muchos. González Bravo, uno de los que se habían manifestado siempre más exaltados, anduvo corriendo las filas de la milicia nacional con una representación pidiendo clemencia; los más íntimos amigos de Espartero fueron requeridos para que le aconsejasen usase de la prerrogativa real del perdón. Se indujo al comandante de alabarderos a que lo solicitase de la reina, y aun a ella mismo se trató de comprometerla a que, haciendo uso de su autoridad, exigiese del regente el indulto. Reunidos varios miembros de la grandeza, la rodearon al ir a salir de paseo, y tanto la instaron que al fin obtuvieron la palabra de que escribiría a Espartero. El aya, aunque vivamente conmovida, había guardado reserva durante esta escena, a pesar de las insinuaciones de la reina para que la aconsejase; pero al ver que se daría recado de escribir para que hiciese en el acto la exigencia que se le pedía, rompió el silencio con que hasta aquel momento había procurado servir al desgraciado León. "V. M. —dijo dirigiéndose a la reina— es menor, y porque la ley no la reconoce hábil, tiene un tutor; lo que V. M. haga sin su consentimiento no es legal. Llámese al tutor y dígasele esta ocurrencia." Vino, en efecto, el tutor, y ofreció inmediatamente, como lo hizo, la petición en nombre de S. M., pero el regente creyó que el estado de irritación de los ánimos no permitía dispensar el perdón.»

El consejo de guerra que juzgó a Diego de León no consiguió la unanimidad en cuanto a la sentencia; tres votos estuvieron en contra de la pena de la muerte, uno se debió al general catalán Grases y Seguí, del cuerpo de Artillería, que dijo:

—Si León ha de morir por haberse sublevado, ¿qué hacemos nosotros que no nos ahorcamos ahora mismo con nuestras fajas?

Diego de León, muy sereno, marchó a la muerte sentado en una carretela descubierta y hablando animadamente con su defensor. Llevaba uniforme de gala y su paso fue contemplado en silencio por la multitud que se agolpaba en la calle. Fue fusilado cerca de la Puerta de Toledo y al observar la turbación de algunos soldados del pelotón encargado de cumplir la sentencia, les gritó:

—¡No tembléis! ¡Al corazón!

Antes había dicho al defensor que le acompañaba:

—Se me figura que no me van a dar. ¡Son tantas las veces que me han tirado de cerca sin acertarme!

Pero esta vez acertaron. Así murió uno de los héroes románticos de la época isabelina.

María Cristina, que residía en París, en el palacio de Braganza, situado en la calle de Courcelles número 28, fue entrevistada por Salustiano Olózaga, ministro plenipotenciario del gobierno español en Francia. La reina niega toda intervención en la sublevación, aunque Olózaga la afirma que varios de los sublevados lo habían hecho utilizando su nombre, y para ello, cuando Olózaga le pide que firme un documento haciéndolo saber, María Cristina le hace contestar por su secretario particular en términos muy ambiguos: «La reina María Cristina de Borbón, mi soberana, me ordena haga saber a su señoría que no le conviene contestar a su extraña comunicación del 12 del corriente en la que se desnaturalizan los hechos y las palabras de S. M.»

Este comunicado no convence a Olózaga, que insiste y obtiene de María Cristina una semiconfesión. En ella la reina afirma que «ni ha suscitado ni provocado los funestos sucesos que de nuevo afligen a nuestra desgraciada patria... La revolución, después de haber hundido a

S. M. en la desgracia, se esforzaba en arrancar de sus labios la inicua condena de los que en el momento en que se resistían a la más odiosa tiranía invocaban con confianza su augusto nombre».

Total, que no aclaraban nada.

Pero Espartero no dura mucho en el poder. El 30 de julio de 1843 debe abandonar España después de perder unas elecciones y que una sublevación militar dirigida por Narváez, O'Donnell y Prim le arrebatase el poder.

La situación es confusa. Se convocan nuevas elecciones, que ganan casi por igual los progresistas y los moderados. Una minoría va dirigida por un periodista gaditano llamado Luis González Bravo, que había hecho popular el seudónimo de «Ibrahim Clarete» en un periódico titulado *El Girigay*, en el cual entre otras lindezas había llamado «ilustre prostituta» a la reina María Cristina. Paradójicamente, será González Bravo quien reconozca oficialmente el casamiento de la reina con Muñoz, otorgando a éste el título de duque de Riansares y autorizando la venida a España de la que había sido reina gobernadora.

La situación era tal que se decidió declarar mayor de edad a Isabel II, suprimiendo así toda clase de Regencia. En sesión del 8 de noviembre de 1843, prestó juramento en el Senado el día 10 con el ceremonial que se acostumbra en estos actos.

Una vez sentada en el trono, se acercaron el presidente don Mauricio Carlos de Onís y los secretarios, y puesto el primero a la derecha de S. M. con el libro de los Evangelios abierto y los secretarios enfrente con el de la fórmula del juramento, se levantó Isabel, y poniendo su mano derecha sobre el libro que le presentaba el presidente, dijo:

«Juro por Dios y por los Santos Evangelios que guardaré y haré guardar la Constitución de la monarquía española promulgada en Madrid a 18 de junio de 1837; que guardaré y haré guardar las leyes, no mirando en cuanto hiciere sino el bien y provecho de la nación. Si en lo jurado o parte de ello lo contrario hiciese, no debo ser obedecida; antes aquello en que contraviniese sea nulo y de ningún valor. Así Dios me ayude y sea mi defensa, y si no, me lo demande.»

Tenía entonces Isabel trece años y un mes.

Esto sucedía, como se ha dicho, el 8 de noviembre de 1843. Pocos días después sucede un hecho que aún hoy provoca dificultades de interpretación. Doy primero la versión de Pierre de Luz, que me parece la más verosímil. Después daré la versión oficial que se dio del hecho.

Dice así Pierre de Luz: «Desde el 20 de noviembre de 1843, don Salustiano de Olózaga, ex alcalde de Madrid, ex ministro de España en París, ex gobernante de su majestad, ex presidente del Congreso (desde el 4 de noviembre, por la gracia de González Bravo), es presidente del Consejo y ministro de Estado. (Ha sido reemplazado en la presidencia del Congreso por don Pedro José Pidal, cuñado de don Alejandro Mon, ambos de mucho talento y llamados a desempeñar más tarde un gran papel.) Olózaga, apremiado por la joven reina, que le repite: "Mira que me urge", ha acabado por formar, con muchas dificultades, su ministerio, en el cual el de la Guerra es confiado a Serrano, a quien la reina llama ya "el general bonito". El 28 de noviembre, por la tarde, Olózaga, con su cartera bajo el brazo, se presenta en palacio para la firma. Somete a Isabel tres decretos: el primero y el segundo son diplomas de condecoraciones, uno de los cuales es para el escritor francés Luis Viardot, traductor del *Quijote*; el tercero es el decreto de disolución de las Cortes. Éste lo lee Olózaga a la reina en alta voz. Ella le dice: "¿Por qué queréis disolver las Cortes?" Él le explica que es una medida de precaución, que cree prudente tener este decreto en el bolsillo para poder servirse de él cuando lo crea oportuno. "¡Ah! Está bien, dámelo." Toma la pluma y se dispone a escribir: "Yo, la reina", en el lugar que se ha dejado en blanco para la fecha. Olózaga le indica con el dedo el lugar en que hay que firmar, y tal vez en este instante le coge la mano para guiarle el movimiento. Sea como fuere, ella firma. "Quisiera —dice— que se concediera la Cruz de Carlos III a Valldemosa [su maestro de música]. Prepárame el documento, ¿quieres?" Olózaga se inclina y se despide. Cuando se dirige hacia la puerta, Isabel le llama. Él se vuelve; la reina tiene un paquete en la mano. "Toma, Salustiano: unos bombones para tu hija. Te ruego que no abras la caja. Entrégale el paquete tal como está." Al marcharse, Olózaga piensa que esta caja de bombones podrá ser para él un precioso medio de justificación. El final de la escena ha tenido, además, un testigo, el coronel Dulce, de guardia en palacio a esta hora.

»Al día siguiente por la mañana, la marquesa de Santa Cruz, a quien los jefes del partido moderado, temiendo algún peligro, han aleccionado, pregunta inocentemente a la reina si la víspera por la tarde no ha firmado un decreto aceptando la dimisión del general Serrano. "De ningún modo —contesta Isabel—; yo no he firmado eso... ¿Qué es lo que he firmado? ¡Ah! Sí... un decreto para que no haya más Cortes." La camarera mayor levanta los brazos al cielo: "¡Eso es una infamia! ¡Un abuso de poder! ¿Cómo lo ha podido aceptar vuestra majestad? ¡Esto no es posible!" Isabel, muy preocupada, se deja arrancar declaraciones por las que viene a resultar que su buena fe ha sido sorprendida y ha firmado un poco a pesar suyo. "Aseguraría que ha guiado la mano de vuestra majestad." "Sí, tal vez. Me parece que en efecto... Yo no sabía, ¿comprendes?, dónde había que firmar..." La cosa está clara. Llega Narváez para recibir las órdenes del día. Encuentra a la reina agitada, llorosa. Nuevo relato, que la marquesa rectifica en el momento oportuno. Narváez se indigna. Se manda llamar a Pidal, quien informa a su vez, no titubea en declarar, llorando, que hay que echar a Olózaga, anular el decreto y mantener las Cortes. La sencilla historieta de la firma del 28 de noviembre se ha convertido en un drama en el que aparece Olózaga persiguiendo a Isabel por la habitación, de la que ha cerrado con llave la puerta (después se ha podido comprobar que la tal puerta no tenía cerradura), retorciéndole el brazo para obligarle a sentarse, agarrándole la mano para hacerla firmar; en una palabra: crimen de lesa majestad.

»Advertido de lo que se trama contra él, Olózaga, hombre animoso, se decide a volver a palacio para ver a la reina. Pero antes ha enseñado a algunos parlamentarios amigos suyos los tres decretos al pie de los cuales está la firma, limpia y reposada, de la soberana, y el paquete de bombones, aún envuelto por sus cintas. Introducido en la antecámara real, donde encuentra al duque de Osuna, se hace anunciar por éste, y por la puerta entreabierta oye la voz de González Bravo, que grita altivamente: "Que espere en la secretaría", pues el insignificante periodista de Cádiz, en este momento ya está investido de las mismas funciones que don Salustiano cree todavía ejercer. En la secretaría se entrega a Olózaga un decreto que dice así: "Por motivos graves que me reservo, he decidido relevar a don Salustiano Olózaga de los cargos de presidente de ministros y ministro de Estado." "Está bien —dice Olózaga—, la reina puede destituirme, pero no deshonrarme." Y en el acto pide, a quien corresponde, rectificación de la fórmula, un poco sucinta, de su revocación.»

Ésta es a mi entender la versión más verosímil del hecho, pero he aquí la versión oficial:

Don Luis González Bravo, nombrado ministro de Estado y notario mayor interino del reino, leyó en el Congreso la certificación siguiente, que extendida por él dice a la letra:

«Habiendo sido citado de orden de la reina nuestra señora para presentarme en la real cámara, y admitido en ella ante la real persona a las once y media de la mañana, se presentaron conmigo, citadas también de orden de la reina, las personas siguientes [aquí se pone una lista de treinta personas, entre las que figuran Onis y Pidal, presidentes respectivamente del Senado y del Congreso, varias autoridades, los generales Serrano y Narváez, don Domingo Dulce y la marquesa de Santa Cruz]. Y a presencia de mí, el infrascrito notario mayor interino de estos reinos, y de todas las personas arriba nombradas, hizo S. M. la solemne declaración que a letra sigue:

»"En la noche del 28 del mes próximo pasado se me presentó Olózaga y me propuso firmase el decreto de disolución de las Cortes. Yo respondí que no quería firmarlo, teniendo para ello, entre otras razones, la de que estas Cortes me habían declarado mayor de edad. Insistió Olózaga. Yo me resistí de nuevo a firmar el citado decreto. Me levanté dirigiéndome a la puerta que está a la izquierda de mi mesa de despacho: Olózaga se interpuso y echó el cerrojo a esta puerta. Me agarró del vestido y me obligó a sentarme. Me agarró la mano hasta obligarme a rubricar. En seguida Olózaga se fue y yo me retiré a mi aposento."

»Hecha la lectura por mí, el infrascrito, de la precedente declaración, S. M. se dignó a añadir lo siguiente: "Antes de marcharse, Olózaga me preguntó si le daba mi palabra de no decir a nadie lo ocurrido, y yo le respondí que no se lo prometía."

»Acto continuo invitó S. M. a que entrasen en su despacho todos los presentes y examinaran el lugar en que sucedió lo que acababa de referirles; así se hizo, en efecto, entrando todos en el real gabinete. En seguida puse la declaración en las reales manos de S. M., quien asegurando que aquella era su verdadera y libre voluntad, la firmó y rubricó a presencia de los mencionados testigos después de haber yo preguntado a los presentes si se habían enterado de su contenido; y habiendo respondido todos que sí estaban enterados; con lo cual se dio por finalizado aquel acto, mandando S. M. que se retirasen los presentes y que se depositase su real declaración en la secretaría del ministerio de mi cargo, donde queda archivada. Y para que en todo tiempo conste y produzca los efectos a que haya lugar, doy el presente testimonio en Madrid, a 1 de diciembre de 1843. Luis González Bravo.»

Este documento cayó como una bomba en el Parlamento, y dio ocasión para que Olózaga pronunciase uno de los discursos más hábiles que han salido de los labios de orador alguno. Quejóse, mas no airado, con frase correcta y comedida, con juicio sereno y razonado, sin zaherir ni menospreciar la persona de la reina, hizo una defensa noble, ingeniosa y elocuente, consiguiendo uno de los mayores triunfos parlamentarios que honran la historia de la política española.

¿Qué pensar? ¿Dónde estaba la verdad? Se dice que cuando estaban los testigos de los que habla González Bravo en su documento, el general Narváez se acercó a uno de los organizadores de la visita y le dijo al oído:

—Compadre, separe usted a la gente de la puerta porque no tiene cerrojo.

Este detalle, que hubiera bastado a cualquier lector de novelas detectivescas para rebatir el documento de González Bravo, fue conocido por el público, que se preocupó por una reina que empezaba su mandato mintiendo. Creo que lo que sucedió en realidad no es que la reina mintiese, sino que al fin y al cabo no era más que una niña de trece años que firmaba lo que le ponían por delante. No obstante, en 1847, cuando Olózaga —que había emigrado a consecuencia del hecho— fue elegido diputado e intentó llegar a Madrid para ocupar su escaño, fue detenido y obligado a traspasar la frontera de Francia, en vista de lo cual decidió solitar la autorización real echando tierra al asunto. La reina concedió la autorización, pero dijo:

—Yo no puedo abrigar rencor contra nadie. Deseo que no haya enconos ni resentimientos entre los españoles, aunque pertenezcan a diversos partidos, y yo quiero y debo dar el ejemplo. Mi voluntad es que se haga lo que pide Olózaga; pero conste siempre que ratifico y confirmo cuanto dije y consta en aquella acta célebre que extendió González Bravo.

A ella comenta Cambronero: «Los términos respetuosísimos de la solicitud de Olózaga, y la ratificación que del hecho famoso hizo constar indirectamente la reina en el real decreto de 3 de abril de 1847, concediendo el perdón que se había solicitado, vienen a confirmar el concepto que hemos expuesto a consideración del lector: ni Olózaga pudo cometer la bajeza de pedir perdón por culpas que no había cometido, ni la reina el cinismo de sostener una grosera impostura.»

Pero otro problema, y muy grande esta vez, va a plantearse en la vida de Isabel II. Se trata de su casamiento. ¿Quién será el esposo de Isabel II? Varios nombres se barajan a este respecto. Intervienen las potencias extranjeras, que ven en unos posibles candidatos amenazas de alianzas no deseadas. Uno de los pretendientes es el conde de Montemolín, hijo del pretendiente carlista don Carlos. Es primo hermano de Isabel II, pero eso no importa, como no ha importado nunca en tantos años de reales matrimonios consanguíneos. Este matrimonio, defendido entre otros por Jaime Balmes, acabaría con las rencillas civiles, pero ni carlistas ni isabelinos se ponen de acuerdo, pues todos quieren lo mismo, unos exigiendo que la reina se case con el rey carlista, otros que sea el príncipe quien se case con la reina legítima. Poco a poco van desapareciendo las candidaturas hasta quedar como único pretendiente el duque de Cádiz, Francisco de Asís, primo hermano de Isabel II por partida doble, como primogénito de los infantes don Francisco de Paula, hermano menor de Fernando VII, y doña Luisa Carlota, hermana mayor de la reina María Cristina.

Había nacido don Francisco de Asís en Madrid el 13 de mayo de 1822, lo cual quiere decir que es ocho años mayor que su prima.

Don Francisco, a quien su madre, la ambiciosa Luisa Carlota, había inculcado desde pequeño la idea de que había de ser rey de España, no poseía fortuna alguna a pesar de lo cual empieza a derrochar dinero sobornando a políticos, servidores palatinos y espías gastando dinero que no tenía. ¿De dónde lo ha sacado? Había recurrido a prestamistas extranjeros, uno de los cuales, un francés llamado Tastet, le había entregado ocho millones de francos a pagar después de su matrimonio con la reina Isabel II, cosa que hizo don Francisco sacando el dinero del erario público.

La candidatura de don Francisco estaba patrocinada por la corte francesa y así se lo comunicó el embajador francés, conde de Breson, a la reina madre María Cristina, quien al saberlo exclamó:

—Pero ¿dónde va a ir este medio mariquita?

El conde, impertérrito, continuó haciendo la propaganda de su candidato.

—¿Es que no ha visto cómo anda, cómo se mueve, cómo habla? ¿No ha visto los encajes que lleva? No me negará que es un tipo raro. ¡Si a los veinticuatro años no se le conoce ninguna aventura con mujeres!

—Señora, si el infante don Francisco de Asís es tan reservado, se debe a que ya desde niño ha estado enamorado de la reina Isabel, y por ella se ha propuesto mantenerse virgen para ella y serle fiel hasta la muerte.

Un nuevo personaje inquietante y misterioso interviene en esta historia. Se trata de sor Patrocinio, más conocida con el sobrenombre de «La monja de las llagas» por asegurarse que sufría en su cuerpo los estigmas de la Pasión del Señor. Isabel II le hacía mucho caso y Francisco, que lo sabía, no vaciló en usar de su influencia para acabar de convencer a la reina. Sor Patrocinio, María Dolores Quiroga en el siglo, merece un estudio especial que sobrepasa el propósito de este libro.[1]

1. Recomiendo al lector un libro que sobre este tema es indispensable leer. Se trata de la historia novelada de Isabel II, desde su nacimiento hasta su casamiento con Francisco de Asís, escrito por mi amigo Ricardo de la Cierva con el título *El triángulo. Alumna de la libertad*, finalista del Premio Planeta 1988. Empecé a sacar fichas de esta obra hasta que lo dejé al darme cuenta de que, prácticamente, la estaba copiando toda, tal es la cantidad extraordinaria de datos, detalles y documentos inéditos que contiene. Creo que es obra imprescindible para el conocimiento de la reina, de su corte y de su época.

Ante la propuesta de su matrimonio con Francisco de Asís, Isabel grita, llora, patalea y declara que antes de casarse con Francisco de Asís, a quien ella llama «Paquita», abdicará y entrará en religión. Sor Patrocinio la convence al final asegurando a la reina que Francisco de Asís, aunque aparentemente parecía otra cosa por su voz atiplada, su ropa interior demasiado elegante y sus perfumes, era un hombre capaz, serio, enérgico, un hombre en fin. Lo cual contradice a la frase de lord Palmerston: «Inglaterra jamás dará su apoyo al enlace de S. M. con el infante don Francisco de Asís porque este príncipe está imposibilitado física y moralmente para hacer la felicidad privada de su majestad y la de la nación española.»

El día 10 de octubre de 1846 se celebró la boda de Isabel II con Francisco de Asís y de su hermana Luisa Fernanda con Antonio María Luis Felipe de Orleans, duque de Montpensier, recibiendo las bendiciones nupciales las dos hermanas en el salón de embajadores del palacio real.

Isabel vestía un traje de moiré blanco con tres órdenes de blonda de plata, manto de crespón también blanco; llevaba en la cabeza una magnífica diadema de brillantes, al cuello un rico collar de las mismas piedras, y ceñía su cuerpo un precioso cinturón de brillantes, con lazos de igual pedrería que tocaban al suelo, y cruzábale el pecho la banda de María Luisa.

A las diez y media de la noche aparecieron en el salón de embajadores las reales personas. Ocupado el trono por Isabel, y por su comitiva los puestos señalados, entraron sucesivamente los novios, precedidos de las comisiones que habían salido a buscarlos: don Francisco de Asís vestía uniforme de capitán general, con pantalón blanco y galón de oro; el duque de Montpensier llevaba uniforme de mariscal de Francia, con calzón blanco ceñido y botas de montar; le acompañaba su hermano el duque de Aumale, y entre el séquito se distinguía la figura del ya célebre escritor Alejandro Dumas. Fue madrina de ambos enlaces la reina doña María Cristina, padrino de Isabel su tío don Francisco de Paula, y de Luisa Fernanda el duque de Aumale.

Cuenta un cronista que en el acto solemne de ser interrogada Isabel por el patriarca de las Indias para que dijese si quería por esposo y marido a don Francisco de

Asís de Borbón, respondió el «sí, quiero» con voz un tanto apagada.

Isabel II se daba cuenta de que su matrimonio no iba a ser feliz. Como dice un autor que no cita González-Doria, «existía una notable diferencia de temperamentos. Doña Isabel era ignorantona, marchosa y dotada de un espléndido sentido del humor. Don Francisco de Asís, cultivado, muy circunspecto y peripuesto, reconcentrado, o sea el antípoda de la soberana».

Pierre de Luz narra el viaje de bodas a La Granja. «El servicio de sus majestades sufrió un accidente que le obligó a permanecer diecisiete horas en un barranco, y el rey y la reina llegaron por la tarde a La Granja y no encontraron nada preparado para acostarse...; tuvieron que hacerse por sí mismos la cama, y no encontrando las sábanas, tuvieron que utilizar las cortinas del cuarto. Pero sus majestades son jóvenes, están en plena luna de miel y han podido cantar como Béranger: "A los veinte años, qué bien se está en un granero." A pesar de todo, al día siguiente parecían estar encantados de haber pasado una noche tan accidentada...» Isabel confió, mucho más tarde, al embajador de su nieto en París, León y Castillo, el único recuerdo de aquella noche «tan poco regular»: «¿Qué piensas de un hombre que tenía sobre su cuerpo más puntillas que yo?»[1]

¿Se consumó el matrimonio? La *vox populi* afirmaba que no y la misma voz propalaba que había sido el general Serrano, a quien Isabel II llamaba el «general bonito», el iniciador de la reina en los placeres del lecho, camino que siguieron después otros amantes.

La musa popular aludía a las aficiones del nuevo rey, cantando:

> *Paco Natillas*
> *es de pasta flora*
> *y se mea en cuclillas*
> *como una señora.*

1. Con motivo de la publicación de unas notas sobre Isabel II en mi libro *Historias de la Historia (tercera serie)* el historiador don Juan Balansó me envió una carta en la que me notificaba que en los archivos de la Nunciatura apostólica en Madrid había documentación importante sobre el real matrimonio. Como, que yo sepa, no ha sido publicada, no he podido utilizarla en este libro.

En realidad parece que don Paquito —así llamaban al rey consorte en los ambientes madrileños— navegaba a vela y a motor, y se le atribuían repetidas visitas a cierta casa de mala nota, donde se limitaba a hacer de *voyeur*, sin participar jamás activamente. En cambio tenía tantos amantes masculinos como la reina. De estos últimos, el ministro Salamanca, más tarde marqués del mismo nombre, cuenta que una vez «llegó a ejercer el oficio que, según el gran clásico, tan necesario es en toda república, sólo por mantenerse en el cargo». Para los que no comprendan el sentido de la cita, puntualizaré que el gran clásico es Cervantes y el oficio el de alcahuete.

Otro de los amantes atribuidos a Isabel II fue el compositor Emilio Arrieta, profesor de música de la soberana. Otros, Carlos Marfori y José María Ruiz de Arana, conocido éste en Madrid como «el pollo Arana». Otro, el militar Puig y Moltó, a quien se atribuía, junto con Arana, la paternidad del futuro Alfonso XII.

Por su parte, el pueblo cantaba mientras tanto:

> *Isabelona*
> *tan frescachona*
> *y don Paquito*
> *tan mariquito.*

Pero esto es adelantar los acontecimientos.

Don Francisco no estaba dispuesto a ser simplemente el consorte de la reina, quiere figurar al lado de ella como hicieron los Reyes Católicos. No se ha casado por amor, sino por ambición, y tiene en contra de ella la voluntad de la reina, ayudada en este caso por su madre María Cristina, instalada en Madrid en un palacio de la calle de las Rejas, y la de la Corte. Francisco hace caso a los anónimos que le avisan de la relación íntima de Isabel con el general Serrano. Éste es el pretexto para una separación violenta. Francisco hace trasladar su cama del cuarto de la reina a otro y manifiesta su resolución de no volver a cohabitar con su esposa hasta que no fuese desterrada la reina María Cristina. Son las clásicas reyertas entre suegra y yerno pero que esta vez sobrepasan la vida privada para incidir en la pública. La prueba de que todo ello era un pretexto se vio cuando María Cristina volvió a París y Francisco no volvió al lado de la reina.

La cosa se pone tan tensa que Isabel II se dispone a pedir al papa Pío IX que anule el matrimonio, pero el pontífice hace saber que no está dispuesto a ello.

María Cristina escribe a la reina: «... No es mi intención rebuscar la causa de vuestra separación...; creo que debéis, una y otro, olvidar vuestras ofensas mutuas y encauzaros por la vía de la paz, tan saludable para vosotros como necesaria para el pueblo español. Así evitaríais acerbas críticas y la áspera censura de los gabinetes de las principales naciones europeas...» «... Te suplico, como madre afectuosa, que te muestres atenta a tu propio bien y a la tranquilidad de los españoles, y a volver con tu esposo...»

A pesar de ello la desavenencia entre los esposos es tan grande que Francisco de Asís abandona el palacio real y se instala en el Pardo.

Serrano, por su parte, se aleja también de Madrid y se instala en Aranjuez.

Por entonces se cometió contra la reina un atentado cuyo concepto no se halla aún bien definido. Al desembocar en la Puerta del Sol, por la calle de Alcalá, la carretela abierta en que volvía de paseo Isabel con su prima la infanta doña Josefa, el día 4 de mayo a las ocho de la noche, se oyeron dos disparos de arma de fuego junto al coche real; Isabel cerró los ojos, esperando resignada una tercera detonación, la infanta dio un grito de terror, el cochero fustigó los caballos, y la carretela desapareció súbitamente por la calle del Arenal.

«Me han querido asesinar», dijo la reina al entrar en sus habitaciones de palacio, y contando el suceso añadió: «Me han disparado dos tiros. Yo he sentido que me pasaba por la frente una cosa como si quemara.»

Ella misma se quitó el sombrero, y mostrándolo a los que estaban presentes les hizo notar las huellas del fogonazo. A poco se presentó el gobierno en el regio alcázar y el jefe político que lo era don Patricio de la Escosura, manifestando este último que se estaba sobre la pista del criminal y que de allí a pocas horas habría caído en poder de la policía. En efecto, fue preso un joven de veintiocho años, llamado don Ángel de la Riba, abogado, taquígrafo y periodista, redactor de *El Clamor Público*: estaba el presunto autor del atentado en un coche de alquiler, parado junto a la iglesia del Buen Suceso, precisamente en el sitio donde se oyeron las detonaciones, y por ciertos indicios, entre ellos el de llevar sobre sí dos cachorrillos que, según examen facultativo posterior, habían sido recientemente disparados, se creyó que de la Riba era, sin duda alguna, el delincuente que se buscaba, aunque sus antecedentes personales deponían en su favor como ciudadano pacífico y honrado. No confesó el crimen, y aunque las apariencias le delataban como autor, el espíritu público no quedó plenamente convencido de su responsabilidad. Fue indultado.

Dos días después, Isabel II se trasladaba a Aranjuez para reunirse con el general Serrano.

El ministro de Gobernación se dirige a El Pardo para convencer a don Francisco para que se reúna con la reina. El rey, con su vocecita y sus amanerados gestos, afirma que no tiene ningún inconveniente en reanudar la vida matrimonial pero que quiere ser el amo de su casa. El ministro insiste y don Francisco le explica:

«Comprendo muy bien lo que quieres decir. Pero se ha querido ultrajar mi dignidad de esposo, y eso es tan enorme como poco exageradas mis exigencias. Sé que Isabelita no me ama, y se lo excuso, pues nuestro matrimonio se ha hecho por razón de Estado y no por inclinación mutua. Soy tanto más tolerante respecto a esto cuanto yo no he podido tampoco tomarle ningún afecto. He querido siempre salvar las apariencias, deseoso de evitar una penosa ruptura, pero Isabelita es menos flexible que yo, o más violenta, y no ha querido desempeñar su papel, hacer el sacrificio que pedía el bien de la nación. Yo me he casado porque era preciso y porque, al fin y al cabo, el oficio de rey tiene sus pequeñas ventajas. En el juego era yo el que ganaba. La fortuna se me ofrecía: ¿iba a echarla por la ventana? Mi intención era mostrarme tolerante, pero era preciso que lo fueran conmigo. La presencia de un favorito nunca me hubiera sido desagradable si se hubiesen guardado las formas. No era necesario vejarme, ¿comprendes? Es forzoso que Serrano desaparezca. Ha usado términos malsonantes respecto a mí. Eso no lo admito. ¡Serrano! ¿Sabes lo que es? Un Godoy fracasado. El otro, al menos, para obtener los favores de mi abuela, había sabido antes hacerse amar de Carlos IV.»

Ante estas palabras los comentarios se desataron,

pero la reina declaró que estaba dispuesta a reunirse con el rey en Madrid, aunque «esta pequeña maniobra no tuvo éxito: cuando el ministro vuelve a El Pardo para recibir órdenes de Francisco de Asís, éste le dice sencillamente: "Está bien, volveremos a hablar dentro de cuatro meses." ¿Por qué este aplazamiento? Porque a mediados de diciembre hará nueve meses que los reales esposos están separados de hecho, porque el rey supone que la reina está encinta, y no quiere, bajo ningún pretexto, cubrir la paternidad de Serrano, que le ha faltado el respeto».[1]

La situación política es cada vez más confusa. En uno de los cambios ministeriales queda nombrado presidente del Consejo don José Salamanca, más tarde marqués de Salamanca. Es un audaz negociante y en seis años consigue llegar a ser millonario; cosa difícil en aquella época, en que España está en la ruina. Se asocia con Fernando Muñoz, el esposo de la reina María Cristina, y consigue el monopolio de la sal, producto entonces estancado, que era deficientemente administrado por el Estado y que en sus manos se convierte en próspero negocio. Generalmente lo administrado por el Estado no produce beneficio más que para la burocracia y los hombres de gobierno. Como dice Pierre de Luz: «En aquel momento, todo el mundo en Madrid juega a la bolsa, y es Salamanca quien dirige el baile. Ya ha arrastrado a Muñoz, y pronto asocia al mismo Narváez a sus combinaciones, a sus grandes golpes, a sus enormes ganancias. En cuanto a la joven reina, participa también en gran medida en esta fabulosa distribución. Si no está probado que Salamanca haya contribuido a la perversión de Isabel prestándole libros libertinos (el crapuloso Francisco de Paula ha bastado para esta tarea), es casi seguro, en cambio, que ha aceptado de Salamanca sumas presentadas por el financiero como ganancias obtenidas en bolsa por cuenta de su majestad. Pues Isabel, apasionada por las piedras preciosas y los trajes, incapaz de resistir al placer de dar, ha tenido, desde el comienzo de su reinado personal inagotables necesidades de dinero.»

La reconciliación entre el rey y la reina se hizo gracias a Narváez, que ruega a la reina María Cristina que regrese a España desde París donde se encontraba. Ella

1. Pierre de Luz.

205

y el delegado apostólico que hacía las veces de nuncio consiguieron que Francisco escribiese a su esposa felicitándole al cumplir diecisiete años. El general Serrano fue nombrado capitán general de Granada, a donde se dirigió. Aquella noche Isabel lloró por el final del que había sido su primer amor.

Pero la pena no le dura mucho, ya que al parecer Serrano es sustituido como favorito por el maestro de música Valldemosa.

Estalla una nueva guerra carlista que termina ridículamente. El conde de Montemolín está enamorado de una tal miss Horsey, ambiciosa que ambiciona ser reina de España. Montemolín sabe que un casamiento morganático le haría renunciar a sus pretensiones al trono. Pero el amor es ciego y aunque sus consejeros le ruegan que renuncie a este amor, él se niega y «el 30 de mayo, Montemolín sale con la joven para las orillas del lago Windemore, dejando a Mon el texto de su abdicación en favor de su hermano don Juan. Escena junto al lago, una noche de luna: "Querida, por vos he abandonado mi corona." "¿Vuestra corona? ¿Qué queréis decir?" "Sí, he abdicado. Ahora me casaré con vos. ¡A mis brazos condesa!" "¡Imbécil!" Es miss Horsey quien abandona a Montemolín. Éste, razonablemente, debería suicidarse. Tal actitud estaría en armonía con el paisaje y la época. Prefiere refugiarse, como el hijo pródigo, cerca de su padre, en Trieste. Se le castigará por sus calaveradas: se le obligará a volver a tomar el título de rey, que su hermano no ha aceptado, y al año siguiente se le casará con una hermana de María Cristina y de Trapani, Carolina de Nápoles, morenita treintañal, el "dejado de cuenta de la familia".[1]

Francisco de Asís, aconsejado por sor Patrocinio y por el padre Fulgencio, confesor de la reina, se reconcilia con su esposa hasta que Narváez destierra a la primera al convento de Santa Ana, en Badajoz, y el padre Fulgencio es desterrado a Archidona. Los dos destierros durarán poco tiempo.

El 14 de febrero de 1850 Narváez anuncia a las Cortes que la reina ha entrado en el quinto mes de su embarazo. Francisco maniobra hábilmente y tal vez es el origen del

1. Pierre de Luz.

rumor que corre según el cual renegaría de la paternidad del niño que va a nacer. Él lo niega y para acallar el rumor se pasea en coche por el Prado en compañía de la reina en el momento de más afluencia de público.

El 12 de julio de 1850 Isabel II da a luz al primero de sus diez hijos, al que se le impone el nombre de Fernando, y que muere pocos momentos después del bautizo. Se dice que Francisco de Asís hace retratar al niño por Madrazo con el fin de examinar si sus rasgos se parecen a los de él o a los de algún favorito.

Desde hacía un tiempo ocupaba este puesto un joven oficial llamado don José Luis de Arana, más tarde duque de Baena.

La reina vuelve a quedar embarazada y el viernes 19 de diciembre de 1851 empieza a sentir los dolores de parto. A pesar de ello recibe al presidente del Consejo y firma algunos documentos. A las nueve de la mañana del día siguiente da a luz una hija, la infanta Isabel.

Inmediatamente se coloca a la recién nacida en una bandeja de plata que, tomada en sus manos por el rey, fue a presentar al salón donde estaban los invitados, acompañado de su padre el infante don Francisco de Paula, de los duques de Montpensier y de Bravo Murillo, encargado de levantar el paño de encajes que cubría a la niña y mostrarla a la concurrencia; y extendiendo el ministro de Gracia y Justicia, como notario mayor del reino, el acta consiguiente, se dio por terminada la ceremonia con gran satisfacción de los asistentes, deseosos de reposar el cuerpo sobre colchones.

—¡Todo sea por Dios! —dijo Castaños a su ayudante, mientras éste le ayudaba a ponerse el abrigo—. Aquí del refrán: «Mala noche y parir hija.»

Bravo Murillo dice al general Castaños, duque de Bailén y que en aquel momento contaba noventa y cuatro años: «Tú que has conocido cuatro reinados, mira esta princesa de Asturias que puede llegar a ser tu soberana.» Por poco esta frase no se convierte en profecía.

El 2 de febrero de 1852 la reina sufre un atentado. He aquí cómo lo describe minuciosamente Carlos Cambronero poniendo el relato en boca de un testigo del hecho:

«Antes de salir de palacio, las reinas, según tradicional costumbre, dan gracias a la Madre de Dios en la capilla, acompañadas de todo el séquito con que luego asisten al tedéum oficial en la iglesia de Atocha, y al pasar por segunda vez por la galería de cristales dirigiéndose a la escalera grande, a fin de tomar los coches y comenzar, digámoslo así, la ceremonia pública, entonces fue cuando se verificó el atentado.

»Era la una y cuarto. Saliendo su majestad de la real capilla por la galería de la derecha, al dar la vuelta por el ángulo que corresponde al salón de columnas, se adelantó de la fila de alabarderos un sacerdote que, inclinándose reverentemente, hizo además de entregar un memorial a la reina. Ésta se detuvo, y expresando en su semblante la extrañeza que le causaba verse detenida de improviso en aquella ocasión, le preguntó: "¿Qué quiere usted?" "¡Toma!", dijo él, y le asestó una puñalada. Ella dio un grito y se inclinó sobre la marquesa de Povar, llevándose la mano al costado derecho y mostrando luego el guante cubierto de sangre.

»El sacerdote le había asestado una puñalada en el lado derecho, interesando el hipocondrio, aunque no gravemente, por haber tropezado el arma con los recamados de oro del traje y el corsé que ceñía el cuerpo de doña Isabel, aminorando también la fuerza del golpe el movimiento que hizo la reina de levantar el brazo para detener la acción del asesino.

»El rey y cuantas personas se hallaban cerca de su majestad la rodearon sosteniéndola, y como en esta confusión hubiese perdido de vista a la princesa, que iba en brazos de la ya citada marquesa de Povar, la buscaba con la mirada gritando: "¡Mi hija! ¡Mi hija!" "Aquí está", contestó el teniente de alabarderos don Manuel Mencos, que levantó a la niña por encima de las cabezas de todos para que se la viese. Cerciorada ya la reina de que a la princesa no le había ocurrido accidente alguno, siguió por su pie hasta la real cámara, donde al ver correr la sangre por la falda de su vestido sufrió un desvanecimiento. En el momento de cometerse el crimen, y en medio de la confusión natural en tal caso, mientras que unos acudían a rodear y socorrer a la reina, otros se apoderaron del asesino, al que detuvieron, sujetándole violentamente los duques de Osuna y Tamames, el marqués de Alcañices y el conde de Pinohermoso, en unión de los guardias alabarderos, uno de los cuales evitó que rematara la obra, secundando como quería, el golpe. En la galería se produjo una confusión terrible, pues la gente que se hallaba lejos del lugar del suceso no se podía dar cuenta de lo que había ocurrido, y hubo sustos, pisotones, mantillas rotas, desmayos de señoras; contribuyendo a aumentar el barullo los vivas y las voces de los que socorrían a la reina y de los que detenían al asesino.

»Al entrar en sus habitaciones se sintió la reina sofocada, cosa natural, por efecto de la mucha gente que había alrededor de ella, y mandó que abriesen los balcones, que le trajesen agua, y le hicieran aire con un abanico; pero al entrar en su cámara cayó desmayada en los brazos de los que la rodeaban y hubo necesidad de colocarla en el lecho. El susto que se llevaron todos fue morrocotudo, porque el desvanecimiento le duró cerca de un cuarto de hora.

»"Yo le perdono; que no lo maten por mi causa", fueron las primeras palabras que pronunció doña Isabel cuando volvió en sí, demostrando con esto, una vez más, la bondad de su excelente corazón.

»Reconocida por los médicos la herida, se vio que no era de gravedad; pero dispusieron que se la sangrase, y verificada la primera cura se quedó tranquila.

»El asesino fue conducido al cuarto del sargento de alabarderos, y habiendo procedido a registrarle, se le encontró la vaina del puñal debajo de la sotana y cosida al lado izquierdo de ésta. Entonces, encarándose con los que le rodeaban, exclamó, afectando la mayor sangre fría:

»—Pues bien; yo he sido.

»Se llama Martín Merino y Gómez, es riojano, natural de Arnedo, y tiene 63 años de edad. Se ordenó sacerdote en Cádiz el año 1813; perseguido como liberal en 1819, emigró a Francia, de donde volvió al año siguiente; se secularizó en 1821; tomó parte contra los absolutistas en los sucesos del 7 de julio de 1822, a consecuencia de los que estuvo preso en Madrid en 1823, fugándose otra vez a Francia; en 1830 logró alcanzar el nombramiento de cura párroco de Agens, que lo estuvo desempeñando por espacio de once años, hasta que volvió a España y obtuvo en 1841 una plaza de capellán de la parroquia de San Sebastián. En 1843 le cayeron cinco mil duros a la lotería y se dedicó a negocios de préstamo, que le produjeron pingües ganancias, aunque también graves disgustos; y por fin, parece que en el cumplimiento de alguno de los votos que hizo al ordenarse se ha dejado influir por las concupiscencias de la vida.

»En la declaración que ha prestado esta misma tarde el asesino ha dicho estas o parecidas palabras: "Que había ido al real palacio a lavar el oprobio de la humanidad vengando la necia ignorancia de los que creen que es fidelidad aguantar la tiranía de los reyes; que cuando se aproximó a la reina fue con objeto de quitarle la vida; que no tenía persona alguna que estuviera en connivencia con él; que no había tenido motivo alguno personal para atentar contra la vida de S. M.; que tenía intención de matar a la reina, a María Cristina o a Narváez; que el puñal con que había perpetrado el crimen lo compró en el Rastro con tal objeto cuando doña Isabel no era mayor de edad, y que habitaba en la calle del Arco del Triunfo, número 2, piso segundo."

»El día 4 se celebraron funciones de rogativa en todas las iglesias de Madrid por el pronto restablecimiento de su majestad, asistiendo el Ayuntamiento al Carmen y los diputados a la Colegiata de San Isidro.

»La reina se levantó el día 6 por la tarde para que le hicieran la cama, y comió con apetito; el día 8 se acostó a las once de la noche; el día 12 la herida estaba completamente cicatrizada; el 14 salió a paseo en coche por la Casa de Campo, y el 18 fue a dar gracias a la Virgen de Atocha, con el rey y la princesita y el acompañamiento de corte que estaba dispuesto para el día en que ocurrió el atentado.

»Aunque Isabel quería perdonarlo, el reo fue condenado a la última pena, que sufrió el día 7 del mismo mes de febrero en el Campo de Guardias, sitio donde hoy está situado el depósito de agua del canal de Lozoya.»

La ejecución fue precedida por la ceremonia de su reducción al estado laical: «Revestido por un momento con los ornamentos sacerdotales, es despojado de ellos por el obispo de Astorga. Después, un barbero le afeita la cabeza, a fin de hacerle desaparecer la tonsura. Este primer acto ha sido público; los otros dos también lo serán. Vestido con una túnica amarilla manchada de sangre, cubierto con un gorro también amarillo, las manos atadas a la espalda, Merino es montado en un burro. En esta forma se le conduce, por la puerta de Santa Bárbara y

Chamberí, al campo de maniobras de Guardias, lugar de su suplicio. A su paso alguien grita: "¡Mirad a este tigre!" Y él replica: "¡Ya quisieras tú tener un corazón como el mío!" También sabe bromear, diciendo del verdugo y de su ayudante, que le acompañan: "Heme aquí provisto de una hermosa pareja de escuderos." En el cadalso repite por última vez: "¡He obrado solo, absolutamente solo!" El garrote es un modo de ejecución bastante rápido: el condenado no muere por estrangulación, sino por el aplastamiento del cerebelo. Tercer acto: el cuerpo de Merino, transportado al cementerio del Norte, en la puerta de Fuencarral, es quemado en una hoguera y las cenizas aventadas.»[1]

La voz popular atribuyó a las más altas instancias la instigación del frustrado regicidio. Naturalmente, la más alta de ellas era el rey Francisco. Se dijo entonces que instigado por sor Patrocinio y deseoso de ser rey, y tal vez pactar con los carlistas, había decidido hacer asesinar a su esposa. No es probable, lo más cierto es que el cura Merino actuase solo y fuese un desequilibrado.

Los ministerios se sucedían unos a otros. Todos procuraban enriquecerse a costa del erario. Para contentar a la plebe se expulsa de España a sor Patrocinio con la orden de presentarse en Roma ante el Papa, pero se detiene en Montpellier y luego se traslada a Pau hasta que a fines de octubre de 1853 puede regresar a España.

José Luis Sartorius, conde de San Luis,[2] llega al poder en un momento en que la fiebre de los negocios se ha apoderado del país. Ejemplo de ello es el asunto del ferrocarril Madrid-Irún, cuya construcción fue ordenada por real decreto en 5 de julio de 1852. «El trazado es demencial. El porqué de ello se explica sabiendo que por un lado los caciques querían que el trazado pasase por las ciudades y pueblos en los que tenían influencia, y por otro los propietarios de terrenos, a los que se pagaba doscientas mil pesetas por kilómetro que debían atravesar las vías. Pedro de Répide afirma en su libro *Isabel II* que para cobrar los cuarenta mil duros por kilómetro hizo desviar el trazado a fin de que la línea atravesase tres propiedades de la corona: la Casa de Campo, la Flo-

1. Pierre de Luz.
2. Él fue el creador de la figura del gobernador civil.

rida y la montaña del Príncipe Pío. No es ello probable. Isabel II no era calculadora y es de suponer que la idea partió de alguno de sus consejeros que vieron en el proyecto un sistema de cobrar algún dinero para cubrir los gastos de la reina, aficionada a joyas, vestidos y que siempre estaba dispuesta a pagar los gastos de sus favoritos.»[1]

Quien sí tenía desorbitado el afán de lucro era la reina María Cristina, que con su marido dieron lugar a que un embajador francés dijese: «No existe en España un solo negocio industrial en que María Cristina o el duque de Riansares no tomen parte.»

El día 5 de enero de 1854 dio a luz la reina una infanta que, habiendo nacido en buenas condiciones, tuvo un catarro de tan mala índole que causó su muerte el día 8 del mismo mes. El tiempo era frío y lluvioso, por lo que no tiene nada de extraño. Se la había bautizado el día 6 en la antecámara de la reina con motivo de haber notado la enfermedad de la niña, por lo que los invitados al acto, que debía haber tenido lugar en la real capilla, tuvieron que volverse a sus casas sin lucir uniformes, bandas, cruces ni joyas.

Era Isabel II muy dada a fiestas. Dice un autor contemporáneo: «A un baile celebrado a principios de febrero asistió la reina que, como siempre, estaba muy animada, y cautivaba a todos con sus afectuosos saludos. Cristina con el duque y sus hijas salieron a recibirla, seguidos de gran número de damas y caballeros. Isabel llevaba un traje azul, adornado de blondas y flores y unos cuantos diamantes en el pelo; lucía dos hermosos broches de piedras preciosas sobre los hombros, y en el cuello un collar de gruesas perlas.

»Entró en el salón con la naturalidad y el desenfado elegante que tan simpática la hacían, dirigiendo la palabra a los que hallaba cerca, y miradas, sonrisas y movimientos de cabeza a los que veía de lejos, preguntando a unos, contestando a otros, volviéndose para hablar con los que tenía a su espalda y llamando a cada cual por su nombre sin vacilaciones ni dudas, circunstancia especial que la caracterizaba y que constituía uno de sus muchos atractivos.

1. Pierre de Luz.

»Bailó varias cuadrillas; primero con el conde de San Luis, después con el marqués de Molins y últimamente con el de Viluma; también bailó un vals con el vizconde del Pontón y varias polkas con el marqués de Villadarias. Hay que advertir que Isabel, aunque estaba gruesa, bailaba muy bien, daba vueltas con agilidad y no se cansaba, por lo cual a veces se divertía en cansar a su pareja, si ella adivinaba que podía conseguirlo fácilmente. Sin tener todavía los veinticuatro años, representaba más edad, por su gordura; pero resultaba, no obstante, una mujer vistosa, elegante y sugestiva.

»Al salir de la sala del *buffet* se fue deteniendo a hablar una por una con todas las señoras que se habían colocado de pie en dos filas, abriéndole paso, y volvió al baile, que la divertía grandemente, no retirándose hasta las cuatro y media de la madrugada.

»Su esposo el rey don Francisco no bailaba.»

Era Isabel II mujer generosa, como suelen serlo los que no saben el valor que tiene el dinero. Por ejemplo, considerando ya innecesaria en palacio la permanencia del ama que había criado a la entonces princesa Isabel, se determinó despedirla; pero, satisfecha la reina del celo y cariño con que había criado a la niña, quiso que se llevase un buen recuerdo de la corte y le regaló 12 000 duros, un juego de botones de diamantes y varios cajones de ropa blanca fina y tela para vestidos. El afecto que la princesita profesaba al ama se mostró extensamente al separarse de ella, y tal fue la melancolía que se apoderó de la regia criatura, que a los dos días de la separación fue necesario mandar un propio que, ganando leguas, detuviese al ama en el camino y la hiciera volver a Madrid, donde fue alojada en palacio.

En la comida que dio y sirvió a los pobres la reina el Jueves Santo de 1854, cayósele a ella un diamante de su vestido en el plato de uno de los necesitados, y viendo que el hombre estaba lleno de vergüenza, con el diamante en la mano y sin saber qué determinación tomar, le dijo Isabel riéndose:

—Guárdatelo; te ha caído en suerte.

Juan Balansó afirma: «La característica más señera de doña Isabel fue, sin duda alguna, la generosidad: una manera de otorgar dádivas tan abundante, que degeneraba en despilfarro y prodigalidad. Al igual que sus con-

temporáneos la emperatriz Isabel —Sissi— de Austria y
el rey Luis II de Baviera, doña Isabel no tenía idea exacta
del dinero, que expendía en enormes sumas, según hacían aquéllos, con la diferencia de que la mayor parte del
oro gastado por nuestra soberana no lo era en sí misma, ni
en viajes ni castillos, como en los citados monarcas, sino
que era repartido entre cuantos se acercaban a solicitar-
lo. A causa de las frecuentes sangrías, la tesorería real
andaba siempre en apuros.» «Su majestad —anota un
historiador—, que había dotado con varios miles de pesetas a muchas hijas de generales de los que luego con-
tribuyeron a destronarla; que hacía profusos donativos
a damas desvalidas, a caballeros en malos trances económicos, a prometedores tenores, barítonos o bajos, a pin-
tores desprovistos de emolumentos, a escultores, militares en apurada situación, religiosos, monjas, hasta a duques y marqueses menesterosos..., en cierta ocasión ordenó a su administrador que favoreciera a determinada
persona con una cantidad tan excesiva, que aquel fiel
funcionario, aterrado, supuso, con razón, una completa
ignorancia de la reina respecto a la cuantía de su donativo. Y para dárselo a entender, hizo apilar sobre una
mesa, en columnas de duros isabelinos, la suma en cuestión, cuya vista, así presentada, arrancó a doña Isabel
esta exclamación:

»—Pero ¿qué barbaridad de dinero es esa que has
puesto encima de la mesa?

»—Señora —repuso el intendente—, el que vuestra
majestad me ha ordenado dar a Fulano de Tal.

»Entonces, asustada, redujo el donativo. Pero no demasiado...»

Si se sucedían los ministerios, también lo hacían los
pronunciamientos. En 1854 uno de ellos estará protagonizado, entre otros, por el general Domingo Dulce, el que
siendo comandante y la reina niña la había defendido
cuando tuvo lugar el pronunciamiento de Diego de León,
en 1848. Cuando Isabel II se enteró de ello, dijo simplemente: «¡Traición, tu nombre es Dulce!»

El pronunciamiento esta vez está dirigido por O'Donnell. Las tropas fieles a la reina y las pronunciadas se encuentran en Vicálvaro, por lo que a esta sublevación se
le llamó la Vicalvarada.

Isabel II no sabe qué hacer. San Luis le recomienda que resista, pero la reina afirma:

—Yo no quiero que se derrame más sangre ni permitiré que salgan de aquí las tropas contra el ejército sublevado. ¿Por qué los españoles no han de amarse unos a otros como los amo yo a todos? Sé —añadía la reina— que mi trono está identificado con las instituciones liberales; ni quiero, ni he querido nunca menoscabarlas, ni desconocer los derechos de las Cortes, deseo que se reúnan, que discutan y que se entiendan todos los partidos. ¿Por qué esta lucha entre hermanos?

Entre la exigencias que los rebeldes presentan a la reina hay un párrafo importante de una carta anónima dirigida a la soberana y que manos desconocidas colocaron en su tocador y se refería a la reina María Cristina: «Desoiga también V. M. los consejos artificiosos y parciales de la reina madre. Esta señora parece que llevó a V. M. en su seno y la dio a luz para complacerse luego en inmolarla a su capricho y a la insaciable sed de oro de que está devorada. Fuera de la vida, nada debe V. M. a la reina Cristina, ni ella ha otorgado a España beneficio alguno para que V. M. le tribute sumisión y obediencia en su conducta regia. Apenas descendió a la tumba el padre de V. M., la viuda, gobernadora del reino, daba a V. M. el pernicioso ejemplo de un amor impuro que principió por el escándalo, que concluyó diez años después por un casamiento morganático y que ha traído males incalculables. Poco severa ella misma en los principios de sana moral que deben ser la base y fundamento de la educación de los príncipes, ni supo inculcarlos en el ánimo de V. M. mientras fue niña, ni se cuidó más que de acumular oro y de preparar desde temprano un peculio crecido a su futura prole. El desprendimiento, el desinterés, los sentimientos generosos que atesora el corazón de Vuestra Majestad, las tendencias elevadas que a veces han brillado en su espíritu y que sólo sofoca la pequeñez de cuantos la rodean, son exclusivamente un don del cielo, que cualquiera circunstancia favorable podrá desarrollar, preparando a V. M. un porvenir fecundo en hazañas y glorias. Llegada la época del matrimonio de V. M., suceso que tanto debía contribuir a la fijación de su destino, Vuestra Majestad sabe muy bien las sugestiones que empleó la reina madre para que V. M. aceptase un esposo que no tenía otro mérito a los ojos de aquélla, sino el de creerle inhábil para menoscabar la omnímoda influencia que ella quería ejercer en los negocios del Estado. Jamás madre alguna obró con más capciosidad ni con menos solicitud para asegurar la felicidad doméstica de su hija. Apenas ha habido contratas lucrosas de buena o mala ley, especulaciones onerosas, privilegios monopolizadores a que no se haya visto asociado el nombre de la reina madre. El resorte para que un ministro o un hombre público haya obtenido la protección y apoyo de esa señora, o provocado su animadversión, ha sido pactar o no con ella el servicio de sus intereses. Esto lo sabe el pueblo; y aun cuando ha callado tanto tiempo, es muy posible que en un momento estalle, siendo la erupción de la cólera tanto más violenta cuanto más comprimida estuviere hasta aquí.»

Por un momento, Isabel II pensó en dimitir, y si no lo hizo fue porque el embajador francés Turgot le advirtió que el rey que abandona su trono, aunque sea momentáneamente, no lo vuelve a recobrar jamás,[1] y por otra parte el mismo embajador le expuso los inconvenientes que de su abdicación se seguiría, no siendo el menor la necesidad de abandonar a la princesa de Asturias en manos extrañas. Esta consideración bastó para hacerla desistir de su propósito; y acordándose sin duda de las muchas penas que había tenido que sufrir cuando Cristina la abandonó también en poder del mismo Espartero, desistió de su propósito y exclamó con resolución decidida:

—Antes quisiera ser arrastrada por las calles que separarme de mi hija.

Hermosa frase en la que condenaba tácitamente la conducta que su madre había observado con ella, y que viene a explicar la tibieza que predominó en las relaciones íntimas de Isabel con María Cristina. No tiene apego al trono; pero creyéndose obligada a conservárselo a su hija, a la que no quería abandonar, determinó pasar por todo género de humillaciones antes que separarse de la princesa.

Se llamó a Espartero para formar gobierno. Hubo un motín durante el cual fueron saqueados, entre otros edificios, los habitados por Sartorius, el marqués de Sa-

1. Como le sucedió a Alfonso XIII.

lamanca y, cómo no, el palacio en que vivía María Cristina.

Ésta se había refugiado con sus hijos en el palacio real donde, como dice Cambronero, aseguraba su vida aunque a costa de la libertad, pues no podía abandonar su residencia porque el edificio estaba completamente bloqueado, y llegó un momento en que hubo el temor de que faltaran subsistencias para las infinitas familias de los servidores palatinos que allí se albergaban. El encono del pueblo contra la reina madre era de tal naturaleza, que por boca de los hombres civiles directores del alzamiento en Madrid se pidió que fuese recluida y juzgada con el criterio que había informado la revolución.

Para acallar los ánimos y cohonestar la fuga de Cristina, dio el nuevo gobierno un decreto por el que se la expulsaba de España, que suspendía el abono de la pensión que las Cortes le habían señalado y se le confiscaban los bienes. Esta disposición lleva la fecha de 27 de agosto, y por consideraciones naturales no se obligó a Isabel a que la rubricase.

Al día siguiente, a las ocho de la mañana, cuando aún no se conocía el decreto por no haberse repartido la *Gaceta*, Cristina salió de Madrid, casi furtivamente, en un coche escoltado por dos escuadrones del regimiento de Farnesio, mandados por el recientemente nombrado brigadier Garrigó.

El temor de María Cristina era muy fundado, porque no ya el pueblo, sino un escritor tan ilustrado como Ribot y Fontseré censuraba a la Junta revolucionaria de Madrid por su cordura, evitando que el pueblo entrara en palacio, se apoderara de la reina madre y aplicase con su propia mano el cauterio a la misma raíz del mal. Y dice, para terminar, que la Junta representó en aquella revolución el principio de autoridad, antinómico de libertad. Extravíos de los políticos.

Espartero, como brazo de la revolución, volvió a separar la madre de la hija y aunque parece cosa fuera de duda que Isabel, si bien aceptaba muchas veces los consejos políticos de Cristina, como los aceptaba de cualquiera, por su carencia de iniciativa en este terreno, nunca se distinguió por una ternura filial acendrada, es lo cierto que el hecho en sí de la separación tenía necesariamente que resentir el amor propio de la reina, añadiendo

217

a esto la expulsión de palacio de otros servidores en gran número, a los que Isabel profesaba afectuoso cariño. Esta vez recordaría Isabel, apreciándolo en toda su importancia, lo que pasó en Valencia cuando tuvo lugar la abdicación de Cristina; y si entonces, por su corta edad, no pudo comprender la trascendencia de aquel suceso, en esta nueva ocasión que los azares de la vida le presentaban, juzgaría con entero conocimiento sus causas y sus consecuencias: vería la triste orfandad en que su madre la había dejado con motivo de su abdicación, y que pudo evitar cediendo, como ella cedía, ante las imposiciones del gobierno revolucionario.

La reina María Cristina ya no intervino en la política española más que por carta, lo cual era menos peligroso y por supuesto mucho menos eficaz.

«El 5 de enero de 1854 doña Isabel da a luz por cuarta vez, y otra niña, que como los dos primeros hijos solamente va a vivir el tiempo necesario para recibir con el agua de socorro el nombre de María Cristina, siendo llevada en seguida a los pudrideros de Infantes de El Escorial. Casi dos años después, el 24 de noviembre de 1855, se produce el quinto alumbramiento de la reina: trae al mundo un niño muerto, a quien no se le echó ni el agua de socorro, por lo que carece de nombre con el que poder figurar en la genealogía real; y exactamente sucederá con otro hijo al que se extrae muerto del vientre de doña Isabel el 21 de junio de 1856.»[1]

El 10 de marzo de 1855 había muerto el infante don Carlos, rey de los carlistas. Francisco de Asís propone entonces a su sucesor, el conde de Montemolín, un proyecto de reconciliación entre las dos ramas borbónicas. Lo hace *motu proprio*, consultando solamente a sor Patrocinio y al confesor de la reina, padre Fulgencio. El proyecto dice:

«1.º Sus majestades doña Isabel y don Francisco de Asís conservarán los honores que actualmente disfrutan.

»2.º El conde de Montemolín gobernará la nación bajo el nombre de Carlos VI.

»3.º La princesa doña Isabel se casará con el hijo mayor del conde de Montemolín.

»4.º Si el conde de Montemolín no tiene heredero va-

1. González-Doria.

rón, la princesa se casará obligatoriamente con el hijo mayor del infante don Juan.[1] En ambos casos se llamarán los segundos Reyes Católicos y tendrán igualdad de derechos.

»5.º El conde de Montemolín abdicará la corona cuando el presunto heredero tenga veinticinco años.

»6.º Si el heredero de que se trata fuese el hijo del infante don Juan, este príncipe renunciará a sus derechos a la corona al mismo tiempo que su augusto hermano.»

La propuesta no podía tener éxito y efectivamente no lo tuvo. Demuestra no obstante la intromisión de Francisco en la política del reino y su afán de protagonismo.

En abril de 1857 se anuncia un nuevo embarazo de la reina. Cuando la noticia es conocida, estallan los rumores. ¿Quién es el padre? Francisco se debate en la duda y no tiene la valentía de negar su paternidad, que por unos es atribuida a José María Ruiz de Arana, favorito de la reina hasta 1859, según parece, y para otros es Enrique Puigmoltó y Mayans, hijo del conde de Torrefiel.

De don Francisco se decía que mantenía relaciones íntimas con Antonio Ramos Meneses, más tarde duque de Baños, con grandeza de España. Aunque parece más bien que prestó a don Francisco favores más de tipo crematístico que pasional.

Sobre Arana hay una anécdota muy jugosa. Un día don Francisco le dijo a la reina:

—Mira, Isabelita, que me parece que el pollo Arana te la pega.

Mayor comprensión, imposible.

Puigmoltó, por su parte, era moreno de cabello y pálido de tez, lo cual encuadraba mucho en los cánones románticos de belleza. Se decía que era tuberculoso, enfermedad de la cual murió curiosamente Alfonso XII, pero bien dice González-Doria: «Su afección era hepática como demuestra el que con alguna frecuencia solicitaba de sus superiores permisos para ir a los balnearios de la Puda, Vichy y Baden. En su hoja clínica no ha aparecido nunca ninguna referencia a enfermedades pulmonares.»

El 28 de noviembre de 1857 nace un niño, al que se

1. Este hijo fue luego el Pretendiente carlista conocido como Carlos VII.

imponen los nombres de Alfonso, Francisco de Asís, Fernando, Pío, Juan, María, Gregorio y Pelagio.[1] Será el futuro Alfonso XII.

«Dos años más tarde la reina da a luz por octava vez, el 26 de diciembre de 1859, y nace una infanta a quien se bautiza con el nombre de María de la Concepción, que no habrá cumplido todavía los dos años cuando fallece, el 21 de octubre de 1861. Pero unos meses antes de que tenga lugar tan triste suceso, Isabel II ha puesto en el mundo a su noveno hijo, una niña que recibe el nombre de María del Pilar y que ha nacido el 4 de junio de 1861. Poco después de haber cumplido esta infanta los dieciocho años, y cuando aún se hallaba soltera, falleció casi de repente en el balneario de Escoriaza, ya durante el reinado de su hermano Alfonso, el 5 de agosto de 1879. El 23 de junio de 1862 nace la infanta doña Paz, quien el 2 de abril de 1883 casará en Madrid con su primo hermano el príncipe Luis Fernando de Baviera y Borbón, hijo del príncipe Adalberto de Baviera y de la infanta de España doña Amalia de Borbón, hermana de don Francisco de Asís. Esta infanta Paz, décimo de los hijos de Isabel II, fallecería en el castillo de Nymphenburg, Baviera, el 6 de noviembre de 1946.

»El 12 de febrero de 1864 doña Isabel da a luz a la infanta doña Eulalia, quien en la capilla del palacio real de Madrid, hallándose la familia de luto riguroso por el fallecimiento de Alfonso XII, casaba el 5 de marzo de 1886 con su primo hermano el príncipe Antonio de Orleans y Borbón, hijo de los duques de Montpensier. El último alumbramiento de la reina tenía lugar el 24 de enero de 1866, naciendo en esta ocasión un niño, al que se impuso el nombre de Francisco de Asís y que falleció antes de haber cumplido el mes de vida, el día 14 de febrero. Ha tenido, pues, doña Isabel II doce partos, de los que solamente se le han logrado verdaderamente cinco, a saber: Isabel, Alfonso, Pilar, Paz y Eulalia.»[2]

En 1859 se declara la guerra a Marruecos. Cuando el general O'Donnell fue a despedirse de los reyes antes de emprender la campaña de África, Isabel II le dijo:

—Adiós, Leopoldo. Si yo fuera hombre te acompañaría.

1. Es decir, Pelayo.
2. González-Doria.

Y el rey consorte apostilló:

—Lo mismo digo, lo mismo digo.

En otra ocasión fue presentado a los soberanos un muchacho de la nobleza que había vivido siempre entre palafreneros y criados y que empleaba un vocabulario más bien soez. Sus padres retardaban lo que podían su presentación en palacio pero, no pudiéndola demorar más, amonestaron a su vástago para que contestase con las menos palabras posibles a fin de evitar alguna escena desagradable. Al llegar ante la reina, ésta le hizo varias preguntas, a las que el muchacho contestaba casi con monosílabos. En un momento dado intervino el rey don Francisco, y al oír su voz aflautada, el muchacho no pudo contenerse y exclamó:

—¡Anda, qué voz!

La audiencia terminó aquí, pero al parecer fue muy celebrada.

En 1867 muere O'Donnell y en 1868 el general Narváez. Son los últimos puntales de Isabel II. La revolución se masca en el ambiente. Conspiraciones y más conspiraciones se suceden una tras otra. El general Serrano, el «general bonito», como le llamaba la reina, está al frente de la más importante.

El 18 de septiembre de 1868 se subleva en Cádiz el almirante Topete, el general Serrano se pone al frente de la guarnición de Sevilla y el general Prim de la de Barcelona. El marqués de Novaliches encabeza las tropas leales a la reina, que se enfrentan a los sublevados en el puente de Alcolea y son derrotados.

La reina se encuentra veraneando en Lequeitio. «A los treinta y ocho años Isabel es una mujer gruesa, fatigada, de rostro fofo y brillante. Sólo le quedan dos encantos: sus ojos, claros, como traslúcidos, cuya mirada, en otro tiempo, podía seducir y todavía intimida, y su ingenio vivo, mordaz, temible y tan profundamente español, ese ingenio que le ha legado su padre, con su enfermedad de la piel, y que heredaron su hijo Alfonso XII y su nieto Alfonso XIII. Pero hay, en 1868, un hombre que la comprende, un hombre que la satisface, un hombre que tal vez ve en ella otra cosa que la reina de España, dispensadora de prebendas, y también otra cosa que un monstruo, y este hombre es Carlos Marfori. Ella lo ha hecho ministro, lo ha hecho conde, lo ha hecho rico (¿Que

Carlos no es noble? Pues bien, yo lo ennoblezco, cualquiera que sea su raza y sea hijo de quien fuere), y todo esto produce un poco de reconocimiento; pero parece —por lo menos Isabel tiene esa impresión— que don Carlos siente por Isabel más que agradecimiento. ¿Habrá encontrado, al fin, un amor desinteresado?»[1]

Algunos cortesanos incitan a la reina para que se dirija a Madrid, pero la línea férrea está cortada. Todo se ha vuelto contra ella y tres días después de la batalla de Alcolea, el día 30 de septiembre, decide abandonar España.

¡Pobre Isabel II! ¡Si fuese cierto la mitad de lo que de ella se dice! Se comprenden perfectamente las dos frases que pronunció cuando partió para el destierro. Le hablaba un cortesano de ir a Madrid, pues se hallaba en San Sebastián, donde según él le esperaban la gloria y el laurel, y respondió jacarandosa:

—Mira, hijo, la gloria para los recién nacidos y el laurel para la pepitoria.

En el momento de subir al tren no pudo contener las lágrimas y exclamó:

—¡Adiós, España... adiós! Creí tener raíces más profundas en este país.

Sucedía esto en 1868. Al llegar a Francia, el matrimonio se separó. Isabel II se instaló en París, en el palacio de Castilla.

Allí la encontraremos más adelante.

ANEXO

ISABEL II EN ANÉCDOTAS

Mientras no se indique lo contrario, las anécdotas están entresacadas del libro *Isabel II íntima* de Carlos Cambronero.

Cuando se proclamó reina a Isabel II el 4 de octubre de 1833 se arrojó al público gran cantidad de monedas de oro y plata que se habían acuñado con este fin, y que tenían por el anverso la inscripción siguiente: *Aclamatio*

1. Pierre de Luz.

augusta. **XXIV OCT. MDCCCXXXIII,** y por el reverso las armas reales con el lema circular: *Elisabeth II Hispaniarum et Indiarum Regina.*

Fíjese el lector en el lema: «Reina de las Españas y las Indias», así, en plural, porque España es producto de la unidad de varios reinos y no de uniformidad. Muchos de los que hablan de la unidad personificada en los Reyes Católicos olvidan que esta unidad sería aceptada por buena parte de los independentistas actuales. Entre un reino y otro había fronteras y aduanas, cada reino se regía por sus leyes peculiares y sus costumbres, tenían sus cortes a las que tenían que dirigirse los reyes en sus solicitudes, que algunas veces eran negadas y casi siempre recortadas. Tenían sus monedas propias y sus pesos y medidas característicos. La unidad de España tal como se entiende hoy día data de las Cortes de Cádiz de 1812.

Alfonso XII nombró embajador de España en París al general Serrano, y contaba éste a Kasabal una noche que, como tenía por necesidad que hacer una visita de cortesía a la ex reina doña Isabel, estuvo muy preocupado con el compromiso, y hasta le quitó el sueño, porque no había hablado con aquella señora desde antes de 1868; habían pasado muchas cosas, y no sabía si le recibiría bien o mal. Por fin se decidió, fue al hotel donde ella residía, le anunciaron, entró en el gabinete de doña Isabel y se quedó parado en la puerta haciendo una cortesía.

—¡Qué viejo estás! —exclamó la madre de Alfonso XII—; pasa y siéntate aquí. ¿Cómo se encuentra mi hijo? ¿Y las chicas? ¡Pero qué viejo...!

No se puede negar que Isabel tenía buena mano izquierda, como dicen los toreros.

Don Manuel Cortina defendió como abogado los intereses de Isabel II en cierto pleito; y habiéndole pedido ella que le pusiera la cuenta, contestó que nada se le debía y que estaba bien pagado con el honor de haberla defendido.

—Pues yo sé lo que tengo que hacer —replicó la reina.

—Señora —se apresuró a decir Cortina—, si vuestra majestad me envía una alhaja, me voy a ver obligado a hacer un acto de descortesía.

—¿Aceptarías mi retrato?

—Sí, señora; pero sin marco.

Poco tiempo después recibió Cortina un magnífico retrato al óleo de medio cuerpo, en que aparecía Isabel sin pendientes, pulseras, sortijas ni joya alguna. En la carta de remisión le decía la reina: «Y para que no te ofendas, ni pintadas te envío las alhajas.»

Cuéntase que Escosura, enemigo un tiempo de O'Donnell, hizo con él las amistades ingresando en el partido llamado de la Unión Liberal mediante el nombramiento de un empleo importante, que quizá pudo ser la Intendencia de La Habana.

Cuando el nuevo intendente fue a presentarse a la reina, ésta le dijo sonriendo:

—Hace tiempo que no te veía. ¡Qué caro te vendes!

Allá por el año 1866, el general Izquierdo, que se hallaba de reemplazo, solicitó con insistencia el apoyo de la reina para obtener en activo un cargo que la sacase de apuros pecuniarios. Recomendóle S. M. a Narváez varias veces sin resultado, y a la tercera o cuarta dijo a éste, en tono que revelaba algún enfado:

—Haz el favor de decirme de una vez si quieres colocar a Izquierdo o no.

A lo que Narváez repuso:

—Señora, si vuestra majestad tiene empeño en que se dé a Izquierdo un empleo en activo, buscará primero vuestra majestad otro ministro de Guerra que le nombre: yo no puedo hacerlo porque me consta que está conspirando contra vuestra majestad.

Calló doña Isabel, y transmitió la negativa a Izquierdo, aunque ocultando la causa de la resolución de Narváez, y como aquél se mostrara pesaroso y ponderase la estrechez a que se veía reducido, díjole:

—Pues mira, toma seis mil duros y arréglatelas como puedas por ahora.

Murió Narváez poco después, y siendo ministro de la Guerra el general Mayalde obtuvo de él la reina el nombramiento de Izquierdo para segundo cabo de la Capitanía General de Andalucía. Desde este punto siguió conspirando, y al estallar el alzamiento de Cádiz sublevó la guarnición de Sevilla, depuso al capitán general (Vasallo) y dio el grito de «¡Abajo los Borbones!», siendo acaso de todos los generales sublevados el que más enconado se mostró contra la desdichada soberana.

Conocida de todos es la parte activa y principal que el general don Francisco Serrano y Domínguez, duque de la Torre, tomó en la revolución de 1868, que arrojó del trono de España a la reina doña Isabel II; pues según el escritor anteriormente citado, «en las capitulaciones matrimoniales del general Serrano hay esta cláusula: "Don Francisco Serrano y Domínguez aporta tres millones de reales que debe a la generosidad de su majestad la reina Isabel"».

El general don Evaristo San Miguel había prestado en 1856 un gran servicio a la causa del orden arengando al pueblo y recomendándole la cordura, por lo que la reina le dijo al verle un día en palacio, cuando la revolución estaba terminada:

—Yo quisiera darte una recompensa.

—Deme vuestra majestad un abrazo —contestó el anciano—, y habré cobrado con creces.

—Con mucho gusto —añadió Isabel, y abrazó cariñosamente al pobre viejo, que le besó la mano conmovido.

Cuando Quintana era ayo de la reina Isabel y de la infanta Luisa Fernanda, acostumbraba a dictarles sencillas coplas populares que sus discípulas escribían para ir desarrollando en ellas el amor a la literatura nacional. De estos infantiles ensayos resultó un librito de canciones, notable solamente por los rasgos del pendolista, que lo fue en la mayor parte de ellas la reina doña Isabel, como lo afirmaba su firma autógrafa. La ortografía del borrador, ya adivinará el lector que no sería la de la Academia, teniendo en cuenta que el cuaderno se remontaba al año 1842, en que Isabel tenía trece años.

En los días que precedieron a la coronación de Quintana,[1] la reina llamó a don José Güell y Renté, esposo de su prima la infanta doña Josefa, y dándole el cuaderno de los cantares le dijo:

—Toma y llévaselo a Quintana, para que vea cómo guardo yo sus recuerdos.

Era Isabel mujer de ternura y sentimiento.

Animándola un cortesano, después de hecha la Restauración, para que se viniera a vivir a Madrid, le contestó:

—En una habitación chica no se debe poner una mesa grande, porque todo el mundo tropieza con ella.

Regaló una vez la reina a su peluquera un vestido de *moiré antique* morado, y ésta se lo dio para arreglar a una modista, cuyo hijo, grande amigo nuestro,[2] nos ha referido el caso. Y el caso es que al deshacer la falda se encontraron en su bolsillo varios billetes de banco, que la modista, mujer de conciencia, entregó a la peluquera, y ésta, no menos escrupulosa, quiso devolver a S. M.; pero Isabel, rumbosa como siempre, los rechazó diciendo:

—Quédate con ellos, son el adorno del vestido.

El día 2 de mayo de 1863, a causa de la lluvia que empezó al terminar en el templo de San Isidro la función con que se conmemora aquel hecho glorioso, se suspendió la procesión cívica que desfila anualmente por delante del monumento cinerario del Prado, y como el marqués de Miraflores, presidente del Consejo de Ministros, trataba de suavizar las asperezas que separaban a la reina de España de Napoleón III, dedújose la maliciosa consecuencia de que el gobierno, al suprimir el patriótico homenaje, sólo había pensado en congraciarse con el emperador de los franceses.

La prensa exaltó los ánimos; Calvo Asensio interpeló duramente al Ministerio de las Cortes, y exaltados los ánimos con esta cuestión, proyectóse hacer una manifes-

1. Como poeta nacional.
2. De Cambronero, claro está.

tación popular que Miraflores resolvió impedir, creyendo cosa llana la aprobación de la reina; pero ésta dijo al marqués:

—¿Qué es eso de impedir una manifestación patriótica? Que se haga. Sí, yo soy muy española, y de las de la Virgen de la Paloma.

Sin embargo de este arranque de españolismo, Miraflores convenció a la reina de que la Magdalena no estaba para tafetanes, y la manifestación popular no se verificó.

Paseando Isabel por la parte reservada que había antiguamente en el Retiro, donde se criaban muchos y buenos árboles frutales, quedóse rezagada una tarde con la marquesa de Malpica, y arrancando a escondidas un melocotón se lo comió a bocados con suma satisfacción.

—Créete —dijo a la marquesa— que así me sabe mejor que en palacio.

Encontrábase la reina en esa edad de la vida en la que todas las preocupaciones ceden ante los atractivos que la dicha, la riqueza y el poder ofrecen. Tenía diecisiete años. Eran pocos los que se atrevían a contrariar sus deseos, vivos como de niña, y alegres y animados, y esto nos producía a nosotros, los encargados de velar por ella, no pocas desazones.

Un día la reina salió a caballo con una dama y un caballerizo, a visitar a la noble condesa de Montijo, en su quinta de Carabanchel. Hízosele tarde paseando por la alameda del cercado, y emprendida la vuelta de noche, fue tiroteada por varios agentes del Resguardo, que no reconocieron a la real comitiva en la oscuridad, pudiendo escapar S. M. de tan gran peligro merced a la ligereza de los caballos; la reina celebró mucho la aventura, y la contaba luego a todo el mundo con la mayor alegría y sencillez. Otra noche se empeñó en ir con las damas de servicio en palacio a comer de incógnito a casa Lhardy, y al realizar este capricho estuvo a punto de ser reconocida, porque se trabó una pendencia en un gabinete inmediato en que tuvo que intervenir la policía.

Cuando salió a misa después del atentado del cura Merino, al volver a Atocha por la calle de Alcalá esquina al Salón del Prado, salió del portalón de casa del duque de Sexto un grupo de señoritas de la aristocracia que se adelantó hasta el coche de la reina, agitando los pañuelos y aclamándola con entusiasmo. Una de las jóvenes era Eugenia de Guzmán, condesa de Teba; aturdida con la emoción y el barullo que en tal momento se producía, hubo de tropezar con el caballo del capitán de Estado mayor don Joaquín Pérez de Rozas, quien, como buen jinete, obligó al animal a levantarse sobre el cuarto trasero, y haciéndole girar con ligereza libró de un magullamiento, aunque no de un susto, a la futura emperatriz de los franceses.

La reina, que presenció la escena desde su coche, no fue la que menos se asustó, y felicitó emocionada a la condesa por su buena suerte y a Pérez de Rozas por su agilidad y maestría.

* * *

Y las anécdotas que siguen están entresacadas del libro *Diccionario ilustrado de anécdotas*, de Vicente Vega.

Habiendo surgido una gran desavenencia entre los herederos de María Cristina de Borbón, uno de los cuales era Isabel II y el otro el príncipe Augusto Czartoryski, el cónsul de España en París, don Tomás Rodríguez Rubí, manifestó en una reunión de los mismos, celebrada en el palacio de Castilla, residencia de Isabel II, que, a su juicio, la única persona que podía desenmarañar la situación era don Nicolás Salmerón; pero que no sabía si la reina doña Isabel accedería a que interviniese como abogado del príncipe Czartoryski en la testamentaría; a lo cual replicó doña Isabel:

—¡Lo que hace falta es que Salmerón quiera encargarse del asunto!

A invitación del cónsul de España visitó Salmerón a la egregia dama y ante todo le dijo:

—Señora, soy republicano; no seré, pues, el consejero de una reina, sino que tendré una cliente española.

Isabel II le replicó:

—Que sea usted o no republicano, incumbe a usted solo; yo he llamado al abogado más eminente y al hombre más honrado de España.

Y Salmerón contestó:

—Señora, el modesto abogado está a sus órdenes.

Consiguió don Nicolás que los herederos llegasen a un acuerdo y la Historia ha registrado también que es ésta la primera vez en su vida que la campechana reina Isabel no tuteó a uno de sus súbditos al dirigirle la palabra. La reina, al feliz término del asunto, le envió un retrato suyo, con marco de oro y piedras finas; Salmerón devolvióle el marco y conservó el retrato.

En junio de 1866 estalló un movimiento contra Isabel II. La sublevación de los sargentos en el cuartel de San Gil, de Madrid, fue la señal, y el paisanaje, armado, combatió denodado por las calles. Los generales Hidalgo y Pierrad eran los jefes militares de la contienda, y los hombres civiles condenados a muerte por los sucesos de aquel día, y que consiguieron ponerse en salvo, se llamaban Emilio Castelar, Cristino Martos, Manuel Becerra, Nicolás María Rivero, Carlos Rubia, Práxedes Mateo Sagasta, etcétera.

El movimiento fracasó. Prim, que aguardaba en Hendaya, no llegó a pasar la frontera. O'Donnell, jefe del gobierno a la sazón, reprimió la rebelión a sangre y fuego. Se hicieron muchos prisioneros.

—¿Cuántos hay? —preguntaba la reina al general Zabala, que aquella noche del 22 de junio comía en palacio.

—Señora, más de mil.

—Pues que se cumpla la ley en todos, en todos, antes de amanecer.

Éstas fueron al parecer las palabras de Isabel II, que pocos momentos más tarde repetía a O'Donnell la conminación rigurosa de que fusilasen en masa a los sublevados.

—Eso no puede hacerse con los fusiles, señora.

—Pues entonces ¿para cuándo quieres la metralla?

Y las ejecuciones se sucedieron inexorablemente durante varios días. Fueron fusilados sesenta y siete sargentos, cabos y soldados, entre los cuales los había por completo inocentes y ajenos a la insurrección. La reina, sin embargo, empujada por su camarilla, no se daba por satisfecha, hasta extremo tal que O'Donnell acabó por decir:

—¿Pero no ve esa señora que si se fusila a todos los soldados cogidos va a ser tanta la sangre que llegará hasta su alcoba y se ahogará en ella?

La reina conoció esta frase, y desde ese instante decretó la caída de O'Donnell. Un par de semanas más tarde, ante la negativa regia de firmarle unos nombramientos de senadores, se vio obligado a dimitir.

O'Donnell abandonó el regio alcázar afirmando que nunca volvería a ser ministro de Isabel II. Y cumplió su promesa. Bien es verdad que falleció el 4 de septiembre del año siguiente.

Todo esto se ha publicado infinidad de veces, bajo la firma de muy diversos autores, que han tratado de paliar la crueldad de la reina o de presentarla con más negras tintas aún, según el color político de cada uno de ellos.

Uno de los toreros más fecundos en ocurrencias tan chistosas como disparatadas fue el matador Manuel Díaz *Labi*. Toreaba en Madrid, en una corrida real, y acabado de salir uno de los toros, le lanceó de capa, arrancándole la espléndida moña que llevaba prendida en su lomo. Subió con su trofeo al palco regio, y doblando la rodilla ante la reina (Isabel II), se lo ofreció en esta forma:

—A su real majestá. Ésta es la primera moña que tiene su majestá el honó de recibí de mi mano.

He aquí una anécdota que contradice otra anterior. Con motivo de la sublevación de 1866 ya citada, además de los generales Prim, Pierrad y Pavía, entraron en el movimiento hombres civiles como Martos, Castelar, Sagasta, Carlos Rubio, Manuel Becerra y otros, todos los cuales fueron sentenciados en rebeldía a perecer en garrote vil y que escaparon de la muerte como pudieron. Castelar buscó asilo en casa de la poetisa Carolina Coronado, casada con Juan Horacio Perry, secretario de la legación de Estados Unidos; la condición del marido nada significaba en definitiva, pues su domicilio particular no gozaba, naturalmente, de la extraterritorialidad que hubiese podido salvaguardar la vida y la libertad de aquel ya famoso hombre público.

La policía buscaba a los conspiradores por todas partes y se ha referido, por persona muy caracterizada, que Isabel II llamó a Ramón de Campoamor, el ilustre poeta, para decirle:

—Castelar está escondido en casa de Carolina Coronado y la policía lo sabe; de un momento a otro van a ir a buscarle. Avísale, para que se refugie en una embajada. Hombres como él no deben morir en el patíbulo. Y no digas a nadie que esto te lo he dicho yo.

Campoamor procedió con la urgencia que el caso requería, y Castelar fue trasladado a la legación norteamericana, de donde, en compañía de Carlos Rubio y Manuel Becerra, pasó a Francia. El hecho debe ser rigurosamente cierto, por haberlo publicado, dieciocho años más tarde, Ricardo Muñiz, a quien parece ser que se lo refirió Campoamor; este Muñiz, conspirador profesional, hombre pintoresco, hábil y valiente, poco sospechoso de simpatizar con la reina, ni tampoco con Castelar, divulgó lo sucedido en su obra *Apuntes históricos de la Revolución de septiembre*, tomo II, pág. 5, Madrid, 1855, y Campoamor, que entonces vivía aún, no lo desmintió. Dado el carácter de doña Isabel II, nos parece perfectamente compatible ese rasgo generoso con las severidades apuntadas anteriormente.

Pedro de Répide frecuentó la casa de la ex reina Isabel II en París, cuya biblioteca trató de poner en orden. Ha contado varias anécdotas de aquella soberana, y se le debe una obra, *Isabel II, reina de España*, Madrid, 1932, que si no puede considerarse como la más desapasionada biografía de dicha augusta señora, sí puede calificársela como una de las más copiosas y detalladas.

Asegura Répide en la mencionada obra que Isabel II hablaba muy mal el francés, a pesar de su larga permanencia en París, donde llevaba residiendo casi la mitad de su vida. Una tarde de primavera avanzada, en que el tiempo permitía algún alivio en el abrigo, mandó bajar la capota trasera del landó, y decía luego, comentando la grata temperatura:

—*Nous sommes sorties en voiture avec le derrière decouvert!*

Al extenderse por París la noticia del llamado golpe de Sagunto, que devolvió el trono de España a los Borbones en 1872, los amplios y magníficos salones del palacio de Castilla se llenaron de gente, sin el menor respeto al protocolo de las visitas. Representaciones oficiales de la República francesa, embajadores y ministros acreditados en París, españoles de los que formaban la corte de Isabel II y muchos de los que hasta entonces habían esquivado su trato... Las puertas se abrieron de par en par y cuando la reina, que recibió tantos desengaños y traiciones, veía aparecer caras que le eran familiares, pero ingratas, decía con graciosa sorna:

—Se ve que el sol calienta otra vez.

* * *

Por último, un pequeño texto entresacado de mi libro *Historias de la Historia (Tercera serie)*.

A veces los amantes de Isabel II llegaban a influir en la política del país, como sucedió en el caso de Narváez. Se conservan varias cartas, llenas de faltas de ortografía, que han servido a Natalio Rivas y a Carmen Llorca para bucear en la intimidad de la reina, la cual llegó a nombrar dama de honor a la marquesa de Bedmar, llevándosela a vivir a palacio.

Fernando González-Doria, defensor a ultranza de la reina Isabel II, insiste en que la vida conyugal de la soberana y su esposo era, si no normal, sí bastante apacible, y por supuesto no reconoce la homosexualidad de don Francisco. Cita a Balansó y escribe: «Hay que decir de una vez por todas que el rey consorte no poseía el ardoroso temperamento de Isabel II, pero no era ni mucho menos un eunuco. Se le conocen varias aventuras con aristócratas españolas. Ya exiliado, su idilio con la cantante Hortensia Schneider fue la comidilla de París. La correspondencia cruzada entre ambos hace sonrojar al más pintado.»

Como puede verse, todo ello es harto confuso. Son dimes y diretes que si bien hacen amena la historia, no la aclaran del todo. Monárquicos y antimonárquicos, liberales, cristianos, isabelinos y carlistas aprovechan cualquier frase o rumor para llevar el agua a su molino. Así he visto dada por auténtica la siguiente frase pronunciada por Isabel II, ya destronada en París, a su hijo el futuro Alfonso XII, durante una discusión íntima:

—Y no olvides que todo lo que tú tienes de Borbón lo tienes sólo por mí.

Ante esta confesión de parte, dirán mis lectores, se puede creer en el origen adulterino de Alfonso XII. Pero si la conversación y la discusión fue íntima, ¿quién diablos estaba allí para enterarse? ¿Es posible imaginar a la reina Isabel II diciéndole estas palabras a su hijo en público?

María Victoria del Pozzo de la Cisterna

Breve Historia del libro de la Historia.

La situación de España en el momento del destierro de Isabel II era caótica. El general Serrano, duque de la Torre, fue elegido regente tras la votación de una constitución monárquica y a la espera de encontrar un rey. Los detalles de esta situación pueden verse en el libro de Pierre de Luz *Los españoles en busca de un rey*, que recomiendo a mis lectores.

Se pensó en don Fernando de Coburgo, viudo de la reina María Gloria de Portugal. Éste era el amante de la bailarina Fanny Essler, de la que se decía que había contraído matrimonio morganático con el rey. «Alemana de origen, mujer galante en sus mocedades, recibió de manos de Bismarck el título de condesa de Edla. La idea de poder ser reina consorte de España colmaba su ambición, y se mostró dispuesta a influir cerca de su marido para que admitiera la corona. Sólo imponía una condición: la de que, si llegaba a entrar en el palacio de la plaza de Oriente, la unión morganática se convirtiera en oficial, con todas las consecuencias debidas a su condición social.»[1] Esto unido a lo que Fernando llamaba «un caso de conciencia» y que era que no admitía, como buen portugués, la posibilidad de la unión entre España y Portugal, cosa que sucedería a su muerte en su hijo Luis I, que ya era rey del país lusitano, obligó a Prim, que era quien dirigía todas las negociaciones, a buscar otro candidato.

El duque de Montpensier era quien más ansias tenía de ser nombrado rey. «Hombre no vulgar, dominado por grande ambición, anhelaba el trono; no le detenía ningún escrúpulo de conciencia; ya lo demostró uniéndose a los conspiradores españoles que prepararon la revolución del 68 contra su cuñada Isabel II, por la que sentía honda

1.   Conde de Romanones, *Amadeo I, el rey efímero.*

malquerencia, correspondida con creces por la hija mayor de Fernando VII. Del choque de estas encontradas pasiones resultaba víctima la infanta María Fernanda, esposa del duque y hermana de Isabel, dama de grandes virtudes, no destinada ciertamente por la Providencia para ser feliz en este mundo.»[1] A pesar de que el duque gastó mucho dinero en comprar votos en el Congreso que debía elegir al nuevo rey, calculó que sólo poseía unos cuarenta, cantidad a todas luces insuficiente para alcanzar el trono. Eso, unido al hecho de que en un desgraciado duelo habían matado al infante don Enrique, hizo del todo imposible la elección.

Se pensó también en el príncipe alemán Leopoldo de Hohenzollern-Sigmaringen, cuyo nombre, de imposible pronunciación por el pueblo madrileño, se transformó en «Ole, ole, si me eligen»; esta candidatura, que tenía la aprobación de Bismarck, contaba con la oposición de Francia. Napoleón III hizo saber su opinión contraria y cuando se lo dijeron a Prim contestó: «Estoy seguro de ello y no me importa. Estoy ya cansado de que Bonaparte se oponga a todas las candidaturas, por unas u otras razones, tan sólo para dar gusto a su bella consorte, que, orgullosa de aparecer protegiendo a su antigua señora, sólo admite la de Alfonso XII.» «Esta vez no ocurrirá lo mismo que cuando el enlace de Isabel II. Entonces, por la intromisión de Inglaterra, se eligió para rey consorte al que menos convenía a España.»

Esta candidatura provocó la fricción entre Francia y Alemania, que terminó con la guerra franco-prusiana, la derrota de los franceses en Sedán y el derrocamiento de Napoleón III.

La cosa alcanzó tales extremos que llegó hasta un grupo de andaluces, gente de buen humor, que propuso la candidatura del sultán de Marruecos fundándose en que en la más remota antigüedad moros y españoles habían formado un solo pueblo bien avenido y feliz.

No menos grotesco fue el ofrecimiento de la Corona a Baldomero Espartero, que sería nombrado rey con el nombre de Baldomero I. El anciano duque de la Victoria vivía retirado en Logroño y renunció a la propuesta excusándose en su edad y en sus achaques.

1. Íd.

Por fin quedaba en liza un solo nombre: el de Amadeo de Saboya, duque de Aosta, hijo segundo del rey de Italia Víctor Manuel II.

Dos pretensiones históricas quedaban fuera de concurso: la de los carlistas, que estaban fuera de la ley y que excepto en algunas provincias no tenían arraigo popular, y la de los alfonsinos, partidarios del príncipe Alfonso, hijo de Isabel II, en el que había abdicado solemnemente el 25 de junio de 1870.

«El que el trono estuviera ocupado era problema urgente para dar por terminada la obra de la Revolución.

»Toda suerte de dificultades se atravesaban en el camino de Prim, y no era la menor el panorama que ofrecía España: la amenaza de una inmediata guerra civil, la campaña ya iniciada en Cuba para conseguir su independencia, el Tesoro exhausto, los elementos extremistas promoviendo por todas partes sangrientas revueltas, los partidos políticos, cuya obra fue la revolución de septiembre, divididos; la vida de los gobiernos, precaria; todo esto constituía un panorama propicio para que, a cuantos se les ofrecía el cetro de España, lo renunciasen, faltos de ánimo para empuñarlo. No hubo extremo de adulación ni de lisonja a que no se apelase para que lo aceptasen; extraño espectáculo el ofrecido por quienes, habiendo derrocado a un monarca, cifraban sus afanes en encontrar a otro, y para lograrlo arrastraban la corona por todas las cortes de Europa.

»Y es que Prim, el eje de la política en aquellos tiempos, de fino instinto político y conocedor del ambiente nacional, abrigaba el convencimiento de que nuestro pueblo carecía de condiciones para adaptarse a la forma republicana; por eso proclamaba como fórmula: "Jamás, jamás, jamás la restauración borbónica, nunca la República."»[1]

No fue profeta. Se proclamó la República y volvieron los Borbones.

En un principio, Amadeo, duque de Aosta, no quería aceptar su proclamación como rey de España, pero su padre, Víctor Manuel, insistió hasta que al fin medio convenció a su hijo. Y digo medio convenció porque las palabras que Amadeo dirigió a su padre dan clara cuenta

1. Conde de Romanones.

de que sabía en qué berenjenal se iba a meter: «¿A qué queréis que vaya a Madrid? ¿A regir los destinos de un país dividido, trabajado en mil partidos? Esta tarea, ardua para todos, lo será doblemente para mí, pues, ajeno por completo al difícil arte de gobernar, no seré yo ciertamente quien gobierne, sino que me impondrán su voluntad los que me hayan elegido. Estas razones, bastante poderosas, debieran decidirme hoy mismo a poner en manos de vuestra majestad la formal renuncia de la corona de España; pero invocáis el interés de Italia, y, ante este sagrado nombre me doblego.»

Ello demuestra que era inteligente y que tenía las ideas claras.

El 16 de noviembre se reunieron las Cortes para elegir monarca y don Amadeo obtuvo 191 votos, el duque de Montpensier 28, 8 Espartero, 60 la república federal, 1 la duquesa de Montpensier, 2 el príncipe Alfonso y 20 papeletas en blanco, entre las que se contaban la de don Antonio Cánovas del Castillo, alfonsino notorio, que dijo: «La monarquía no se vota. A don Alfonso, rey legítimo, las Cortes le podrán reconocer o no, pero lo que no pueden es elegirlo monarca pues ya lo es de derecho.»

Queda pues elegido rey de España el duque de Aosta. Emilio Castelar, destacado republicano, dijo lúcidamente: «Una de las cosas que me prueban, monárquicos de ocasión, que no conocéis la esencia de las instituciones antiguas, es el empeño de improvisar una monarquía. Todo se improvisa en el mundo: la república, la dictadura..., pero no improvisaréis jamás una monarquía. Esta institución necesita mucho de tiempo y de Historia; necesita que grandes servicios prestados en una larga serie de siglos le sirvan de prosapia.»

»Amadeo, el hijo tercero de Víctor Manuel, en lo físico no había heredado rasgo alguno de su padre, acabado ejemplar de los Saboyas, que ciertamente no se distinguieron por la elegancia y hermosa disposición del cuerpo. Acusaba, en cambio, parecido indudable a su madre, María Adelaida Francisca, hija del Archiduque de Austria, Raniero.

»Proporcionado de líneas, esbelto, de facciones correctas, bien podía pasar por un gallardo mozo. De frente espaciosa y algo prominente, encuadrada por rizada cabellera; los ojos negros, de mirar inexpresivo; gruesos los labios, recia y blanca la denturadura, la barba cerrada, disimulando el prognatismo de los Habsburgos: tal resultaba su figura.

»En lo moral no ofrecía rasgo alguno sobresaliente, salvo su valor personal bien probado, exento de ambición, ferviente católico, habiendo heredado de su padre una sola condición: una inclinación apasionada por las hijas de Eva.

»Educado militarmente y con esmero, al declararse la guerra con Austria el año 66, don Amadeo tomó parte en muy célebres batallas, mandando los granaderos de Cerdeña, y cayendo herido en el ataque de Monte Torre, en Custozza, al parecer tan gravemente que se le dio por muerto. De la herida se repuso pronto, y le sirvió de aureola el haber vertido su sangre para anexionar al reino de Italia la perla del Adriático.

»Nacido en Turín en 1845, al ocupar el trono de España se hallaba en plena juventud.»[1]

Precisamente durante su convalecencia en Turín, el príncipe queda prendado de una de las aristócratas más lindas de la ciudad. Se llama María, y es hija de Carlos Manuel del Pozzo, príncipe de la Cisterna, y de Luisa Carolina de Merode, de blasonada familia belga, cuya hermana ocupa por entonces el trono de Mónaco. Cuando María no contaba aún diecisiete años, murió su padre dejándola heredera de una fortuna inmensa; pero su madre, encerrada en su dolor de viuda, se empeñó en vivir una existencia totalmente apartada del mundo. «Jamás asistían a una fiesta, a un teatro, a una reunión de parientes o amigos; el único esparcimiento que la princesa viuda permitía a su hija era el paseo solitario de San Mauro. Cada día la vemos pasar en su gran carroza de luto», consigna la baronesa Savio en sus Memorias.

Inmersa en esta vida casi monacal, María había dedicado todo su tiempo al estudio, sobresaliendo en matemáticas, álgebra, derecho e idiomas, de los cuales llegó a dominar siete perfectamente. Su madre, cada vez más neurasténica, experimentaba una especie de idolatría hacia ella. La joven tenía que permanecer a su lado constantemente, y hasta dormir en su misma alcoba. A los amigos de la casa que intentaban, sin éxito, convencer a

1. Conde de Romanones.

la princesa de que su hija necesitaba frecuentar jóvenes de su edad para hacer un buen matrimonio, Luisa de Merode respondía, tajante: «María es una joya digna sólo de un príncipe real. Si no lo halla, profesará en un convento.»[1]

Amadeo se enamoró de ella y, según costumbre de la época, paseaba incesantemente bajo las ventanas de la residencia de María. Víctor Manuel quería que su hijo se emparentase con alguna familia real, pero cuando se enteró de que María del Pozzo era única heredera de una inmensa fortuna, dio con agrado su bendición al enlace, que se celebró en Turín el 27 de mayo de 1867. Fue en aquel momento cuando Amadeo le dijo: «María, en la vida que iniciamos tú serás mi victoria.» Y así con el nombre de María Victoria fue conocida en adelante.

«Dos años más joven que Amadeo, resultaba un dechado de perfecciones, lo mismo en lo moral que en lo físico. Su rostro, de facciones correctas y finas; los ojos, expresivos, de mirada dulce y melancólica, acentuada por un pliegue de su boca. Belleza, para reina, poco espectacular, como gran señora, completa.

»La condesa de Merode pertenecía a una muy ilustre familia belga, cuyo lema, correspondiendo a los hechos de sus miembros, rezaba: *Plus d'honeur que d'honeurs*; todos ellos ardorosos paladines de la causa de la Iglesia. De ambos había heredado María Victoria su carácter y sus condiciones. Piadosa, no fanática, al mismo tiempo su alma albergaba respeto profundo por la libertad. Educada por su madre, de quien no se separó hasta la hora de su casamiento, resultaba una perfecta mujer de hogar. Al mundo no se había asomado hasta que se casó; no conocía ni un sarao, ni un teatro.»

Se distinguía por una gran piedad para el prójimo; y su modestia, por lo excesiva, le perjudicó como reina, impidiendo que sus virtudes llegaran a conocimiento de los españoles.

Una dama de la época la describe así: «Cuando se tiene la fortuna de hablar con ella, se comprende al instante la idolatría de su madre, y enternece al pensar el afecto tierno, excepcional, que estas dos mujeres se han profesado, y que en tantos años han vivido la una para la

1. Juan Balansó.

otra. Se comprenden las vicisitudes de la alegría maternal cuado era preciso separarse de la hija, que la princesa de la Cisterna amaba más que a sí misma. La duquesa de Aosta, que es ya una mujer notable, promete serlo superior. Recuerda a la duquesa de Orleans, de veinte años. No conozco en Europa joven princesa de más fácil conversación, de mayor inteligencia, de más oportunidad y al mismo tiempo de más conveniente seriedad... En una palabra, reúne tantas seducciones, que casi podía tener el derecho de no ser bonita.»

El rey Amadeo salió de Italia en el barco *Numancia* y llegó a Cartagena el 30 de diciembre. Nada más llegar al puerto, se le dio la noticia de que el día 27 Prim había sufrido un atentado cuando, al salir del Congreso, pasaba en coche por la calle del Turco, hoy del Marqués de Cubas. Recibió tan graves heridas que el mismo día en que don Amadeo desembarcaba en España fallecía el general en Madrid.[1]

Amadeo quedaba sin su más importante valedor. Pensó quizá en aquel momento que su vida había sido jalonada desde su casamiento con una serie de sucesos trágicos. Explica González-Doria que «cuando ya estaba confeccionado el traje de la novia, la maestra del taller de costura ordenó a una de sus ayudantes ir a prender en él una guirnalda de flores de azahar; viendo que la oficiala tardaba en regresar, fue a buscarla, y la encontró ahorcada en el armario, teniendo entre sus manos crispadas el traje nupcial, que naturalmente María del Pozzo se negó a vestir, utilizando otro para la ceremonia, que hubo de improvisarse, ya que casi todo su guardarropa era de luto. La mañana del día del enlace acuden a buscar a la novia, para conducirla al palacio real, los hermanos de Amadeo, Clotilde y Napoleón Bonaparte, y tienen que aguardar, con la guardia real formada en la calle, a que el portero de la casa de María abra las verjas, pues en su nerviosismo el pobre hombre las había atrancado; desesperado por la impresión que aquello le produjo, tan pronto salió el cortejo, el criado se abrió las venas y se suicidó. El coronel de la guardia real no pudo mandar a

---

1. Sobre Prim y su asesinato recomiendo la lectura de los libros de Pedrol Rius, Olivar Bertrand y de mi amigo José M.ª Prim i Serentill, muy interesante, aunque tendencioso y subjetivo.

las fuerzas que cubrían la carrera por presentársele una insolación. Uno de los oficiales ministeriales que tuvo que intervenir en la celebración de la ceremonia nupcial, el senador Arnulfo, sufrió una apoplejía en el coche en que regresaba a casa, y un amigo del príncipe Amadeo, que había actuado de testigo de boda, nada más terminar el ágape que siguió al acto del enlace, se pegó un tiro. Cuando estaban ya los novios en la estación de ferrocarril para iniciar el viaje de luna de miel, el conde de Castiglione, marido de la famosa dama de la corte de Napoleón III, fue arrollado por un tren, al cruzar las vías imprudentemente, y murió en el acto».[1]

Llegó don Amadeo a Madrid el 2 de enero de 1871; iba sin la reina, que se había quedado en Italia, convaleciente de su segundo parto. De la estación de Atocha se dirigió directamente a la basílica del mismo nombre en donde estaba el ataúd que contenía los restos del general Prim. Rezó devotamente, lo cual impresionó a los asistentes porque el rey de Italia, su padre, estaba excomulgado por su ocupación de los Estados Pontificios. No sabían que Amadeo antes de partir de Italia había escrito al papa Pío IX pidiéndole la bendición para él y su esposa y que el papa había contestado con dos cartas autógrafas, incluso en el sobre, una para él y otra para la reina María Victoria.

De la iglesia se trasladó a las Cortes, en donde prestó juramento a la Constitución, y de allí marchó al Ministerio de la Guerra para expresar su pésame a la viuda de Prim.

Después de ello, dando muestras de su gran valor, montando en su caballo, hizo el recorrido hasta el palacio real separándose abiertamente de su escolta, ofreciéndose así como blanco fácil para cualquier atentado. Este gesto fue muy bien comentado por el pueblo, que admira siempre los actos de valor.

Pero si el pueblo lo admiró, no pasó lo mismo con la aristocracia cortesana. A quien quiera conocer el estado de ánimo de la aristocracia madrileña en aquellos días

1. Mario Mazzucchelli, en su libro *L'imperatrice senza impero*, biografía de la condesa de Castiglione, da una versión distinta de la muerte del conde, pues afirma que murió de una congestión cerebral, cuando a caballo caracoleaba al lado de la carroza de los novios, y así lo hice constar en mi libro *Historia de las historias de amor*.

le recomiendo que lea la magistral novela del padre Coloma *Pequeñeces*, hoy injustamente preterida.

«La gente se alejaba de palacio; sólo lo pisaban el elemento oficial, los asalariados y los pretendientes. La aristocracia, el clero y las altas dignidades del ejército huían de Amadeo. El duque de Sexto que le acompañó cuando vino en el año 1866 a Madrid, tuvo a gala el ser el primero que le negara el saludo.

»La actitud de la nobleza era lo que más le llegaba al alma; se creía con derecho, por su muy alta estirpe, al trato que le rehusaban aquellos que seguían siendo impenitentes alfonsinos.

»El acuerdo del gobierno de exigir a todos los funcionarios, civiles, militares y eclesiásticos, que prestaran juramento de fidelidad al rey, encontró tenaz resistencia; a ello se negaron tres capitanes generales, siete tenientes generales y gran número de jefes.

»Los obispos y los arzobispos no cesaban en su campaña contra la nueva dinastía. No sirvieron para suavizarlos las demostraciones de acendrado catolicismo de don Amadeo y de doña María Victoria, que hacía ostentación de su fe religiosa asistiendo el Jueves Santo a la visita a los monumentos, a los rosarios y *"minervas"*, y otras funciones de la Iglesia.

»La clase media se mostraba menos esquiva con las personas reales, aunque sin sentir por ellas gran entusiasmo.

»El rey se daba cuenta del ambiente de frialdad que respiraba y de lo muy difícil que le sería lograr cambiarlo. Sin conocer el idioma, la historia, las costumbres, los hombres, ¿cómo podría gobernar en España?»

Tres meses después llegaba su esposa doña María Victoria. Tres meses de obligada soltería en los que su sangre de Saboya, tradicionalmente mujeriega, le impulsó a una aventura amorosa.

Acostumbraba el rey pasear en coche por el paseo de la Castellana, recorrido obligado entonces de la alta sociedad madrileña, y fue allí, o en el teatro Español, cuando le llamó la atención una mujer parecida a una maja goyesca de pálida tez, profundos ojos negros, labios sensuales y ondulado cabello del que dos finos mechones negros caían por delante de sus orejas. El flechazo fue inmediato y la *dama de las patillas*, remoquete con el que se la conocía en Madrid, se transformó en su amante.

Se llamaba Adela Larra Wetoret y era hija del célebre escritor Mariano José de Larra, *Fígaro*. Fue ella quien al oír un disparo descubrió el cadáver de su padre cuando éste se suicidó por ver contrariados sus amores con Dolores Armijo.

La reina María Victoria llegó a Madrid tres meses después de su marido y su primer acto oficial fue acompañar a su esposo en la solemne apertura de las Cortes. En este acto se dio el detalle curioso de que el rey llevaba a su derecha a la reina como un matrimonio cualquiera, lo cual significaba una transgresión del protocolo que exige que el rey debe ocupar siempre el puesto de honor.

El discurso de la corona había sido escrito como de costumbre por el presidente del Consejo de Ministros, pero el rey, sin decir nada, añadió un colofón que demostraba una vez más su buen sentido. Así, en el párrafo que decía «cada día se fortifica más en mí el propósito de consagrarme a la difícil y gloriosa tarea que he aceptado» añadió estas palabras: «mientras no me falte la confianza de este pueblo a quien jamás trataré de imponerme».

Al regresar de las Cortes al palacio real, los reyes se dieron cuenta de que en los palacios aristocráticos no figuraba ninguna colgadura y que incluso al pasar la cabalgata frente al aristocrático Veloz Club los socios se asomaron a los balcones sin descubrirse, con lo que demostraron, a la par que su rechazo a la monarquía amadeísta, una descortesía imperdonable.

«Para captarse las simpatías del pueblo, Amadeo, que no gustaba de la fiesta de los toros, se prestó a presidir la primera corrida de Pascua.

»No le bastaba a la aristocracia con hacer gala constante de su desvío hacia la nueva dinastía, apartándose de toda ocasión de encontrarse con las personas que la encarnaban, sino que los aristócratas idearon realizar un acto de significativa protesta contra los saboyanos.

»Era por aquel entonces costumbre de la sociedad madrileña pasear en coche al atardecer por la Castellana, desde la Casa de la Moneda hasta la plaza donde hoy se alza el monumento a Castelar, ocupada entonces por el conmemorativo del nacimiento de Isabel II. Como la

246

aglomeración de coches era grande, el alcalde dispuso, para facilitar la circulación, que marcharan en fila rigurosa; de los primeros en someterse a la disposición edilicia fueron los reyes para dar ejemplo.

»Con todo sigilo se preparó una manifestación, organizada por una marquesa, tan bella como inquieta. La consigna fue que todas las señoras se presentaran una tarde tocadas de peineta y mantilla a la española. Los reyes no se percataron al principio de la significación que las mantillas tenían en aquella ocasión; y hasta la infeliz doña María Victoria dijo a Amadeo: "Mañana acudiré yo también con mantilla." Grande fue su pena al leer en la prensa al siguiente día la significación dada a lo que se llamó "la manifestación de las mantillas", expresión del desagrado con que se veía ocupado por los italianos el trono de Isabel la Católica.

»Llovieron las críticas y las censuras de los demócratas sobre este acto de hostilidad hacia la reina María, y no pocos atacaron a los aristócratas con tal motivo, diciendo de ellos lindezas sin cuento; se recordó a las damas la materia con que se fabrican las peinetas y se aludió a las que se dejaron retratar desnudas por Goya.»[1]

Lo que no cuenta Romanones es la manera harto curiosa como terminó la citada manifestación y que será magistralmente contada en el citado libro *Pequeñeces.* Un personaje muy curioso de la época llamado Felipe Ducazcal, hombre pintoresco que lo mismo organizaba la partida de la porra como se erigía en empresario teatral, y todo con éxito, resolvió disolver la manifestación alfonsina por el medio que más iba a afectar a la aristocracia madrileña. Para ello contrató a las más conocidas mujeres de vida airada que había en Madrid, hizo que se adornasen con una mantilla blanca en los más desvencijados coches que encontró en la capital, las mandó a pasear por el Retiro y la Castellana mezclándose con los coches de la aristocracia, lo cual produjo el natural escándalo y ridículo en las elegantes damas que tomaban parte en la manifestación y que se retiraron apresuradamente. En aquellos tiempos el ridículo hería.

De todos modos, también en el pueblo se iba insinuando un ligero rechazo hacia Amadeo y su esposa. Los

1. Conde de Romanones.

reyes tenían un sentido democrático que chocaba con el concepto reverencial que de la monarquía tenía el pueblo llano. «Amadeo se levanta al amanecer, hace gimnasia, se lanza a chapotear en las heladas aguas del Manzanares, viaja en tranvía y acude a desayunar al café Suizo. María Victoria visita conventos, asilos y hospitales sin previo aviso, acompañada tan sólo por una dama de honor, y si penetra a rezar en una iglesia toma ella misma un reclinatorio y se coloca entre el público. La mayor parte de las habitaciones del alcázar permanecen cerradas. Cuando Isabel II, en París, supo que los Saboya y sus hijos ocupaban en el palacio de Oriente un total de siete habitaciones, dicen que exclamó maravillada: «¡Pobres jóvenes! ¡No van a poder moverse!»[1] «Doña María Victoria del Pozzo renunció a intentar ganarse a unos súbditos que se mostraban tan reacios, y sin cálculo alguno, guiada por verdaderos sentimientos, se dedicó en lo sucesivo a realizar obras de caridad, fundando un asilo para que las lavanderas madrileñas, que acudían a hacer la colada en las orillas del Manzanares, pudieran tener un lugar en el que dejar a sus hijos pequeños y en el que recibían educación; puede decirse que fundó ella la primera guardería infantil de España. Toda esta obra corrió a su cargo, y a cuenta de su fortuna privada. La gente humilde tuvo pronto noticia que no había solicitud que llegara a manos de la nueva soberana que no fuese atendida, y comenzaron a llover peticiones sobre el palacio real; y cuando el marqués de Dragonetti le advertía que se estaban acabando los fondos a causa de las constantes sumas que la reina repartía, ella le contestaba imperturbable: "Telegrafía a mi administrador en Turín y que envíe más dinero."»[2]

«El pobre Amadeo no sabía ya qué hacer ni qué decir; si salía sin mirar a nadie, le llamaban orgulloso; si miraba, enamorado; vanidoso si paseaba en un coche a la Dumont; por el contrario, ridículo si, queriendo darse aires de castizo, prefería el enganche en calesera; si daba limosnas, decía la gente: "El pueblo paga"; si no las daba, le tildaban de tacaño; si daba el poder a los conservadores, le llamaban ingrato; si a los radicales, que provoca-

1. Juan Balansó.
2. Conde de Romanones.

248

ba la anarquía; cuando se acostaba temprano, las gentes exclamaban: "¡Qué cursi!"; y si, por el contrario, trasnochaba: "¡Qué calavera!"; cuando salía a pasear acompañado sólo de su perro, le calificaban de provocador; en cambio, cuando iba acompañado, de medroso.»[1]

No sólo era la aristocracia alfonsina la que hacía el vacío a los reyes, sino también entre las filas de los posibles amadeístas se produjeron decepciones. Así, por ejemplo, cuando la reina María Victoria quiso nombrar camarera mayor a la duquesa de la Torre, esposa del general Serrano, ésta no aceptó porque, acostumbrada a oírse llamar Alteza durante la regencia de su marido, le pareció que era descender de categoría. La reina ofreció entonces el cargo a la duquesa viuda de Prim, pero también ésta rechazó el nombramiento porque al enterarse de que antes se le había ofrecido a la Serrano se consideró preterida y adujo que por el momento su luto no le permitía aceptar el nombramiento.

Entretanto el rey continuaba con sus aventuras galantes, la más sonada de las cuales tuvo como coprotagonista a una condesa que si en la calle se manifestaba alfonsina en la cama era amadeísta. Y lo fue hasta el punto de dar un hijo al rey.

La reina María Victoria quedó embarazada y le ilusionó el hecho de que su hijo naciese en Madrid. Nació la criatura el 29 de enero de 1873. La ceremonia de su bautizo dio la definitiva medida del vacío que se había producido en torno a los reyes. Para empezar, como era costumbre que fuese una dama grande de España la que llevara al infante hasta la pila bautismal, no se encontró a ninguna que quisiera hacerlo. Al saberlo, María Victoria exclamó amargamente: «¡Cualquier campesina tiene una amiga deseosa de llevar a su hijo a cristianar y aquí está una reina que no sabe aún si alguien se brindará a hacerlo!»

Tampoco se encuentra ningún obispo que quiera oficiar la ceremonia, que tuvo que efectuar el confesor de la reina. El niño fue llevado a la pila por la esposa del embajador de Portugal, que representó a la madrina la reina María Pía, hermana del rey Amadeo.

A continuación se sirvió un almuerzo y uno de los

1. Fernando González-Doria.

asistentes escribió: «La mesa estaba preparada para cincuenta personas, pero faltaron cerca de veinte, la comida fue triste por falta de damas y por la preocupación que flotaba en el ambiente. Al soberano se le veía taciturno, el entrecejo fruncido como si algo muy hondo le preocupase, igual que cuando entró en Madrid. Todo era tétrico; la emoción de la duquesa de Prim —única dama asistente, con la ministra de Portugal— nos ha contaminado a todos; este bautizo tiene mala sombra...»

La situación es cada vez más insostenible. Ya un año antes los reyes habían sufrido un atentado. En las Cortes, Castelar ataca a la monarquía saboyana con su elocuencia habitual: «... esta nación, que cuando iba en su carro de guerra veía tras de sí a los reyes de Francia, a los emperadores de Alemania seguir humildes sus estandartes; esta nación, de la cual eran alabarderos, maceros y nada más que maceros, los pobres, los oscuros, los hambrientos duques de Saboya, los fundadores de la dinastía... [El *Diario de Sesiones* acota: gran ovación, y Castelar continúa] Los duques de Saboya seguían hambrientos el carro de Carlos V y Felipe II». La andanada de Castelar fue recibida con aplausos por los diputados. No se alzó ni una sola voz para defender a los reyes.

Los carlistas, por su parte, se habían alzado en armas una vez más. El caos era total. Como decía el rey Amadeo, «esto es una jaula de locos». Por su parte, la única vez en que la reina María Victoria se permitió hacer un comentario sobre la situación fue respondiendo a una frase de Ruiz Zorrilla en que le decía que los reyes habían de defender la democracia. La reina no pudo menos de exclamar: «¡No confunda, señor presidente! Esto que hay aquí no es democracia, esto es chusma!» Y tenía razón, pero chusma era la aristocracia, los políticos y los cortesanos. Lo menos chusma era el pueblo.

El rey está harto y decide abdicar, lo que hizo el 11 de febrero de 1873. Se despidió de las Cortes con un acta de abdicación en cuyos párrafos se advierte la amargura y el desengaño.

«Al Congreso: Grande fue la honra que merecí a la nación española eligiéndome para ocupar su trono; honra tanto más por mí apreciada, cuanto que se me ofrecía rodeada de las dificultades y peligros que lleva consigo la empresa de gobernar un país tan hondamente perturbado... Conozco que me engañó mi buen deseo. Dos años largos ha que ciño la corona de España, y la España vive en constante lucha, viendo cada día más lejana la era de paz y de ventura que tan ardientemente anhelo.

»Si fuesen extranjeros los enemigos de su dicha, entonces, al frente de estos soldados, tan valientes como sufridos, sería el primero en combatirlos; pero todos los que con la espada, con la pluma, con la palabra, agravan y perpetúan los males de la nación son españoles, todos invocan el dulce nombre de patria, todos pelean y se agitan por su bien; y entre el fragor del combate; entre el confuso, atronador y contradictorio clamor de los partidos; entre tantas y tan opuestas manifestaciones de la opinión pública, es imposible atinar cuál es la verdadera, y más imposible todavía hallar el remedio para tamaños males.

»Lo he buscado ávidamente dentro de la ley y no lo he hallado. Fuera de la ley no ha de buscarlo quien prometió observarla... Estad seguros que al desprenderme de la corona no me desprendo del amor de esta España tan noble como desgraciada, y de que no llevo otro pesar que el encuentro de egoísmos, de intereses y falla la clave de la solución del problema de no haberme sido posible procurarle todo el bien que mi leal corazón para ella apetecía.

»Amadeo. Palacio de Madrid, 11 de febrero de 1873.»

Al día siguiente, la familia real abandonaba Madrid dirigiéndose a Portugal. El rey Amadeo, al despedirse, dijo simplemente: «Todo lo que hemos adquirido en España que se quede en beneficio de la nación y ojalá otros puedan triunfar donde nosotros no lo hemos conseguido.»

La reina tuvo que ser llevada en silla de manos hasta el coche que la conduciría a la estación, pues estaba convaleciente de su parto.

Eran las seis y diez minutos de la mañana cuando los reyes abandonaban Madrid.

En Lisboa, donde fueron recibidos entusiásticamente, tomaron un barco que los llevó a Italia.

Amadeo no quiso saber nada más ni conservar ningún recuerdo de su reinado en España. Prohibió que se le llamase majestad, título al que tenía derecho por haber sido rey. Quiso ser llamado simplemente duque de

Aosta. La reina María Victoria murió tísica en San Remo tres años después; contaba veintiséis años de edad.

Amadeo, por su parte, murió en 1890. Un año antes había contraído nuevo matrimonio con la princesa Leticia Bonaparte. De este matrimonio nació un hijo, Humberto.

Amadeo había reinado en España setecientos setenta días y dos horas.

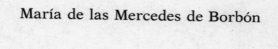

María de las Mercedes de Borbón

Volvamos a Isabel II. La reina reside en París, en donde se instaló en una casa de la calle de Rivoli. Y allí el rey don Francisco de Asís comunicó a la reina su decisión de separarse de ella. En realidad, en cuanto al lecho hacía tiempo que estaban separados, ahora se separaban en cuanto al techo. Se instaló en Épinay sur-Mer, en compañía de su inseparable Meneses, adquirió un bello castillo y se dedicó a la música y a la lectura, pues tenía un exquisito temperamento artístico.

La reina había adquirido un palacio conocido como palacio Basilewski, al que rebautizó con el nombre de Castilla.

No gozaba la reina de grandes posibilidades económicas, suerte tuvo del duque de Sesto, más conocido como marqués de Alcañices, que vivía en la avenue Gabriel con gran fasto y que hacía poco se había casado con la princesa Trubetskoy, viuda del duque de Morny, hermano bastardo de Napoleón III. En el palacio de Castilla pasó su primera adolescencia el príncipe de Asturias, que luego había de ser Alfonso XII.

El que un día sería rey veía con gran disgusto la amistad, o quizá algo más que amistad, que unía a su madre con Marfori, el favorito de turno. También se asombró de ver una vez a su madre del brazo de don Carlos de Borbón, el pretendiente carlista. Por cierto que, como oficialmente Isabel y Carlos no se podían visitar, se encontraron en una avenida de París. En esta reunión don Carlos dio el brazo a doña Isabel y Francisco de Asís, que por aquel día había regresado a París, daba el suyo a doña Margarita, esposa del pretendiente carlista.

Mientras tanto, en España, después de la salida de Isabel II, se sucedía la regencia de Serrano, la monarquía de Amadeo I, a la que siguió la efímera primera República.

El 25 de junio de 1870, Isabel II abdicaba en favor de su único hijo Alfonso, príncipe de Asturias. A ello se habían opuesto algunos cortesanos como el ya citado Marfori o el conde de Cheste, pero pesaron más las opiniones del duque de Sesto, y especialmente las de Cánovas del Castillo, que desde el primer momento se dedicó a preparar la ascensión al trono de don Alfonso, cosa que consiguió, como ya se sabe.

El acto revistió gran solemnidad y pompa. En el palacio de Castilla, situado en la avenue Kléber, se reunió lo más granado de la aristocracia española. Figuraba al frente de ella la reina María Cristina, madre de la soberana, las infantas Isabel, Paz, Pilar y Eulalia, el duque de Riansares, esposo de María Cristina, y faltaba don Francisco de Asís, que no quiso asistir al acto por ser contrario a la abdicación.

La reina leyó el documento de la abdicación:

«A los españoles de mis reinos y a todos los que la presente vieren y entendieren, sabed:

»Que atenta sólo a procurar por todos los medios de paz y de legítimo derecho la felicidad y ventura de la patria y de los hijos de mi amada España;

»Considerando que a los votos de gran mayoría del pueblo, cuyos destinos regí por espacio de treinta y cinco años, puede corresponder el acto que por esta mi declaración ejecuto, con la única forma que consienten lo azaroso de los tiempos y lo extraordinario de las circunstancias;

»He venido en abdicar, libre y espontáneamente, sin ningún género de coacción ni de violencia, llevada únicamente de mi amor a España y a su ventura e independencia, de la real autoridad que ejercía por la gracia de Dios y la Constitución de la monarquía española promulgada en el año de 1845, y en abdicar también de todos los derechos meramente políticos, transmitiéndolos, con todos los que corresponden a la sucesión de la corona de España, a mi muy amado hijo don Alfonso, príncipe de Asturias.»

Acto seguido, doña Isabel firmó el acta de abdicación, el nuevo rey Alfonso XII lo hizo también, después de inclinarse ante su madre, y como testigos firmaron todos los allí presentes, terminado lo cual se inició el besamanos del nuevo rey, que inició Isabel II, siguiendo la reina abuela María Cristina y las infantas. Se oyó un grito de «¡Viva el rey!». Para los monárquicos alfonsinos continuaba la monarquía borbónica.

Terminado el acto, Isabel II se retiró a su habitación y dejándose caer en un sillón exclamó:

—¡Uf! ¡Qué peso me he quitado de encima!

En Madrid, Cánovas del Castillo era el hombre que en adelante iba «a continuar la historia», según sus propias palabras.

Entretanto estallaba la guerra franco-prusiana, que terminó con la derrota del ejército francés en Sedán y el destronamiento de Napoleón III. Isabel II decidió salir de Francia, donde su presencia no era grata al nuevo gobierno francés, y trasladarse a Suiza, para lo cual se necesitaban unos pasaportes que eran difíciles de obtener.

«Por fin, Jules Favre, ministro de Negocios Extranjeros, envió los documentos a Hougalte, y la caravana de la familia real española empezó a ponerse en movimiento. Aunque pareciera fácil, no lo era, ya que Isabel II había engordado extraordinariamente y sólo el hacerla subir o bajar de un vagón de ferrocarril representaba un pesadísimo empeño en el que tenían que colaborar varias personas a la vez para que su augusta persona no sufriera daño. El 29 de septiembre comenzó el azaroso viaje, que hubo de divertir mucho al rey Alfonso y a sus hermanas, por lo que tenía de gran novedad para ellos, mientras a su madre se la llevaban todos los demonios. Aquel conglomerado de personas reales y de setenta de séquito, embarcado en un tren que carecía de toda clase de comodidades, producía risa y tristeza al mismo tiempo. En cada estación, invadida de soldados, se paraba horas y horas. Cuando el regio cortejo llegó a Tarascón, se le anunció a la reina que el tren no podía continuar hasta el siguiente día. Isabel II, Alfonso XII, las infantas y las setenta personas de compañía tuvieron que dedicarse a buscar un lugar para dormir, yendo a tientas por las calles sin luz. Hoteles y casas particulares estaban invadidos por soldados, en vista de lo cual se decidieron a llamar a la puerta de un café, que estaba cerrado, en súplica de hospitalidad. El dueño se aterró primero y se compadeció después, dejando entrar a aquel nutrido cortejo dentro de su establecimiento. El café, como es lógico, se llenó entre respetuosas reverencias, y en bancos y sillas pasaron todos la noche, dignamente presididos por la reina, que tuvo el buen gusto de tomar la aventura a broma para animar a sus hijos y no desalentar a los numerosos miembros de su séquito.»[1]

Alfonso XII, una vez apaciguada Francia, volvió con su madre a París. Estudió primero en el aristocrático colegio Stanislas, luego en el Theresianun de Viena. Como hablaba ya el francés y el inglés perfectamente, se quiso que aprendiera el alemán. Tenía gran facilidad para los idiomas y se dijo después que hablaba todas las lenguas importantes de Europa, excepto el ruso y el turco.

Se esperaba la restauración en España de la monarquía borbónica. Contra la opinión de quienes aconsejaban a Isabel II la organización de un pronunciamiento, Cánovas del Castillo afirmaba: «No quisiera que la restauración de la monarquía legítima fuera debida a un golpe de fuerza. Sólo delante del hecho consumado bajaré la cabeza. Aspiro a que el príncipe Alfonso sea proclamado rey por unas Cortes o por un plebiscito.»

Cuenta Cortés Cavanillas dos episodios divertidos de la visita que Isabel II hizo a Roma. Dice así el gran periodista e historiador en su libro *Alfonso XII*:

«Isabel II, inquieta por las noticias de España, decidió visitar Roma con el sano pretexto de que el papa administrara la primera comunión a las infantas Paz, Pilar y Eulalia; pero su verdadero objeto consistía en tantear de nuevo la postura del Vaticano respecto a su hijo, ya que los carlistas blasonaban de ser los auténticos defensores de la Iglesia. Pío IX tenía verdadero cariño a la reina, y se lo había demostrado, primero concediéndole, el año 1868, la Rosa de Oro, y más tarde, en el destierro, con singulares atenciones. En esta ocasión, el pontífice reiteró las pruebas de afecto a la soberana y de predilección a las infantas, dándoles el pan eucarístico en su oratorio privado, exceptuando a Eulalia, que aún no se encontraba en edad de comulgar y a la que confirmó al mismo tiempo. La audiencia concedida a Isabel se celebró con extraordinaria solemnidad y con todos los honores reales. Su santidad, extremando las pruebas de afecto,

1. Pierre de Luz.

quiso relevarla del homenaje protocolario de arrodillarse tres veces y besarle los pies. Pero Isabel, encendida de fervor católico, trató de hacer las cosas como Dios manda y estropeó lamentablemente la ceremonia, porque no fue lo malo que se arrodillase con gran trabajo, sino que debido a su gordura tuvo que ser ayudada a levantarse con gran forcejeo por unos cardenales, a quienes se les enredó la mantilla de la reina, produciendo las naturales, aunque disimuladas, risas de cuantos asistían al acto. Después del percance, en la conversación que tuvo con Pío IX, le dio las gracias por haber atendido la petición que le hizo, con su regia firma y con la de otros soberanos católicos, de declarar dogma de fe el misterio de la Inmaculada Concepción de María. Y no hay que decir que le dio aun las gracias más expresivas cuando oyó de labios del pontífice que estaba dispuesto a apoyar con todo el peso de su autorizado consejo la restauración de la monarquía española en la persona de su augusto hijo.

»De la estancia de la reina en los dominios del papa habría de comentarse no sólo el percance de la audiencia, sino otro posterior, aún más divertido, que cuando días después se lo contaban a Alfonso XII le producía verdaderos espasmos de risa. Es el caso que Isabel II tuvo la ocurrencia de subir a la cúpula de San Pedro con el solo propósito de dejar allí impreso su agregio nombre. En la difícil ascensión le acompañaba un erudito llamado Visconti y el duque de la Conquista. Debido a que los pasillos superiores son muy estrechos y sólo caben las personas una detrás de otra, iba primero Conquista, después la reina y, por último, Visconti. Como hacía mucho calor e Isabel era tan gruesa, caminaban muy despacio. Al alcanzar el último pasillo que daba acceso a la cúpula, el duque de la Conquista sintió un bochorno asfixiante. La reina soplaba ferozmente, y al hacer un supremo esfuerzo para entrar en la angostura se quedó atascada. Conquista, casi asfixiado, clamaba:

»—Señora, que me muero.

»—¡Cállate, Luis! —decía Isabel, tratando inútilmente de desasirse de los muros que la oprimían—. ¿No ves que no puedo salir?

»El problema resultaba angustioso. Visconti apeló a un remedio heroico que fue lo que salvó la cómica situación.

»—¡Perdón, Señora! —le dijo—. Voy a tirar con todas mis fuerzas de una de vuestras piernas.

»Así lo hizo, pero con su enorme peso le dio al erudito tal pisotón en un brazo, que tuvo que llevarlo en cabestrillo durante varios días.»[1]

Para completar sus estudios, Alfonso XII ingresa en Inglaterra en el Real Colegio de Infantería y Caballería de Sandhurst. Es desde allí que dirige al pueblo español el célebre manifiesto que lleva el nombre de la ciudad inglesa, manifiesto que termina con los párrafos siguientes:

«Afortunadamente la monarquía hereditaria y constitucional posee en sus principios la necesaria flexibilidad y cuantas condiciones de acierto hacen falta para que todos los problemas que traiga su restablecimiento consigo sean resueltos de conformidad con los votos y la conveniencia de la nación.

»No hay que esperar que decida yo nada de plano y arbitrariamente; sin Cortes no resolvieron los negocios arduos los príncipes españoles allá en los antiguos tiempos de la monarquía, y esta justísima regla de conducta no he de olvidarla yo en mi condición presente, y cuando todos los españoles están ya habituados a los procedimientos parlamentarios. Llegado el caso, fácil será que se entiendan y concierten las cuestiones por resolver un principio leal y un pueblo libre.

»Nada deseo tanto como que nuestra patria lo sea de verdad. A ello ha de contribuir poderosamente la dura lección de estos tiempos, que si para nadie puede ser perdida, todavía lo será menos para las honradas y laboriosas clases populares, víctimas de sofismas pérfidos o de absurdas ilusiones.

»Cuanto se está viviendo enseña que las naciones más grandes y prósperas, y donde el orden, la libertad y la justicia se admiran mejor, son aquellas que respetan más su propia historia. No impiden esto, en verdad, que atentamente observen y siga con seguros pasos la marcha progresiva de la civilización. Quiera, pues, la Providencia divina que algún día se inspire el pueblo español en tales ejemplos.

»Por mi parte, debo al infortunio estar en contacto

1. Cortés Cavanillas, *Alfonso XII.*

con los hombres y las cosas de la Europa moderna, y si en ella no alcanza España una posición digna de su historia, y de consuno independiente y simpática, culpa mía no sería ni ahora ni nunca. Sea la que quiera mi propia suerte, ni dejaré de ser buen español, ni, como todos mis antepasados, buen católico, ni, como hombre del siglo, verdaderamente liberal.»

El 29 de diciembre de 1874 el general Arsenio Martínez Campos proclamaba en Sagunto a Alfonso XII como rey de España; el deseo de Cánovas del Castillo de que Alfonso llegase a ser rey de España sin que se pasase por un pronunciamiento no había tenido lugar.

Cuando se supo en París la noticia, el palacio de Castilla se llenó de gente que quería felicitar al nuevo rey. Muchos de los que allí llegaban con semblante risueño habían abandonado a Isabel II cuando fue destronada. La reina lo comentó con sorna:

—Se ve que el sol calienta otra vez.

El duque de Montpensier fue uno de los primeros que se presentó en París. Cánovas prohibió que el duque acompañase a España al nuevo rey y también fue Cánovas quien disuadió a Isabel II de su intención de regresar a España acompañando a su hijo, con una carta en la que le decía: «Vuestra majestad es una época histórica y lo que se necesita ahora es otro reinado, otra época diferente de las anteriores. Cuando el reinado actual haya tomado ya todo su verdadero carácter y esté ya definida completamente la nueva época, será cuando vuestra majestad podrá y deberá venir.»

El nuevo rey se dirigió a Marsella y allí embarcó con rumbo a Barcelona, en donde fue recibido con gran entusiasmo.

Cuando llegó a Madrid, la acogida fue apoteósica hasta tal punto que el rey, inclinándose sobre su caballo, le dijo a un hombre que le aclamaba:

—Gracias, gracias.

A lo que el individuo contestó:

—Eso no es nada. ¡Si hubiese visto cómo gritábamos cuando echamos a su madre!

Y ante el entusiasmo general, llegó hasta el palacio de Oriente en el que había nacido.

Pocos días después Cánovas expresó su impresión sobre el rey con estas palabras: «Estoy entusiasmado con el rey, nos hemos entendido, es franco, noble y leal y lleva, a pesar de su juventud, en el alma la amarga experiencia que proporciona la emigración. Los que fuimos ministros con su madre podemos apreciar la diferencia. En este reinado no habrá camarillas ni favoritismo y si el país sabe elegir un Parlamento digno ejercerá su soberanía sin estorbo.»

Los carlistas iniciaron otra vez la guerra, y cuando don Carlos se enteró de que Cánovas había prohibido la vuelta a España de Isabel II envió a ésta la siguiente carta: «Sé que deseas volver a ver el cielo de la patria, y, como conozco tu corazón de española, comprendo lo que sufrirás al verte privada de ir al lado de tu hijo. Yo reino en las hermosas provincias del Norte, que conoces, y mi mayor placer sería ofrecértelas para que vengas a vivir aquí, en el punto y de la manera que mejor te parezca. Si quieres ir a Lequeitio o Zarauz, donde estuviste en otras épocas, podrías ocupar los mismos palacios que entonces habitaste, pues no creo posible que, en tal caso, los marinos de tu hijo continuasen bombardeando aquellos puertos, y si lo intentaran, tengo cañones de bastante alcance para que te dejen tranquila. Si prefieres Tolosa, Vergara, Estella, Durango o cualquiera otro punto, están igualmente a tu disposición. Quiero que sepas que las puertas de España no están cerradas para ti, que tanto la has amado.»

Era sin duda una hábil y tentadora carta a la que Isabel II contestó: «Las lágrimas se me caen al pensar que tu noble corazón es el primero que me ofrece asilo en el país donde nací y reiné. Tus ofertas me han conmovido y bien sabe Dios cuánto te las agradezco, pero ¿qué te puedo decir en estas circunstancias? Que hoy no puedo más sino pedir a Dios y a la Virgen que tú y mi hijo os abracéis y que todos juntos vivamos en nuestra amada patria, a la cual deseo pronta paz y tranquilidad.»

Don Carlos insiste y dice que recibirá a Isabel II con los brazos abiertos. La tentación es fuerte, pero Isabel II no cae en ella y escribe: «Con cuánto placer iría, desde luego, adonde tú estás, mi querido Carlos, a que me dieras el abrazo que deseas darme y que yo deseo muchísimo recibir, así como aceptar tu noble y generosa oferta; pero he escrito a Madrid diciendo que tengo abiertas las puertas de mi patria, sin decir por quién, y que deseo saber si mi hijo de mi alma me llama; según me contesten, obraré. Si mi hijo me llama, iré a cumplir con el deber de contribuir a la paz, como los dos anhelamos; allí tendrás siempre a tu agradecida prima Isabel, que tan de corazón te quiere. Si mi hijo no me llama, habré cumplido lealmente, y aceptaré la cariñosa oferta de mi noble primo Carlos.»

¡Qué triste es todo esto! Don Carlos creía poseer la legitimidad y tenía a su favor entusiastas y fanáticos seguidores. Su programa foral entusiasmaba a regiones como el País Vasco, que quería conservar sus libertades, y Cataluña, que anhelaba recuperar los fueros que había perdido en tiempos de Felipe V.

Isabel II quiere volver a España sea como sea; a ello le incitan Marfori, su favorito en aquel momento, y el acompañante asiduo de don Francisco, Meneses. Cánovas insiste en la negativa y le escribe una carta en la que le indica la imposibilidad que por el momento existe de su vuelta a España: «Las causas de este hecho, incontestable y brutal como todos los hechos, se las he expuesto a vuestra majestad cien veces, de palabra y por escrito, con toda franqueza. Por más que yo lo deplore, no puedo hoy ni desconocerlo ni remediarlo. En este hecho fácil de prever me fundé yo para poner por expresa condición a mis servicios que su majestad el rey vendría a España sin vuestra majestad. Jamás habría yo acometido de otra suerte una empresa que ya me es forzoso decir, aunque mi modestia lo repugna, que sin mí no se habría llevado a cabo, por lo menos en muchísimo tiempo. Si por prudencia y sobra de patriotismo no he referido aún al público la verdadera historia de los últimos sucesos, ya llegará día en que lo refiera. Desde ahora afirmo que, después de que yo haya hablado, nadie se atreverá a poner en duda que la restauración, tal y como se ha verificado, ha sido ante todo obra mía... El reinado de vuestra majestad lo juzgará ya la Historia, como juzgará a todos los hombres que han intervenido en él. Con la mano en el corazón declaro ahora y declararé siempre que si vuestra majestad ha cometido errores, iguales por lo menos, y con frecuencia mayores, los han solido cometer sus servidores. Digo, además, que la generosidad, la magnanimidad, la bondad constante de vuestra majestad la hacían y la hacen y la harán siempre digna de mejor suerte.»

La carta era brutal y tal vez cruel, pero Isabel II tuvo que inclinarse y decir que Cánovas tenía razón. Debía ser muy triste para la reina tener que aceptar la imposición del gran estadista que había elevado a su hijo al trono que ella se había visto obligada a abandonar. Quedó sin embargo en su alma la esperanza de volver a España. Esperanza que se realizó más adelante.

Cierto día mientras Cánovas ponía la firma de Alfonso XII en unos decretos, le advirtió severamente:

—Señor, tengo noticias de que vuestra majestad sale por las noches poniendo en riesgo su vida de un modo insensato. Espero que esto no se vuelva a repetir.

El Rey sonrió y prometió:

—No tenga usted cuidado, don Antonio, que no volverá a suceder.

Y es que Alfonso XII salía muchas veces de palacio acompañado de su inseparable duque de Sesto a correrse una juerguecita de vez en cuando.

Cierta noche los dos amigos no acertaban con el itinerario de vuelta a palacio y se dirigieron a un transeúnte que por allí pasaba; le preguntaron por el camino más corto para ir a palacio. El transeúnte, muy amablemente, les indicó el camino, y el duque de Sesto al darle las gracias le dijo:

—Muy agradecido... —Y se presentó diciendo—: ... Duque de Sesto, en el palacio de Alcañices, a su disposición.

El rey hizo lo propio.

—Alfonso XII, aquí en palacio me tiene usted.

A lo que el otro contestó siguiendo lo que creía una broma:

—Pío IX en el Vaticano, a su disposición.

Llegó el día en que el rey se enamoró.

Los duques de Montpensier se habían presentado en el palacio de Castilla hacía tiempo para hacer las paces con Isabel II. Los acompañaba su hija María de las Mercedes. Y estalló el flechazo. Alfonso guardó prudentemente el secreto, no confiándolo más que a su hermana Isabel, pero llegado a Madrid e instalado en el trono no tuvo más remedio que confiar su enamoramiento a Cánovas. Pero éste tenía otra candidata. Se trataba de la princesa Beatriz, hija de la reina Victoria de Inglaterra y que después fue madre de la reina Victoria Eugenia, esposa de Alfonso XIII. El proyecto fracasó en parte por la negativa de la princesa inglesa a convertirse al catolicismo y en parte también, y muy importante, por la rotunda negativa del rey a casarse con otra mujer que no fuese la elegida de su corazón.

El 29 de julio de 1876 Isabel II regresó a España. Un año después el rey Alfonso comunicaba a su madre su enamoramiento. La primera reacción de Isabel II fue de rechazo. No podía perdonar a Montpensier sus intentos de ocupar el trono cuando fue destronada. La misma reacción tuvo lugar en el gobierno y las Cortes. Cuando en éstas se discutió el proyectado enlace, la antipatía hacia Montpensier se hizo manifiesta. No se tenía nada en contra de la novia, antes al contrario, todo el mundo estaba acorde en elogiar su persona y sus virtudes. Claudio Moyano sintetizó el pensamiento de la Cámara cuando después de una feroz diatriba contra el duque acabó diciendo: «María de las Mercedes es un ángel y los ángeles no se discuten.»

La voluntad de Alfonso XII de casarse con la mujer de la que se había enamorado contó con la aprobación unánime del pueblo, que cantaba con aire de jota:

> *Quieren hoy más con delirio*
> *a su rey los españoles*
> *pues por amor se ha casado*
> *como se casan los pobres.*

«El 12 de diciembre, el duque de Sesto y el marqués de la Frontera, en representación del Rey, piden a los duques de Montpensier en Sevilla la mano de la infanta Mercedes. El 22 del mismo mes llegan al palacio de San Telmo don Alfonso XII y su hermana la princesa de Asturias, y pasan reunidos con doña Mercedes y su familia la Navidad, el Año Nuevo y las fiestas de Reyes, y el 8 de enero de 1878 regresan a Madrid el rey y la princesa doña Isabel. Pocas fechas más tarde ya están también en la villa y corte el rey don Francisco de Asís y la que fue reina gobernadora, doña María Cristina de Borbón, abuela de los novios, viuda ya del duque de Riansares, que va a actuar de madrina en la ceremonia de enlace, siendo padrino el rey Francisco; era ésta la primera ocasión en la que el marido de Isabel II regresaba a España después de más de nueve años de destierro.»

«A primeras horas de la mañana del día 23 de enero, fecha de la onomástica del soberano, subía la infanta doña Mercedes de Orleans con sus familiares a un tren especial que la conduciría a Madrid, dirigiéndose al palacio del Senado, donde vestiría sus galas nupciales. A las doce del mediodía, Alfonso XII y Mercedes de Orleans se convertían en marido y mujer ante el altar mayor de la basílica de Atocha.»[1]

Cortés Cavanillas nos describe así a la novia: «Cuantos la conocieron cantaron sus gracias cautivadoras, y las fotografías confirman los testimonios con deslumbrante elocuencia. Pero el juicio de su prima la infanta Eulalia es concluyente. Dice que tenía los ojos oscuros y grandes, sombreados por lindísimas pestañas; el pelo, negro, como de pura andaluza, y la piel, mate, suave y delicadísima, la hacían el prototipo de la garbosa española, a la vez llena de finura y aristocracia. ¡Linda figura y prestancia para una reina de España! Mujer atractiva, llena de misteriosa sugerencia, dulce en el hablar meloso, que se había hecho al acento andaluz, inspiró María de las Mercedes a Alfonso una pasión que han recogido, sin engrandecerla en nada, la leyenda y el romance.»

Mi opinión a la vista de las fotografías no coincide precisamente con la de Cortés Cavanillas. Opino que no era nada del otro mundo, por lo menos de acuerdo con los cánones de la belleza femenina de hoy en día. No cabe duda, en cambio, de que poseía un encanto personal un poco infantil y lógico en su edad de diecisiete años.

Como habrá observado el lector, en la ceremonia brillaba por su ausencia la reina Isabel II, y ello por dos razones: la primera porque no quería trato alguno con Montpensier, al que odiaba cordialmente. Bastante hizo con autorizar la boda de su hijo con María de las Mercedes; la segunda razón era que Cánovas había desaconsejado el viaje de la reina Isabel de París a Madrid.

María de las Mercedes no gozaba de buena salud. Su hermana Cristina se consumía lentamente debido a la tisis. La enfermedad que aquejó pronto a la joven reina.

La jornada de la reina era muy sencilla: se levantaba

1. González-Doria.

pronto y, después de oír misa, desayunaba, disponía el arreglo de las flores en las habitaciones, despachaba la correspondencia y, acompañada de sus cuñadas, se desplazaba a los barrios para hacer la caridad por sí misma. Pero, como dijo la infanta Eulalia en sus memorias, «aquella historia de amor era quizá demasiado bella para ser duradera. Su matrimonio fue una continua luna de miel».

Y es que no hubo tiempo para más; la reina, como su hermana, sufría de tisis. Se había casado el 23 de enero y el 18 de junio sufrió un fuerte ataque que la postró en el lecho. Cuatro días después los médicos de palacio decretaron que no había posibilidad de salvación.

La noticia causó gran sensación en Madrid. Los cortesanos llenaron el palacio real y el pueblo se acumulaba en la plaza de Oriente. Se instalaron unos libros de firmas para testimoniar a los reyes el sentimiento de todo el mundo y como decía un periódico de aquellos días: «El pueblo soberano, que no firmaba porque tal vez no sabía, hizo pública manifestación de afecto ocupando silencioso y apesadumbrado la plaza de Oriente. Así, clavando sus ojos en los balcones de palacio, firmaban según su peculiar modo de escritura.»

El día 24 cumple la reina Mercedes dieciocho años de edad. Es el día de su cumpleaños y recibe la extremaunción de manos del cardenal primado de España, quien le pregunta:

—¿Sentiría vuestra majestad dejar este mundo?

—Sí, eminencia, lo sentiría... sobre todo por Alfonso.

Los días 24 y 25 en el palacio real no se oía más que las oraciones de los presentes. El cardenal primado rezaba las preces de los agonizantes, que eran contestadas por todos.

El rey Alfonso llevaba cuarenta y ocho horas sin apartarse del lecho de la moribunda apretando entre sus manos las de su esposa.

A las doce y diez minutos del mediodía del 26 de junio dejaba de existir doña María de las Mercedes de Orleans y Borbón, que había sido reina de España ciento cincuenta y cuatro días.

Como dice un cronista, el rey lloraba como un niño; no quería, sin embargo, que nadie viese el dolor profundo de un monarca que era ante todo un hombre.

María de las Mercedes fue enterrada en el Panteón de Infantes en El Escorial. Allí reposan sus restos, pero en el corazón del pueblo su imagen se convirtió en romance.

¿Dónde vas, Alfonso XII?
¿Dónde vas, triste de ti?
Voy en busca de Mercedes,
que ayer tarde no la vi.

Tu Mercedes ya se ha muerto;
muerta está, que yo la vi;
cuatro duques la llevaban
por las calles de Madrid.

Su carita era de virgen;
sus manitas de marfil,
y el velo que la cubría
era un rico carmesí.

Los zapatos que llevaba
eran de rico charol;
se los regaló su madre
el día que se casó.

El manto que la envolvía
era rico terciopelo
y en letras de oro decía:
«Ha muerto cara de cielo.»

Los faroles de palacio
ya no quieren alumbrar,
porque Mercedes ha muerto
y luto quieren guardar.

Junto a las gradas del trono
una sombra negra vi:
cuanto más me retiraba,
más se aproximaba a mí.

No te retires, Alfonso;
no te retires de mí,
que soy tu esposa querida
y no me aparto de ti.

María Cristina de Habsburgo Lorena

La muerte de María Mercedes dejó anonadado al rey. Como Felipe II, quería retirarse a El Escorial y vivir allí al lado de los restos de su esposa. Sus ministros, y en primer lugar Cánovas, temieron por su vida acentuado el temor por el hecho de que le veían cada vez más delgado y más pálido. Pero la razón de Estado se impuso a toda otra consideración y Alfonso XII volvió a Madrid «a ganarse el sueldo», según su propia expresión.

Era joven, bien parecido y tenía los impulsos propios de su edad. Buscó aturdirse. Queriendo olvidar su dolor, frecuentó, en la medida en que se lo permitía el luto personal y oficial, conciertos y representaciones de ópera.

Es precisamente en la ópera donde encuentra un lenitivo para su dolorosa situación. Se llamaba Elena Sanz. Cantaba el *Trovador*, *Lucrecia Borgia*, *Aida* y especialmente era notable por su interpretación de *La favorita* de Donizzeti. Cuando la corte se enteró de las relaciones de la cantante con el rey, recordando la ópera en la que ella destacaba se la llamó «la Favorita».

Benito Perez Galdós la describe así: «Elena Sanz nació en Castellón de la Plana por los años de 1852 o 1853, y no doy más referencias de su progenie ni puntualizo la fecha de su nacimiento porque ello ni quita ni pone un ardite en el valor documental de esta verídica historia. Os diré tan sólo que a mediados del 63 ingresó con su hermanita Dolores en el colegio de las Niñas de Leganés, sito, como saben hasta los más indoctos, en la calle de la Reina, a mano derecha, bajando de la calle del Clavel a la de San Jorge.

»Acreditados autores dan a entender que la gentil Elenita y su hermana entraron a recibir educación en aquel benéfico instituto por los auspicios o voluntad expresa del representante del patronato, señor marqués de

Leganés, más conocido por los ilustres títulos de duque de Sesto y marqués de Alcañices. Cuestión es ésta que dejo al libre criterio de los lectores, limitándome a consignar que la nueva colegiala se distinguió por su belleza, por su aplicación al estudio y singularmente por su magnífica voz y extraordinarias aptitudes para la música y el canto. El maestro don Baltasar Sardoni, profesor del colegio en las clases de solfa, vaticinó a Elenita un porvenir brillante y provechoso si consagraba su florida juventud y su admirable órgano vocal a la ópera italiana.

»Todo Madrid sabe que en algunas tardes y noche de Semana Santa acude gran gentío al colegio de Niñas de Leganés para oír cantar a las educandas motetes, misereres y otras piezas religiosas propias de tales solemnidades. A fuer de historiador de indiscutible veracidad, aseguro que la voz angélica de Elena Sanz, sobreponiéndose a la de sus compañeras, subyugó al público, y que éste llevó de la iglesia a la calle, y de la calle a diferentes círculos y salones, el nombre de la precoz «niña de Leganés», que anunciaba la extraordinaria mujer de teatro en un porvenir próximo. También sostengo, sin temor a ser desmentido, que el año 66, cuando salió Elena del colegio, era una moza espléndida, admirablemente dotada por la Naturaleza en todo lo que atañe al recreo de los ojos, completando así lo que Dios le había dado para goce y encanto de los oídos. Muchas familias aristocráticas se la disputaban para gozar de su canto en reuniones y tertulias. Por fin, en alas de su incipiente nombradía, fue llamada a palacio por la reina Isabel, que la oyó, la celebró ofreciéndole su protección gallardamente, como siempre lo hizo, para que pudiera llegar pronto a las cumbres más excelsas del arte.

»Por conveniencia o por capricho, averígüelo Vargas, el historiador os anuncia que para seguir su relato dará un formidable salto en el tiempo, omitiendo no pocos episodios de la vida de Elena Sanz, que si para ella entrañan indudable importancia, no han de traer ningún hilo nuevo al sutil tejido de la historia presente. No tengo por qué decir, ni ello hace al caso, cómo fue Elena Sanz a Italia para perfeccionarse en el arte del canto; cómo se dio a conocer en los teatros de aquellos reinos, obteniendo ruidosos éxitos por su belleza y su arte; cómo recorrió triunfalmente varias capitales de Europa y América, y cómo, en fin, volvió a París el año 73, en la plenitud de su hermosura y de su talento musical. En uso del sagrado derecho de preterición me callo lo que importa poco a mis fines y me apresuro a consignar que uno de los primeros cuidados de Elenita en la capital de Francia fue visitar a su protectora y amiga la reina Isabel Basilewski...[1] Que doña Isabel II recibió a su amiga Elenita con la efusión más cariñosa no hay para qué decirlo. La convidó a comer; llevóla en su coche a los paseos por el Bois; y para que la oyeran cantar invitó en repetidas *soirées* a sus amigas, entre las cuales estaba la famosa soprano Ana de Lagrange, tan querida del público en Madrid. Aplaudida y celebrada pomposamente fue la Sanz en aquella linajuda sociedad. Todo esto es corriente y vulgarísimo. Lo que sigue no sólo es interesante, sino que pertenece al orden de cosas de indudable trascendencia en la vida de los pueblos... No reírse, caballeros...

»Ello fue que al ir Elenita a despedirse de su majestad, pues tenía que partir para Viena, donde se la había contratado por no sé que número de funciones, Isabel II, con aquella bondad efusiva y un tanto candorosa que fue siempre faceta principal de su carácter, le dijo: "¡Ay, hija, qué gusto me das! ¿Conque vas a Viena? ¡Cuánto me alegro! Pues mira, has de hacer una visita a mi hijo Alfonso, que está, como sabes, en el Colegio Teresiano. ¿Lo harás, hija mía?" La contestación de la gentil artista fácilmente se comprende: "Con mil amores visitaría a su alteza; no, no: a su majestad", que desde la abdicación de doña Isabel se tributaban al joven Alfonso honores de rey.

»Como testigo de la pintoresca escena, aseguro que la presencia de Elena Sanz en el Colegio Teresiano fue para ella un éxito infinitamente superior a cuantos había logrado en el teatro. Salió la diva de la sala de visitas para retirarse en el momento en que los escolares se solazaban en el patio, por ser la hora de recreo. Vestida con suprema elegancia, la belleza meridional de la insigne española produjo en la turbamulta de muchachos una impresión de estupor: quedáronse algunos admirándola en actitud de éxtasis; otros prorrumpieron en exclamacio-

1. Recuérdese que Isabel II vivía en el palacio Basilewski, bautizado por ella como palacio Castilla.

nes de asombro, de entusiasmo. La etiqueta no podía contenerlos. ¿Qué mujer era aquélla? ¿De dónde había salido tal divinidad? ¡Qué ojos de fuego, qué boca rebosante de gracias, qué tez, qué cuerpo, qué lozanas curvas, qué ademán señoril, qué voz melodiosa!

»En tanto, el joven Alfonso, pálido y confuso, no podía ocultar la profunda emoción que sentía frente a su hechicera compatriota... Partió la diva... Las bromas picantes y las felicitaciones ardorosas de los "teresianos" a su regio compañero quedaron en la mente del hijo de Isabel II como sensación dulcísima que jamás había de borrarse... Una de las primeras óperas que Elenita cantó en Viena fue *La Favorita*.»

Era Elena Sanz mujer alta y con las curvas acordes con el gusto de la época, sabía vestir bien y poseía, además de un buen talento musical, un corazón noble y leal que le llevaba a un elevado concepto de la caridad y de la abnegación. Natural es, pues, que al volverla a ver Alfonso XII sintiese renacer en su alma la impresión que le produjo cuando la conoció en Viena.

A todo esto, por la familia real y el gobierno español se buscaba una nueva princesa para ser la segunda esposa de Alfonso XII. Isabel II, que con relación al primer matrimonio del rey había dicho «que el matrimonio con la hija de Montpensier no puedo aprobarlo, no porque la muchacha no sea buena, sino porque no quiero nada de común con Montpensier, además por ser esto repugnante al país», hizo todo lo posible para que la elección de una nueva reina fuese de su agrado al mismo tiempo que lo fuese para el país.

Los embajadores de España en el extranjero comenzaron la búsqueda de la nueva reina. Pronto descubrieron una que reunía condiciones inmejorables y que en el orden internacional no producía complicaciones. Se trataba de María Cristina de Habsburgo Lorena, archiduquesa de Austria.

Había nacido el 21 de julio de 1858 en Groes-Sedowitc, en Moravia, y había recibido en la pila bautismal los nombres de María, Cristina, Felicidad y Deseada.

«Demostró desde sus primeros años su gran amor al estudio, al punto que sus padres la sometieron a las mismas severas disciplinas que aprendían sus hermanos, dedicados a la carrera militar.

»Como con todas las jóvenes archiduquesas de aquellos tiempos, sus progenitores abrigaban la esperanza de verla ocupar algún trono de los muchos que entonces subsistían en Europa.

»Discípula ejemplar, sus maestros admiraban su amor al trabajo, su rápida comprensión y su extraordinaria memoria.

»No cumplidos los doce años, conocía, además de los idiomas vernáculos del imperio, el italiano, el francés, el inglés y algo de español. Dedicada con fervor al estudio de las humanidades, no tardó en conocer los clásicos de la literatura, cuyo idioma dominaba. Su ilustración se completó aprendiendo materias en aquellos tiempos reservados a los varones, como la filosofía y las ciencias económicas.

»El estudio de la música constituía su mayor deleite, y lo acometía con verdadero empeño. Horas enteras pasaba ante el piano o acostumbrando a su garganta a hacer escalas. El tiempo que dedicaba a aprender a solas sus lecciones resultaba para ella el más grato: la soledad fue durante su vida su más amable compañera».[1]

A los dieciocho años el emperador Francisco José la nombró abadesa del Capítulo de Nobles Canonesas de Praga, institución muy especial porque ello no significaba pertenencia a ninguna orden religiosa. Se trataba simplemente de dar una residencia honorable a damas de la nobleza que, careciendo de bienes de fortuna, si no se casaban o entraban en religión, podían residir allí durante toda la vida.

«Se hallaban destinadas al Capítulo seis carrozas y dos palcos en el teatro Imperial. Estos detalles demuestran que tal institución estaba muy lejos de ser una orden monástica; sin embargo, por confundir las especies, cuando doña María Cristina fue elegida por esposa de Alfonso XII, se creyó que estaba preparándose para la vida monjil y que dejaba un convento para ocupar un trono.

»Las damas canonesas podían contraer matrimonio, y de no lograrlo continuaban de por vida en el Capítulo, y doncellas, salvo incidente imprevisto.

»En el breve tiempo que la futura regente desempeñó el cargo de abadesa, demostró notorias condiciones de

1. Conde de Romanones, *María Cristina de Habsburgo.*

275

mando. Unas veces enérgica, otras flexible, la comunidad, que se hallaba en abierta indisciplina, volvió a la obediencia, tarea no fácil de conseguir dada la condición de las damas, que amén de aristócratas —con dieciséis antepasados de sangre noble— estaban desprovistas de fortuna; agriadas por esto y con los nervios tensos, rechazaban de plano el principio de autoridad. Su tacto y discreción lograron domar aun las más indómitas.»[1]

La reina María Cristina, abuela de Alfonso XII, había fallecido el 22 de agosto de 1878 a los setenta y dos años de edad. Quedaba sólo, pues, Isabel II como única persona que podía influir en el ánimo del rey.

En una carta dirigida por Isabel II a su hija la infanta Paz decía: «Si la boda de Alfonso se hace con la archiduquesa María Cristina, yo iré al casamiento, aunque me vuelva después aquí, donde tengo tranquilidad, hijita mía, aunque os echo mucho de menos; pero como vosotras, más tarde o más temprano, con la ayuda de Dios, os habéis de ir casando, me será más fácil pasar temporadas con vosotras, hijitas de mi corazón... Tengo un retrato de la archiduquesa María Cristina, el último que le han hecho, y que Alfonso aún no tiene, escotada y vestida y peinada a la moda; está preciosísima. Tiene los ojos negros e inteligentes, como su hermana Dada (se refiere a la archiduquesa Teresa, así llamada familiarmente), la princesa casada con el príncipe Luis de Baviera. Los dientes, preciosos, según dicen; un cuerpo también precioso y unas manos de modelo. Dicen que la archiduquesa tiene corazón, mucho talento y que es muy afable. Dile a Alfonso que si quiere el retrato que yo tengo, que se lo enviaré, aunque me lo han dado para mí; pero creo que la persona que me lo ha mandado estará encantada si Alfonso lo tiene; pregúntale si lo quiere; yo quiero lo mejor para él y deseo esta boda...»

Este entusiasmo por la belleza de María Cristina contrasta con el retrato que el embajador español en Viena Augusto Comte traza en sus memorias: «Era indispensable que la futura reina fuese tal físicamente que agradara a su joven esposo y prometiese una sucesión de príncipes sanos y robustos, y era todavía más necesario que fuese no sólo virtuosa, a fin de contribuir a la felicidad

1. Conde de Romanones.

del rey y al prestigio de la corona, sino también prudente y discreta para no comprometerla, como otras soberanas, con veleidades de una política personal y autoritaria. Acerca de lo primero quedé, desde luego, satisfecho, pues si bien no podía decirse que la archiduquesa ofreciera el tipo de una hermosura completa, poseía todo lo necesario para resultar una joven muy agradable. Añádase que la nobleza de su estirpe era apreciable en toda su persona. Con esto, un aire de buena y amable, cual se requieren para la dicha doméstica, y un tacto muy superior a sus años.»

Alfonso XII no se fiaba de retratos y quiso conocer personalmente a la archiduquesa. A él le gustaban las mujeres rellenitas o algo más y se cuenta que una dama de la corte dijo a otra hermosa y delgada que perseguía a don Alfonso:

—No te canses, nada conseguirás, porque sólo le gustan las bien metidas en carnes y las castizas y le importa poco que se vistan o no en los modistas de París.

Se combinó que, para conocerse personalmente, los dos interesados se encontrasen en Arcachon y allí marchó el rey acompañado del marqués de Alcañices. María Cristina iba acompañada de su madre la archiduquesa Isabel, de gran belleza y de tipo que hubiese hecho las delicias de Rubens. Parece ser que el rey dijo antes del viaje: «Si no me gusta no me caso», y lo propio había dicho por su parte María Cristina.

En lugar preferente del salón en que María Cristina y su madre aguardaban al rey, sobre un piano, había un retrato de la reina Mercedes que llamó la atención del soberano, el cual se emocionó cuando María Cristina le dijo tímidamente:

—Señor, mi mayor deseo es ser semejante a ella. Pero no me atrevo a asegurar que pueda nunca reemplazarla.

No se podía pedir más delicadeza ni más señorío. El detalle emocionó al rey.

Se decidió entonces la boda prevista. María Cristina abraza ilusionada a su madre comentando lo guapo que es el rey. Por su parte Alfonso, más realista, le dice al marqués de Alcañices, que durante el viaje de vuelta elogia sin cesar a la que será la futura reina:

—No te esfuerces en quedar bien, Pepe, a mí tampoco

me ha parecido muy guapa, pero la que está estupenda es mi suegra.

A finales de agosto el diario oficial vienés publicaba: «Su majestad el rey de España, durante su altísima presencia en Arcachon, ha solicitado la mano de la Serenísima Señora Archiduquesa María Cristina, hija de su alteza imperial y real el archiduque Carlos Fernando, ya fallecido, y de la serenísima señora archiduquesa Isabel. Con el previo asentimiento de su majestad imperial y real apostólica, en concepto de jefe de la familia imperial, la serenísima señora archiduquesa María Cristina ha aceptado gustosa dicha pretensión. El enlace que tendrá lugar llenará ciertamente de la más viva alegría y satisfacción no solamente a ambas casas soberanas, sino a los pueblos de los dos reinos interesados.»

La boda se celebró en Madrid el 29 de noviembre de 1879 con todo el esplendor que requería el acontecimiento. En el periódico *El Imparcial* se leía una crónica de Rafael Gasset en el que hacía un retrato de la nueva reina: «Los rizosos cabellos rubios constituían tocados de sencillez y de gusto; los ojos penetrantes y entornados para mirar mejor; los dientes de irreprochable blancura y perfecta alineación, lucidos en casi continua y no estudiada sonrisa; el busto esbeltísimo y de proporciones absolutamente equilibradas; el traje, adornado sólo de un sello de distinción que los hombres no sabemos definir, pero sí apreciar; las joyas, pocas en número, brillantísimas y distribuidas con singular acierto; el cuerpo erguido, algo inclinado hacia atrás; el andar menudo y presuroso..., formaba todo un conjunto armónico, encantador y de suprema elegancia que inspiraba intensa simpatía y aquella culta admiración que experimentamos ante una obra artística de primoroso gusto.»

El matrimonio no apartó a Alfonso XII de sus relaciones con Elena Sanz, que le dio un hijo, bautizado con el nombre de Fernando e inscrito en el registro civil con los apellidos de la madre.

Por cierto que uno de los festejos programados consistía en una representación de gran gala en el teatro Real. Se había previsto que se representase la ópera *La favorita* pero, por razones obvias, se cambió por *Los hugonotes*, que cantó Gayarre.

Otro de los festejos programados fue una corrida de

toros que no gustó a la reina, quien se abstuvo en adelante de asistir a ninguna corrida mientras le era posible y se dice que alguna vez que asistió no miraba jamás al ruedo.

La existencia de la «Favorita» fue conocida pronto por la reina, pues no faltó la habitual «alma caritativa» que se lo comunicase. «La reina asistía todas las noches a la función del Real. Se necesitaría la pluma de un Stendhal para describir el combate silencioso que se libraba a diario en el palco regio, lucha ante todo de la mujer consigo mismo, la más dura que puede mantenerse; nada se traslucía al exterior, porque los celos suponen conceder cierta beligerancia a la amante, y esto no lo podía otorgar la Soberana. Con ímprobo esfuerzo sujetaba las lágrimas y se mantenía serena e indiferente; de tal modo lograba su propósito, que nadie percibía en su rostro cuanto acontecía en el fondo de su alma. Se daba cabal cuenta de la existencia de su desdicha, pues, además de lo que sus ojos veían, a menudo llegaban a sus manos anónimos reveladores de los más íntimos detalles y llegaban por caminos insospechados; un libro podría escribirse sobre los anónimos en palacio; entonces, después y hasta la última hora no dejaron de encontrarse sobre la mesa de los reyes.

»A pesar de todos sus esfuerzos, la gota de agua hizo rebosar el vaso de su paciencia y juzgó imposible seguir tolerando a "la Favorita". Expuso resueltamente sus quejas ante su marido, que, espíritu muy comprensivo, se allanó a su demanda, y "la Favorita" se ausentó, pasando la frontera, para residir en la capital de Francia. Este triunfo fue debido a la oportunidad con que planteó el pleito; los amores exclusivamente sensuales caminan describiendo una curva fatal: quererlos atajar en el primer momento es imposible; en cambio, cuando ha comenzado el descenso, vencer la resistencia es fácil.»[1]

La reina quedó pronto embarazada. Diez meses después de su matrimonio, el 11 de setiembre de 1880, dio a luz a una niña. Tuvo la delicadeza de pedir a su esposo que se la bautizase con el nombre de María Mercedes en memoria de la que había sido primera esposa del rey.

El rey se había casado por razones políticas y no sin-

1. Conde de Romanones.

tió jamás el entusiasmo amoroso que solidifica una unión matrimonial. El carácter reservado y rígido de la reina no se avenía con el del rey, ni tampoco sus aficiones artísticas y culturales coincidían con las de su esposo.

El rey aprovechaba el deficiente conocimiento que del castellano tenía la reina para enseñarle palabras y giros populares y aun chulescos. Así, un día, cuando Cánovas le preguntó por su salud contestó:

—¡Estoy al pelo!

Con el mismo Cánovas tuvo lugar el siguiente diálogo en el que la reina hacía alusión a una intervención del estadista en el Congreso de los Diputados:

—Señor presidente, ya sé que estuvo usted ayer tarde en el Congreso hecho un barbián.

—Señora —contestó Cánovas—, muchas gracias; pero el barbián ha sido quien ha dado la referencia a vuestra majestad.

El nacimiento de su primera hija desilusionó a la Corte, que esperaba un príncipe heredero. Poco después Elena Sanz dio a luz otro varón.

Ausente esta artista de Madrid, fue sustituida en el corazón del rey por otra cantante. En aquel tiempo las cantantes de ópera representaban el papel que hoy desarrollan las artistas cinematográficas.

Era una contralto llamada Adela Borghi y era conocida con el nombre de «la Biondina» por su cabellera rubia desde su aparición como el paje Urbano en *Los hugonotes*. Esta vez don Alfonso parece ser que se enamoró de verdad.

«Cuantos esfuerzos realizó la reina para alejarla de Madrid resultaron inútiles: se trataba de un caso de más completa captura que el de "la Favorita". Al aparecer en el escenario el paje Urbano, las miradas del público se concentraban en el palco regio, y era allí donde se desarrollaba un drama sin música, más conmovedor que el que hacía exclamar, en desgarrador apóstrofe, a Massini, el célebre *¡Oh!, terrible momento.*

»A tal punto llegaron los comentarios, que Cánovas resolvió expulsarla de Madrid; resistió enérgica «la Biondina», insistió el presidente del Consejo, que obligó al gobernador, Elduayen, de carácter nada suave, a que cumpliese por sí mismo la consigna; y la cumplió, llevándola en su coche y metiéndola en el expreso que salía para Francia. Desde entonces, Elduayen dejó de ser persona grata para el rey; y como, a poco, Cánovas se viera precisado a rehacer el Ministerio al llevar la lista del nuevo gobierno, donde figuraba en primer lugar el antiguo gobernador, el rey tachó su nombre; pero Cánovas no consintió este sacrificio, declarando que la responsabilidad de lo sucedido le correspondía por completo a él sólo, y afirmando que Elduayen sería ministro o él dejaría de ser presidente. Don Alfonso al fin cedió en su resistencia, no sin exclamar: "Al que no quiere caldo, taza y media..."

»Dos años después, el paje Urbano volvió a pisar las tablas del Real, y el idilio continuó febril hasta la muerte del rey.

»La infanta doña Isabel, muy inteligente y conocedora del mundo, siempre dispuesta al mejor servicio del trono y de su patria, desde el primer momento protegió a su cuñada. Era la única que lograba calmarla cuando la desesperación se apoderaba de su ánimo, y fue quien informó a Cánovas de un amago de fuga de la reina, impulsada por las relaciones, cada vez más públicas, de su marido con Adela Borghi, episodio de trascendencia incalculable de haberse llevado a cabo y que se evitó gracias a la intervención del embajador de Italia, conde de Groppi, que murió centenario en Roma mucho tiempo después.»[1]

Alfonso XII estaba enfermo. Era la terrible tuberculosis la que minaba la salud del rey. Entretanto, la reina había dado a luz su segunda hija, la infanta María Teresa, con una nueva decepción para la familia real. A María Cristina le mortificaba el hecho tanto más cuanto el rey había tenido dos hijos, Fernando y Alfonso, con Elena Sanz.

El rey se trasladó al palacio del Pardo buscando aire puro para sus maltrechos pulmones. María Cristina cada mañana y cada tarde se trasladaba desde el palacio real en donde residía hasta El Pardo. Unos diez kilómetros que recorría en coche de mulas.

El rey se daba cuenta de ello y más de una vez cuando, tal vez para darle alientos, le decían que había de ser el árbitro de la sucesión en el gobierno de los partidos políticos, exclamaba:

1. Conde de Romanones.

—Bueno estoy para ser árbitro de nada.

El 24 de noviembre María Cristina hizo el sacrificio de asistir a la función del teatro Real sabiendo que su marido se estaba muriendo, obligada por el gobierno, que quería que nadie se percatara de la gravedad de la situación.

Cuando terminó la ópera la reina, que había recibido una noticia diciendo que Alfonso XII no pasaría de la madrugada, montó en su coche y se hizo conducir rápidamente al Pardo. Cuando entró en la habitación del rey, éste acababa de expirar.

La reina estaba embarazada, así se lo había comunicado a Cánovas poco tiempo antes. El gran estadista, que había sido el alma del retorno de los Borbones a España, pálido, casi tanto como el difunto rey, no vaciló un momento en recordar quién era y acercándose a la reina, que permanecía de rodillas, le musitó al oído:

—¡Señora!

María Cristina, como despertando de una pesadilla, replicó inquieta:

—¿Qué me quiere?

—Señora. Me veo obligado a pedirle que me escuche un instante —dijo Cánovas.

En tono desabrido y con una mirada repleta de lágrimas y miopía, la reina le rechazó.

—No estoy para nada; absolutamente para nada.

Con voz suave, desconocida en el tono de Cánovas, volvió a insistir:

—Señora. No se puede perder un momento; hay que cumplir la Constitución.

La egregia viuda, haciendo un esfuerzo, besó de nuevo las manos del esposo muerto y se puso en pie. Se dirigió, majestuosa, al presidente del Consejo de Ministros y le dijo:

—¿Qué tengo que hacer?

—Señora: Vuestra majestad, en virtud de la Constitución, es ya la encargada de regir los destinos de España y yo estoy obligado a cesar en mis funciones, presentándole la dimisión de todo el gobierno.

—¡Está bien! Extiéndame el decreto.

«... con arreglo al artículo 72 de la Constitución, todos los actos del reino se publicarán en adelante en mi nombre, como regente del reino, durante la menor edad del príncipe o princesa que deba legalmente suceder al trono a mi difunto esposo (q.D.g.), según el artículo 60 de la Constitución.»

¿Estuvo María Cristina enamorada de su esposo? Sin duda alguna el casamiento fue realizado por razón de Estado. El rey respetaba a su esposa y la admiraba, pero fue inevitable el choque debido a la diferencia de cultura y a la disparidad de caracteres. María Cristina, educada en el rígido ambiente habsbúrguico, no era precisamente la mujer adecuada para un rey extravertido, chistoso y jaranero. La reina, profundamente religiosa aunque sin beatería, aceptó la situación dando siempre muestras de una gran dignidad. Sin duda sufría con la conducta de su marido, pero jamás dejó que se trasluciese su enojo salvo en la ocasión ya mencionada.

Cerró para siempre su piano en el que tan a gusto interpretaba a Chopin, no volvió a cantar los *lieder* de Schubert, a los que tan aficionada era. Cerró salones, renovó parte del personal e instaló en palacio una etiqueta heredada de la corte austríaca de la que sólo se evadía con algunas damas de su intimidad. La corte la empezó a llamar «doña Virtudes», que más que un mote es un elogio. El palacio real se revistió de una seriedad y un empaque como no se había visto desde hacía siglo y medio.

Se levantaba a las siete de la mañana, oía misa y despachaba a diario con los ministros, que se presentaban de dos en dos según los días, lo que tendía a evitar que la conversación rebasara los límites de los asuntos propios de cada departamento y que cada ministro resultara fiscal del otro. «La regente no firmaba como en barbecho, ni mucho menos; se detenía en cada uno de los decretos; pedía explicaciones, y si se referían a nombramientos, antes de estampar la firma preguntaba: "¿quién es éste?", y la pregunta no faltaba, sobre todo cuando personas ajenas al gobierno le habían prevenido tendenciosamente dándole detalles de la historia del propuesto; ahincaba en su demanda cuando no le satisfacía la contestación dada por el ministro; la mayor parte de las veces acababa por firmar, dando la sensación que lo hacía sometiéndose a las exigencias de la realidad.

»Muy refractaria a la concesión de honores, títulos y condecoraciones, el período de su mando se distingue por una rara austeridad en su otorgamiento. Cuando se trataba de esta clase de decretos, la firma caminaba despacio.

»Una vez, a punto de firmar la concesión de una gran cruz de Isabel la Católica, exclamó: "¿Qué hechos de notorio relieve y dignos de recompensa ha realizado en su vida?" Sagasta, rápido, contestó: "No recuerdo si los llevara o no a cabo; pero sí respondo a V. M. que no hizo nunca mal a nadie, y esto no se puede decir de todos; premiémosle por su bondad."[1]

El 17 de mayo de 1886, la reina regente daba a luz un varón. El jefe del gobierno salió a anunciarlo a los cortesanos que se hallaban reunidos en palacio.

—¿Es infante o infanta? —le preguntaron.

—Es el rey.

Y, en efecto, es el único caso que yo recuerde en que un rey lo es desde el momento de nacer.[2]

A lo lejos sonaron los veintiún cañonazos que anunciaban al pueblo de Madrid el nacimiento de un varón.

Empezaba para María Cristina la regencia en nombre de su hijo, que duraría hasta que éste fuese nombrado mayor de edad. Creo que el mejor comentario que se le puede hacer a María Cristina es el subtítulo de la obra del conde de Romanones tantas veces citada: *La discreta regente de España*. Realmente se necesitaba mucha discreción y tacto para regir España en aquellos momentos, pero María Cristina lo hizo de tal forma que consiguió mostrar a su hijo un ejemplo de equilibrio, moderación y tacto.

Como dice Juan Balansó: «Es de justicia reconocer que María Cristina de Austria ha ganado honroso puesto en la Historia: supo cumplir un arduo deber en circunstancias verdaderamente dolorosas y difíciles; supo conservar a su hijo un trono atacado por el huracán de las convulsiones de la época y supo legar a la posteridad el ejemplo de su vida privada irreprochable. Como que cuando algún adversario resentido pretendió buscar un epíteto para injuriarla, no encontró otro que "doña Virtudes", y el mismo Castelar —antiguo presidente de la

---

1. Conde de Romanones.
2. Hubo un rey en Inglaterra, pero me parece que no llegó a reinar.

República— dijo en cierta ocasión: "En la calle debe uno descubrirse hasta los pies cuando se encuentra al Santísimo o a la reina regente."

»Los tres primeros años de la regencia constituyen su edad de oro. Fueron los únicos en que doña María Cristina se sintió satisfecha al considerar que comenzaba a adentrarse en el corazón de España, ganando la voluntad del pueblo.

»Después surgieron los primeros chispazos de las guerras coloniales, y tras de ello ya todo fue preocupación y negrura.

»Señala el apogeo de este período la Exposición Universal de Barcelona (1888), donde recibió la regente no sólo fervorosas demostraciones de entusiasmo de los catalanes, sino también el homenaje rendido por los principales Estados de Europa, que enviaron a nuestras aguas sus barcos para saludarla. Italia, Francia, Inglaterra, Austria, Holanda, Portugal y otros, y a bordo de algunos de ellos, príncipes de las familias reinantes. En la serie de brillantes fiestas que se sucedieron, sólo hubo una nota discordante: el mensaje entregado por los regionalistas elevando a la reina sus reivindicaciones más sustanciales; entonces estas peticiones de Cataluña se consideraban en Madrid cosa nefanda.»[1]

El 8 de agosto de 1897 se comunicaba a María Cristina que en el balneario de Santa Águeda, de la provincia de Guipúzcoa, acababa de ser asesinado Cánovas del Castillo por un anarquista italiano. Algunas veces la reina regente y Cánovas habían chocado. Eran dos caracteres fuertes, pero siempre había habido entre los dos el reconocimiento de su respectiva valía.

La regente envió a la viuda de Cánovas una carta: «Afectada, desolada por la horrible desgracia, no encuentro palabras con que expresar mi dolor. Quisiera enviarle consuelo y sólo sé llorar con usted al ser que ha perdido y que tanto la amaba... Yo también he perdido mucho: al consejero leal que tanto me ayudaba y de quien necesitaba tanto... Los servicios eminentes que prestó a mi esposo, Alfonso XII, hacíanle objeto de todos mis respetos, y además le unían conmigo nuevos valiosísimos sacrificios por el trono... La patria, el país, la His-

1. Conde de Romanones.

toria le harán justicia, y yo conservaré siempre, por su memoria, inmensa gratitud. Mis hijos únense a mí en este duelo de la corona y de la nación. Todas nuestras oraciones son para él, y el cielo quiera concederle la resignación necesaria.»

Un año después ocurría el desastre. La escuadra española era derrotada en Santiago y Cavite, y mientras el pueblo madrileño, inconsciente y jaranero, llenaba la plaza de toros, María Cristina se encerró en sus habitaciones para llorar a solas la pérdida de los últimos jirones de aquel imperio en donde no se ponía el sol.

Más recoleta que nunca fue su vida. Los actos cortesanos que se celebraban eran pocos y la reina regente asistía a ellos rodeada de sus damas de honor, la mayor parte de ellas ancianas y decrépitas.

Se cuenta que un día, en la festividad del Corpus Christi, un hombre del pueblo que presenciaba la corta procesión que se hacía por el patio de la Armería, dijo en voz alta:

—¡Qué feas son las damas de honor!

A lo que la condesa de Puñoenrostro, que era una de ellas, contestó:

—Y mucho que lo sentimos.

También fue muy comentada en Madrid la respuesta que dio un embajador del imperio otomano[1] a quien los periodistas le preguntaron qué le había parecido el palacio real.

—Todo me ha parecido estupendo y muy suntuoso. El joven rey Alfonso XIII, muy simpático, pero su harén deja mucho que desear.

El 17 de mayo de 1902 cumplía el rey dieciséis años, con lo que entraba en la mayoría de edad fijada para los monarcas en la Constitución. Unas semanas antes, la reina regente había querido que su hijo asistiese como oyente a los dos últimos consejos de ministros que todavía ella presidía.

El 16 de mayo, la reina se despidió del poder dando lectura al siguiente documento:

«Al terminar hoy la regencia a que fui llamada por la Constitución en momentos de profunda tristeza y viudez inesperada, siento en lo íntimo de mi alma la necesidad

---

1. Otras versiones dicen que del rey de Marruecos.

de expresar al pueblo español la inmensa e inalterable gratitud que en él dejan las muestras de efecto y adhesión que he recibido de todas las clases sociales. Si entonces presentí que sin la lealtad y la confianza del pueblo no me sería dado cumplir mi difícil misión, ahora, al dirigir la vista a este período, el más largo de todas las regencias españolas, y al recordar las amargas pruebas que durante él nos ha deparado la Providencia, aprecio aquellas virtudes en toda su magnitud, afirmando que, gracias a ellas, la nación ha podido atravesar tan profundas crisis en condiciones que auguran para lo futuro una época de bienhechora tranquilidad. Por eso, al entregar al rey Alfonso XIII los poderes que en su nombre he ejercido, confío en que los españoles todos, agrupándose en torno suyo, le inspirarán la confianza y la fortaleza necesarias para realizar las esperanzas que en él se cifran. Ésa será la recompensa más completa de una madre que, habiendo consagrado su vida al cumplimiento de sus deberes, pide a Dios proteja a su hijo para que, emulando las glorias de sus antepasados, logre dar la paz y la prosperidad al noble pueblo que mañana empezará a regir. Ruego a usted, señor presidente, haga llegar a todos los españoles esta sincera expresión de mi profundo agradecimiento y de los fervientes votos que hago por la felicidad de nuestra amada patria. María Cristina.»

Terminada la jura de la Constitución por el rey Alfonso, éste firmó su primer decreto:

«Queriendo dar a mi augusta madre un testimonio de entrañable afecto, al par que del afecto y gratitud con que la noble nación regida por ella durante dieciseis años guardará memoria de sus grandes servicios y virtudes y especialmente de la fidelidad con que acertó las tradiciones de mi malogrado Padre, el rey don Alfonso XII, en la alta empresa de mantener estrechamente unidos los anhelos del pueblo con los ideales del trono.

»Vengo en disponer que, durante toda su vida, conserve el rango, honores y preeminencias de reina consorte reinante, ocupando por lo tanto, en los actos y ceremonias oficiales, el mismo puesto que hasta hoy, o el inmediato siguiente al de la que fuera mi esposa, caso de que yo contrajera matrimonio.

»Dado en palacio, a dieciséis de mayo de mil novecientos dos. Alfonso. El presidente del Consejo de Ministros, Práxedes Mateo Sagasta.»

Desde entonces María Cristina se recluyó en sus habitaciones. Había abandonado las que ocupaba cuando era reina regente y se trasladó a las que habían sido destinadas a las infantas. Vivía acompañada de sus recuerdos. El de su esposo Alfonso XII en primer lugar. El de Isabel II, su suegra, con la que no había llegado nunca a congeniar, pues el carácter serio y austero de los Habsburgo no se avenía con la campechanía de los Borbones. Isabel II, que hacía frecuentes viajes a Madrid, desde su residencia en París, para visitar a su nieto, al que adoraba, había hecho las paces con su marido Francisco de Asís, que murió en 1902; ella duró un par de años más. Tenía casi setenta y cuatro y se había convertido en una anciana rosada y apacible, aunque en sus ojos le bailaban todavía unas chispas de su legendaria picardía.

Trasladaron su cuerpo, yerto, a España, y el nada monárquico Pérez Galdós compuso su epitafio literario escribiendo que «en realidad el pueblo la amó de veras, así en los tiempos felices como en los desgraciados. La quiso en la niñez, en la juventud, en todo su reinado, sin que los errores de ella amenguaran este afecto; la quiso cuando la vio tambaleándose al borde del abismo; la quiso también caída, y todo se lo disculpaba con una garbosa indulgencia como entre iguales. En contrapartida, tampoco hubo pueblo alguno a quien su soberano llevase más estampado en las telas del corazón».

María Cristina, que durante su regencia había modernizado el palacio real haciendo instalar luz eléctrica, entre otras cosas, se encontraba más a su gusto en San Sebastián o en el palacio de la Magdalena, en Santander, que hizo construir su hijo Alfonso XIII. Durante sus estancias en estos Reales Sitios hacía frecuentes visitas a los pueblos de los alrededores. Hay una anécdota muy reveladora de su sentido saber hacer y discreción. Visitaba un día un pueblo cercano a San Sebastián y «enterado el alcalde, se presentó a cumplimentarla. Era un viejo carlista, que se mostró atento y respetuoso. Al cabo de un rato de conversación con él, la reina le preguntó:

»—¿A qué partido pertenece usted, señor alcalde?

»El alcalde, un poco sorprendido, pero muy sereno, respondió:

»—Yo, ante la reina, no pertenezco a otro partido que al judicial de Tolosa.

»—Muchas gracias —contestó María Cristina—. Si poseyera los poderes de Felipe II para nombrar alcaldes perpetuos, como el de Zalamea, usted lo sería porque, además de buen administrador, es un modelo de cortesía.»[1]

Durante la guerra de 1914-1918 ayudó en lo que pudo a los esfuerzos de Alfonso XIII en ayudar a los heridos y prisioneros. Como buena austríaca, era partidaria de los imperios centrales, con lo que chocaba con su nuera Victoria Eugenia, que como buena inglesa era partidaria de los aliados.

Con acentos casi hagiográficos, dice Cortés Cavanillas: «Veintisiete años de silencio y de martirio, con escasísimos intervalos de felicidad, completaron la vida, excepcionalmente perfecta en lo humano, de la sublime madre de Alfonso XIII. La escala de todos los dolores y de todas las amarguras tuvo reflejos de agudísimo sufrimiento en su alma y en su corazón. Hasta el chantaje le mordió durante una temporada por medio de los hijos de Elena Sanz, que le sacaron mucho dinero, y culminó su tristeza en este asunto, ya reinando su hijo, al promoverse un pleito en la Audiencia de Madrid, con aire de escándalo, y teniendo que declarar en un asunto tan íntimo y tan doloroso como el de las relaciones de Alfonso XII con la famosa cantante.»[2]

Conservó la lucidez hasta el final de su vida. El 5 de febrero de 1929 había asistido con los reyes y los infantes a una función benéfica a beneficio de la Cruz Roja, que se celebró por la tarde en el teatro de la Zarzuela. Después de cenar en palacio, se proyectó una película que terminó a las doce y veinte. Pocos minutos más tarde, mientras rezaba las oraciones, una angina de pecho la derribó definitivamente.

A la mañana siguiente llegaban en visita oficial a Madrid los reyes de Dinamarca y lo que había de ser una alegre visita se convirtió en un homenaje de pésame. Sus restos fueron enterrados en el monasterio de El Escorial.

1. Cortés Cavanillas.
2. Íd.

Victoria Eugenia de Battenberg

Nació el 24 de octubre de 1887. Fue hija de la princesa Beatriz, hija a su vez de la reina Victoria. «Fue un parto difícil. La reina anotó en su diario que "estuve levantada toda la noche, con mi pobre Beatriz, que estaba muy mal". Sólo la dejó por la tarde cuando, después de "un tiempo terriblemente largo la criatura apareció para nuestra gran alegría y alivio, una niña grande y bonita, pero que casi había muerto al nacer". Si esa criatura hubiese nacido muerta, España hubiera tenido una historia muy diferente y quizá mucho más feliz. Su casa real no habría heredado la maldición de la mortífera enfermedad que iba a envenenar la sangre de los Borbones de España y destruir el amor entre la reina Victoria Eugenia y su marido. Pero, por suerte o desdicha para los de cada generación, el futuro no puede preverse y en ese día histórico en Balmoral hubo servicios religiosos de agradecimiento y alegría.»[1]

Se la bautizó con los nombres de Victoria, en honor de la reina británica, Eugenia, como la madrina, la emperatriz Eugenia de Montijo, Julia, nombre de la abuela paterna, y Ena, nombre escocés para señalar el hecho de que era el primer nacimiento regio ocurrido en Escocia desde el de Carlos I, el año 1600.

Fue educada bajo la férula de la reina Victoria, de ideas anticuadas, que no dejó nunca de recordar a sus nietos que eran príncipes. El mismo autor antes citado cuenta que una noche una de las primas de Victoria Eugenia dijo:

—Creo que es hora de ir a la cama.

La reina levantó una mirada aterradora y dijo:

—Jovencita, una princesa debe decir «creo que ya es hora de retirarme».

1. Gerard Noel, *Victoria Eugenia. Reina de España.*

Esto es sólo un detalle, pero muchos como éste forman un carácter, carácter que luego chocó con la espontaneidad y el sentido de lo popular que tenía el que luego fue su marido, Alfonso XIII.

La etiqueta en la corte inglesa era tal que «una vez, en Osborne, cuando Victoria Eugenia tenía unos ocho años, el príncipe de Gales, que ya tenía más de cincuenta, procuró escabullirse y entrar sin ser visto una vez que se demoró para la hora del almuerzo. La reina lo despidió como si fuera un niño de diez años y no le permitió almorzar».

Pasaron los años, Victoria Eugenia llegó a ser una muchacha de impresionante belleza, pero nada hacía pensar que llegaría a ser reina de España.

El 5 de junio de 1905, Alfonso XIII visitaba Inglaterra. En Madrid se hacían cábalas sobre quién sería la futura esposa del rey. Se habló de una princesa alemana, otra austríaca, otra italiana, pero los rumores apuntaban con más intensidad hacia una princesa inglesa. Los pesimistas, que eran muchos, auguraban que de Inglaterra no podía venir a España cosa buena y recordaban el absurdo matrimonio de Felipe II con María Tudor. Se hablaba mucho de la princesa Patricia, segunda hija de Arturo, hermano del rey Eduardo VII.

Por aquel entonces, Alfonso XIII había comprado un nuevo yate y decía que a su regreso le daría el nombre de su futura esposa. De todos modos hacía constar que se casaría siempre por amor y no por razón de Estado.

En un banquete que se le dio en el palacio de Buckingham, Alfonso se fijó en una muchacha rubia de deslumbrante belleza y cuando pudo preguntó a una de las princesas:

—¿Quién es esta muchacha tan rubia?

Le dijeron que era la princesa Victoria Eugenia de Battenberg.

Fue un amor a primera vista. Ella tenía dieciocho años y lo menos que pensaba es que el rey de España pudiera fijarse en ella. Pero se fijó.

Aunque, al parecer, la elección ya estaba hecha, el rey viajó por las cortes centroeuropeas para conocer a las diversas princesas que habían sido presentadas. Es curioso notar que entre ellas figuraba Victoria Luisa de Prusia, hija del káiser Guillermo II, madre de la reina Federica de Grecia y abuela materna, por lo tanto, de la reina Sofía de España, y Luisa de Orleans, hija de los condes de París, madre de la condesa de Barcelona, y por ello abuela materna del rey Juan Carlos.

La curiosidad de los cortesanos se vio defraudada por el hecho de que, al volver a España, don Alfonso bautizase a su yate con un punto de interrogación.

A la reina María Cristina no le hizo gracia la elección de su hijo, pues quería para él una princesa austríaca, y menos gracia le hizo cuando supo que era protestante y que en su familia figuraba la hemofilia como enfermedad familiar. Fernando González-Doria, en su interesante libro tantas veces citado, hace un estudio muy documentado por el cual se desprende que la hemofilia no procede de la casa de Hesse, sino que tal vez es de origen español, localizada en la España del siglo XIII.

El rey británico y su hermana la princesa Beatriz advirtieron a don Alfonso que era posible que Victoria Eugenia transmitiese a alguno de sus hijos varones la tan temida hemofilia. Lo mismo hizo el ministro de Asuntos Exteriores inglés, que comunicó a su homólogo español, marqués de Villa-Urrutia, la posibilidad anotada.

Esto, unido a que los antepasados de Victoria Eugenia no fuesen de rancia nobleza, hacía que María Cristina se opusiese, como hemos dicho, a las ilusiones de su hijo. Pero todo fue inútil; Alfonso XIII, locamente enamorado de Ena de Battenberg, se negó a admitir que la elegida de su corazón pudiese tener algún defecto y confiaba, por otra parte, en su buena suerte, pues no siempre la hemofilia se transmite.

El 6 de enero de 1906, Alfonso XIII se presentó en Biarritz, en donde estaba Victoria Eugenia acompañada de su madre la princesa Beatriz. Allí don Alfonso pidió a su futura suegra la mano de su hija, que le fue concedida en el acto, ya que se contaba con la autorización del rey Eduardo VII. Por la noche el rey envía un telegrama a su madre: «Me he comprometido con Ena. Abrazos. Alfonso.»

Unos días después, Victoria Eugenia entraba por primera vez en España. En San Sebastián conoció a la reina María Cristina. «Se ha dicho que desde el primer momento la reina María Cristina y la princesa Victoria

Eugenia se hicieron amigas sinceras. Pero la afirmación debe ser reconsiderada. Como ya hemos dicho, la reina madre de España se había opuesto con fuerza a la elección de una princesa inglesa para novia de su hijo. En modo alguno estaba reconciliada con la idea del casamiento cuando conoció a su futura nuera, aunque su comportamiento fue muy correcto y dio la bienvenida a Victoria Eugenia, quien, aunque poco exuberante, se mostró lo suficiente cortés. María Cristina era, en el mejor de los casos, una mujer a la cual le faltaba calor. Había salido del convento, en el que había sido abadesa, para casarse con el padre de Alfonso, y algo de la reverenda superiora tocada a la antigua, digna, austera e imponente, no la abandonó jamás. Adoraba a su hijo que, a su vez, la había convertido en un ídolo. Que los tres iban a tener que vivir bajo el mismo techo, en intimidad diaria durante más de veinte años, era algo que hubiera alarmado a Victoria Eugenia en caso de darse cuenta de todo lo que ello implicaba, en el momento del primer encuentro.»[1]

El 5 de marzo de 1906, en la capilla privada del palacio de Miramar de San Sebastián, Victoria Eugenia pasaba del protestantismo al catolicismo. Durante la ceremonia fue bautizada *sub conditione* por si no era válido el bautismo protestante. El cambio de confesión ha sido calificado muy distintamente por diversos autores. Algunos hay que han subrayado el carácter profundamente religioso de Victoria Eugenia y citan una frase de la reina: «He sido muy feliz en el seno del catolicismo y he recibido en esta fe muchos consuelos, pero al principio, en el instante de pasar de una a otra Iglesia, me lo hicieron muy difícil.»

Gerard Noel, autor a mi entender de la mejor biografía de la reina Victoria Eugenia, afirma que «ella nunca había sido y nunca iba ser particularmente religiosa. Su cambio de fe se basó más en la necesidad que en la convicción. Siempre siguió siendo más protestante que católica en su manera de ver las cosas y nunca se libró de la incómoda sensación de haber traicionado la fe de su familia, de sus antepasados y amigos. En años posteriores siempre se negó a discutir los detalles de su conversión

1. Gerard Noel.

e invariablemente tendía un velo sobre lo que había sido un recuerdo desagradable. Lo poco que ocasionalmente dijo contradice la versión de los hechos aceptada antes y consignada por escrito por biógrafos e historiadores cuando Alfonso XIII estaba todavía vivo. Al describir, por ejemplo, la recepción de Victoria Eugenia dentro de la Iglesia Católica, se afirma que debido al exquisito tacto de la reina Cristina, que deseaba a toda costa evitar todo lo que pudiera herir la susceptibilidad inglesa protestante, la ceremonia fue sumamente sencilla y enteramente íntima». Una vez, Victoria Eugenia dijo: «Para mí el episodio fue tan desagradable como era posible.»

«Nunca se libró de la dolorosa incomodidad de creer que sus amigos debían pensar mal de ella por el hecho de que había abandonado la Iglesia en la que había sido educada para convertirse en reina. Incluso llegó a pensar que algunos la habían maldecido por haberlo hecho. La verdad es que su vivo sentido de la lealtad fue puesto a dura prueba cuando fue llamada a abjurar —especialmente en términos vehementes— de la fe de su infancia. En algunos momentos trágicos en los años futuros pensó que aquella maldición era realmente operante, y que tales tragedias eran el castigo de su apostasía. Por otra parte, si la "conversión" de Victoria Eugenia era sólo formal, forzada por circunstancias ajenas y no se había sometido a ella con toda su voluntad y consentimiento, podía discutirse la validez de dicha conversión. Esto, a su vez, podía usarse como evidencia ante los ojos de la Iglesia Católica, creando un impedimento para su casamiento, volviéndolo nulo y vacío ante sus ojos. La hipotética cuestión sólo podía ponerse a prueba si se pedía la anulación del casamiento por el Tribunal Sagrado de la Rota.»[1]

La boda real se celebró el 31 de mayo de 1906 en la iglesia de los Jerónimos de la capital de España. El vestido de novia era de satén blanco bordado en plata y la cola, de casi cuatro metros de largo, era de tela de plata bordada con flores de lis con pequeñas perlas. La ceremonia fue fastuosa. Naturalmente había que entrar por invitación. Nadie sabe cómo un tal Mateo Morral había conseguido una de ellas situada en una de las tribunas

1.   Gerard Noel.

297

que daban sobre la nave. La tribuna estaba reservada para la prensa, pero a última hora fue adjudicada al príncipe Alfonso María, de cuatro años de edad, hijo de la hermana mayor del rey, doña Mercedes, y que por el momento era príncipe de Asturias. El cambio de última hora sirvió para evitar un horrible desastre, sin igual en la historia.

Mateo Morral, impedido de asistir a la ceremonia nupcial en la iglesia, tuvo que regresar a la pensión en la que hacía días que residía, situada en el número 88 de la calle Mayor.

Acabada la ceremonia nupcial, la comitiva se trasladó al palacio real.

La tarde anterior Mateo Morral se había comportado de una manera extraña. Desde el balcón de su cuarto había estado tirando naranjas a la calle. Nadie podía adivinar que estaba calculando el tiempo que tardaba y el lugar en que caía un objeto lanzado desde el balcón de la pensión.

Cuando la carroza real pasaba frente a ella, Mateo Morral tiró un objeto: era un ramo de flores, pero en su interior había una bomba. Por suerte para los reyes, en aquel momento la comitiva se había parado debido a que los coches que la iniciaban iban más despacio de lo previsto. Bastó aquella fracción de segundo para que la bomba, en vez de estallar en el centro del carruaje real, lo hiciese a los pies de uno de los caballos.

La explosión llenó de humo la carroza de los reyes y éstos se dieron cuenta inmediatamente de lo que había sucedido. El rey, ansioso, preguntó a la reina:

—¿Estás lastimada?

—No, no estoy lastimada.

—Es una bomba.

—Ya me lo ha parecido. No importa. Te demostraré que sé comportarme como una reina.

Una astilla del coche había golpeado el pecho del rey, pero no le había hecho daño porque había chocado con una condecoración. El vestido de boda de Victoria Eugenia estaba manchado de sangre, pero no era suya, sino de un guardia que había muerto por la explosión. El rey se puso en pie en la carroza, tranquilizando a la multitud.

—No es nada, no estamos heridos.

Los reyes estaban ilesos, pero no así guardias y espectadores, que habían sido muertos o heridos algunos de ellos por la explosión.

«El rey ordenó que prepararan el "coche de respeto" y que se informara a la princesa Beatriz y a la reina madre que él y la reina estaban ilesos. Después el rey bajó del coche y ayudó a bajar a su esposa. Fue en ese momento cuando ella se dio cuenta de que no sólo su vestido de boda estaba manchado de sangre, sino que también sus zapatos de raso blanco habían adquirido un desagradable color púrpura. Había sangre en todas partes y algunas de las visiones que presenciaron los ojos de Victoria Eugenia iban a quedar impresas toda la vida en su mente. Pero sólo podía ver a unos metros de distancia, y tuvo que abrirse paso al tanteo, como una ciega. Aunque el rey hacía todo lo posible por ayudarla y le murmuraba palabras tranquilizadoras, ella seguía tropezando con los cuerpos. Sintió náuseas y casi se desmayó, pero estaba decidida a no derrumbarse. El camino cerca del coche estaba sembrado con las entrañas de hombres y caballos. Mientras marchaba hacia el otro coche tuvo que hacerse a un lado para evitar el cuerpo sin cabeza de un corneta. Un poco más lejos había un guardia civil con las piernas cortadas y sangrando profusamente.»[1]

Los reyes marcharon hacia el coche de respeto. La gente gritaba que habían matado al rey y a la reina. Sereno, el rey dio la orden:

—Marchar lentamente, muy despacio, hacia palacio.

No era la primera vez que el rey se enfrentaba con el terrorismo, pues en París había sufrido un atentado. Entonces dijo al presidente de la República francesa, que le acompañaba:

—No se preocupe, son gajes del oficio.

El rey, muy sereno, intentó tranquilizar a su esposa. Victoria Eugenia hacía esfuerzos para comportarse normalmente. Pero el comienzo de su reinado se había presentado mal. No podía apartar de su mente el atroz espectáculo de los heridos y de los muertos y especialmente la visión del hombre a quien la explosión le había arrancado las dos piernas. Cien personas habían sido heridas, de las cuales veinticuatro mortalmente.

1. Gerard Noel.

Dados los acontecimientos se suprimió el baile que se había previsto, pero no el banquete. Ésta fue la descripción de la princesa doña Pilar, de quince años, que tuvo que sentarse entre un árabe y un chino, de los cuales ninguno de los dos hablaba las lenguas que ella conocía. «Las aventuras del trío rompieron el hielo para todos los presentes. El enviado chino, vestido con un atuendo deslumbrante, era muy miope y dio la vuelta a la mesa mirando los nombres de las tarjetas. La princesa doña Pilar, que ya ocupaba su lugar, se levantó y corrió tras él. Le tocó en el hombro con la tarjeta que llevaba su nombre, hizo que la leyera y lo condujo hasta el asiento que le correspondía. El rey, que no perdía detalle en tales ocasiones, rió de buena gana. La joven princesa mantuvo luego una animada conversación con sus vecinos por medio de un lenguaje de signos. Esto los hizo reír tanto que un broche de brillantes que adornaba el pelo de la princesa cayó en la sopa. El galante árabe lo recogió en seguida y, tras chuparlo para limpiarlo, lo mojó en su copa, lo secó con la servilleta y se lo tendió a la princesa con una profunda reverencia. Tras esto toda pretensión de comportamiento ceremonial fue francamente abandonada. Más adelante, en el banquete, uno de los invitados preguntó al rey si recordaba que este "día dichoso y triunfal" era el primer aniversario de un atentado contra su vida en París. El rey respondió de buen humor:

»"—Sí, lo recuerdo, pero la bomba ha crecido desde entonces."

»Tal era ahora la atmósfera de la corte, pese a los horrendos acontecimientos de unas horas antes.»[1]

Mateo Morral, el autor del atentado, escapó de Madrid y cuando estaba a punto de ser capturado por una patrulla rural de la Guardia Civil se suicidó.

Los motivos del atentado quedan bastante oscuros. Por una parte debe inscribirse en la lista de magnicidios con los que los anarquistas pretendían servir a sus ideas. «La idea», como la llamaban. Por otra parte, al parecer Morral estaba enamorado de Soledad Villafranca, la compañera del líder anarquista Francisco Ferrer y Guardia, y cometió su delito para llamar su atención. Algo pa-

1. Gerard Noel.

recido sucedió hace unos años cuando un joven intentó asesinar al presidente Reagan, de Estados Unidos, para llamar la atención de la actriz Jodie Foster.

Al día siguiente del atentado, los reyes recorrieron Madrid en un coche abierto, sin escolta de ninguna clase, y fueron aclamados entusiásticamente por el pueblo que asistió a su paso. La reina Victoria Eugenia, rígida y con la sonrisa forzada, no causó la misma impresión que el semblante del rey Alfonso, abierto y sonriente.

No se presagiaba ni un reinado pacífico ni un matrimonio feliz. Efectivamente, no fue ninguna de las dos cosas.

La infanta Eulalia dice en sus memorias: «La llegada de Victoria Eugenia fue como un florecer de juventud, gracia y sonrisa en la adusta corte de Madrid; el régimen interior de palacio sufrió varias alteraciones y perdió su tradicional rigidez. Por muchos años, la corte de España había sido la más triste y cerrada de Europa. La presencia de la nueva reina comenzó pronto a sentirse en palacio. Un soplo de mundanismo penetró en los vastos salones, ligereza de espíritu, femineidad, en suma. Desde que Victoria Eugenia llegó a España, ella fue la guía en la moda madrileña, y con sus usos se renovaron en nuestra tierra hábitos y costumbres que nos mantenían en algunos aspectos a la cola de Europa. Sólo cuando, entre gestos de escándalo por parte de la viejas señoras, Victoria y sus damas comenzaron a usar pinturas, volvió a la península la olvidada moda de los afeites. Fue también la reina la primera que se lanzó deportivamente a las playas con trajes de baño que parecieron indecorosos por el solo hecho de mostrar una parte de la pierna...»

Como puede suponerse, estas características no podían gustar a la reina madre. En una época en que se decía que las prostitutas eran «esas mujeres que fuman y tratan de tú a los hombres», sentó muy mal el que la reina fumase.

Uno de los festejos programados con motivo de la boda fue una corrida de toros. El príncipe y la princesa de Gales, que habían sido invitados a la ceremonia, no quisieron asistir a la fiesta. Tampoco lo hizo el personal de la embajada inglesa. La corrida horrorizó a la reina, que no pudo dejar de exteriorizar, muy a su pesar, su desagrado. Procuró disimularlo, pero no lo consiguió. En lo sucesivo, cuantas veces se vio obligada a asistir a una corrida llevaba consigo unos prismáticos que, bien desenfocados, impedían ver lo que estaba pasando sin que el público lo supiese.

En 1907 nació el primer hijo, bautizado con el nombre de Alfonso. «Existía en la corte española la costumbre de circuncidar a los príncipes a los pocos días de nacidos; puede ser que tal costumbre tuviera su origen en aquellos monarcas castellanos que se aconsejaban de sabios judíos, muchos de ellos médicos. Dicho hábito no encerraba, en todo caso, ningún peligro. En 1907 llegó para el nuevo príncipe de Asturias la hora correspondiente; vestían batas albas los doctores y las enfermeras, reunidos en la nurserie de palacio; puesto al descubierto el diminuto cuerpo operatorio, entró en funciones el bisturí, practicando una incisión anular y desprendiendo un pequeño colgajo. Desinfectada la herida, se procedió a la sutura con todo esmero y cuidado, viendo con sorpresa los cirujanos que no cesaba la hemorragia... Se acababa de tropezar con la hemofilia. La familia real, al enterarse, quedó consternada.»[1]

El problema que inmediatamente se plantea es el de si Alfonso XIII y el gobierno español conocían el grave inconveniente que, en este orden de cosas, presentaba el matrimonio del rey con la princesa Ena. Ya se ha hablado de ello.

«Cuando el rey tuvo que aceptar la realidad, cuando los médicos dictaminaron que el recién nacido era un enfermo, Alfonso XIII se sintió abatido. Tavera pone en sus labios estas palabras: "No puedo resignarme a que mi heredero haya contraído una enfermedad que traía la familia de mi mujer, no la mía. Sé que soy injusto, lo reconozco, pero no puedo pensar de otra manera." Hecho singular: el monarca achaca la culpa a su esposa de este imponderable, cuya gravedad no le había sido, como decimos, ocultada. Ello obedecía, evidentemente, a su profundo sentimiento de decepción y angustia. La reina no tenía responsabilidad alguna y él lo sabía muy bien, pero poco a poco fue cambiando de actitud y mostrándose cada vez más indiferente hacia Victoria Eugenia. La hemofilia del príncipe de Asturias fue, según todos los indi-

1. Juan Balansó.

cios, la causa y el punto de partida de las ulteriores desavenencias de los soberanos.»[1]

El deseo de tener más hijos y que tuviesen una salud perfecta se convirtió en una obsesión para Alfonso XIII.

El 23 de junio de 1908 la reina dio a luz en La Granja a un segundo hijo, al que se impuso el nombre de Jaime. Se ha dicho que nació sordomudo, pero no es así. El niño oía y hablaba bien, pero a los cuatro años sufrió una mastoiditis doble, hubo que hacerle una operación que le rompió los huesos auditivos y nunca más pudo volver a oír y hablar correctamente.

Alfonso XIII se hundió. Era dado a depresiones transitorias. Procuró aturdirse y pronto la reina se enteró de sus infidelidades. Las más eran aventuras pasajeras, pero alguna hubo que duró largo tiempo. La más conocida de todas es la que le unió con la actriz Carmen Moragas. Era esta mujer dulce y simpática que ofreció al rey todo aquello de que carecía en la vida familiar; comprensión, ternura, cariño. Sabía respetar su silencio cuando se encontraba deprimido y hablarle cuando necesitaba conversación. Al fin y al cabo el rey no es más que un hombre como los demás, y para el matrimonio sin amor no hay más solución que el amor sin el matrimonio.

De esta unión nacieron dos hijos sanos y fuertes, lo que contrastaba con la prole que el rey dejaba en el palacio real.

El amor de don Alfonso por la reina se trocó en indiferencia, y paradójicamente fue en este momento cuando la reina dio a su esposo lo mejor de sí. Comprendió lo que le pasaba y serenamente aceptó lo que sucedía. Se despertó en ella un sentimiento ya que no de amor sí de protección hacia un hombre desvalido. Se portó como una reina.

El rey, en busca de sucesión, continuaba frecuentando el lecho de la reina. En 1909 dio a luz a una niña, a la que se impuso el nombre de Beatriz. En 1910 nace un niño muerto. El 12 de diciembre de 1911 nace en el palacio real de Madrid una niña a la que se bautiza con el nombre de María Cristina.

El 20 de junio de 1913, en el Real Sitio de San Ildefonso de la Granja, nace el que será jefe de la casa real y pa-

1. Íd.

dre del actual rey de España; se le bautiza con el nombre de Juan. Es un niño robusto al que no ha afectado la hemofilia. El último de los hijos del rey nace en 1914, recibe el nombre de Gonzalo y también se ve aquejado por la terrible hemofilia.

En este año de 1914 estalla la llamada guerra Europea, que al final será conocida como primera guerra mundial.

La reina madre María Cristina, como buena austríaca, sigue con ansia y con alegría los avances de las tropas alemanas. Por el contrario, Victoria Eugenia espera con ansia la victoria aliada. El hermano de la reina María Cristina, el archiduque Federico, luchaba por Alemania y Austria-Hungría. Los dos hermanos de Victoria Eugenia luchaban por Inglaterra y Francia. Ninguna de las dos reinas sabía con certeza dónde estaban las preferencias de Alfonso. Blasco Ibáñez afirma que Victoria Eugenia «se resignó a vivir aislada en una corte en la que todos, incluido su marido, simpatizaban con Alemania». Esta afirmación no es cierta. Alfonso XIII era más partidario de Francia que de Alemania, tanto por su talante liberal como por una cierta antipatía que sentía por el káiser. Una vez dijo a un político francés que le visitó: «Yo estoy por los aliados, pero no lo diga porque en la corte soy el único.»

La reina Victoria Eugenia ayudó mucho a su marido cuando éste organizó en palacio un servicio de ayuda para los prisioneros de ambos bandos. Se creó un servicio especial con abundantes ficheros que daban a conocer a las familias afectadas la situación de los miembros de su familia cautivos en uno u otro lado.

A pesar de todo, Victoria Eugenia no era popular, se la admiraba por su belleza, pero se la criticaba por su frialdad. No supo llegar al corazón del pueblo.

Juan Balansó dice: «¿Fue más admirada que amada? Su majestad era demasiado gran señora para solicitar los sufragios que algunos de sus súbditos, sin comprenderla, le regateaban. Fiel esposa, madre excelente, soberana ejemplar, doña Vitoria Eugenia no se mezcló en política, cumplió sus deberes de forma escrupulosa y dedicó sus desvelos a la caridad. A ella se debieron la creación o promoción de la Cruz Roja, la Organización de la Lucha Antituberculosa, la Liga contra el Cáncer, el Instituto para la Reeducación de Inválidos, las casas cuna, y en fin, tantas y tantas obras de beneficencia que sería prolijo enumerar. La caridad: he aquí la auténtica grandeza de doña Victoria Eugenia. Miles de desgraciados le debieron su curación y muchos enfermos la vida. ¿Cabe mejor elogio para una reina?»

Sí, es un gran elogio, pero si Isabel II fue popular y María Cristina de Habsburgo fue respetada, Victoria Eugenia fue indiferente a los ojos del pueblo. No supo hacerse amar.

En 1923 se proclamó la Dictadura del general Primo de Rivera. Fue el comienzo del fin. El 14 de abril de 1931 se proclama la segunda República española. Por primera vez Alfonso XIII y Victoria Eugenia cenan solos, sin la presencia de ningún cortesano. Aquella noche, Victoria Eugenia no duerme y se dedica a recoger de sus habitaciones privadas las cosas más imprescindibles para su exilio. El rey sale en automóvil hacia Cartagena, en donde embarcará para Marsella. A la reina se le aconseja que no tome en Madrid el tren para París, sino en las afueras. Lo hace en Galapagar. Esperando el tren, se sienta al margen de una cuneta mientras las pocas personas que la acompañan se despiden de ella. Cuando sube al tren, queda sentado en el banco de la estación uno sólo de los políticos que ha tenido la monarquía: el conde de Romanones. Él será el único que en las Cortes constituyentes levantará su voz en defensa del rey exiliado.

Victoria Eugenia había sido recibida en España con una bomba y se despedía de ella con lágrimas.

«La vida en exilio queda organizada pronto de la mejor manera posible, sin que ya Alfonso XIII y Victoria Eugenia vuelvan a tener un hogar propiamente dicho en los diez años que restan hasta que se produzca la desaparición del soberano. Su primera residencia será en el hotel Meurice, en París, y después el hotel Savoy, en Fontainebleau. En Madrid, Victoria Eugenia se había impuesto, y lo cumplió a rajatabla, el deber de reinar por encima de personales miramientos; si tal vez dejó pronto de compartir su mayor intimidad con el marido, no estuvo dispuesta a dejar de compartir el trono, lugar al que tenía derecho como madre de los herederos de la dinastía, y en tal puesto se mantuvo con ejemplaridad y dignidad encomiables. Pero ahora, por patriótico desinterés del monarca, han quedado en suspenso sus regias prerrogativas, y, lejos de España, Alfonso XIII busca en las aventuras galantes la alegría fácil que le ayude a mitigar la gran tristeza del destierro que planea sobre él como losa aplastante tan pronto como desde el puente del buque que le conduce al destierro deja de divisar las costas españolas. Doña Victoria Eugenia podría transigir, y transigió por deber dinástico en Madrid; pero a la esposa, ya simplemente esposa lejos del trono, no se le podían exigir heroísmos, por eso deciden pronto los reyes separarse amistosamente, sin hacerse mutuos reproches, sin provocar ningún escándalo, evitando que la prensa se ocupe de su situación; cuando se inquiera ante el rey por la presencia de su mujer, sonreirá y responderá sencillamente que está haciendo un viaje. Y en efecto, Victoria Eugenia va a pasar cinco años viajando constantemente de Suiza a Inglaterra, países entre los que reparte su estancia a temporadas.»[1]

El príncipe de Asturias renuncia a sus derechos de sucesión en el trono en 1933. Toma el título de conde de Covadonga y se casa con Edelmira Sampedro, una joven cubana de la que se divorció en 1937. Meses después se casa con otra joven cubana llamada Marta Rocafort, de la que se divorcia al cabo de seis meses. La tal Rocafort era modelo y «contrajo semanas más tarde enlace con un rico americano llamado Atkins, y el conde de Covadonga se lanzó a una carrera loca en el vivir, que tocó a su fin el 6 de septiembre de 1938 en Miami (Florida), donde el infeliz se encontraba en amoríos con una yanqui de vulgar condición, Mildred Gaydon, alias «la Alegre», cigarrera de un club nocturno, con la que, al parecer, pensaba reincidir en el matrimonio. La causa inmediata del fallecimiento de don Alfonso fue una herida leve que se produjo en un accidente de automóvil, saliendo del local en el que estaba empleada su amiga. La hemofilia hizo el resto y el ex príncipe de Asturias murió desangrado».[2]

La reina Victoria Eugenia había asistido al primer matrimonio de Alfonso, que se celebró en Ouchy. Alfonso XIII no asistió a la boda porque, aunque había consentido en ella, no la aprobaba.

1. González-Doria.
2. Juan Balansó.

El 13 de agosto de 1934 moría, asimismo de accidente, el infante Gonzalo. También la hemofilia fue la causa.

El infante don Jaime, el mismo día de la boda de su hermano Alfonso, presentaba a Alfonso XIII la renuncia de sus derechos al trono y tomaba el título de duque de Segovia; «contrae matrimonio en Roma, el 4 de marzo de 1935, con la señorita Manuela de Dampierre y Ruspoli, hija del vizconde Roger de Dampierre, duque pontificio de San Lorenzo, y de la princesa romana Victoria Ruspoli, dama perteneciente a la casa de los príncipes de Poggio-Suassa. De esta unión nacieron dos hijos: Alfonso, el 20 de abril de 1936, y Gonzalo, el 5 de julio de 1937; pero sobre el matrimonio de los duques de Segovia recaía una sentencia de divorcio, dictada por un tribunal civil del Estado comunista de Rumanía el 6 de mayo de 1947, contrayendo los duques en seguida sendos matrimonios —naturalmente civiles, ya que no hubo nunca declaración eclesiástica de nulidad—; el infante casó con la cantante alemana de cabaret Carlota Tiedemann, divorciada a su vez de un ingeniero austríaco apellidado Hippler, con quien había tenido una hija, Helga Hippler —que a vaces ha tenido la humorada de hacerse llamar Helga de Borbón, provocando el regocijo de la alta sociedad francesa—; por su parte, la que legítimamente era duquesa de Segovia, esto es, doña Manuela de Dampierre, se casó, también civilmente, con un economista milanés llamado Antonio Sozzani».[1]

Todo ello causó gran disgusto tanto a Alfonso XIII como a la reina Victoria Eugenia.

En julio de 1936 estalla la guerra civil española. El entonces príncipe de Asturias, don Juan, se presenta voluntario y de incógnito en el bando nacionalista, pero el general Franco, enterado de ello, dice que su vida puede ser preciosa para la patria e impide la incorporación al Ejército Nacional. Don Juan vuelve a Roma, donde se había casado con doña María de las Mercedes de Borbón el 12 de octubre de 1935. El 5 de enero de 1938 nace en la Ciudad Eterna el que un día será rey de España con el nombre de Juan Carlos I; Victoria Eugenia es su madrina.

La reina, que hasta entonces había vivido separada de su esposo, decide reunirse con él. Juntos residen en

1. González-Doria.

el Gran Hotel de Roma, donde el 28 de febrero de 1941 fallece Alfonso XIII, mes y medio después de haber abdicado la corona en su hijo don Juan. Alfonso XIII tenía cincuenta y seis años.

Fue enterrado provisionalmente en la romana iglesia española de Montserrat, bajo la tumba de Calixto y Alejandro, los dos papas españoles de la familia Borja.

Victoria Eugenia se traslada a Suiza, donde fija su residencia en la villa «Vieille Fontaine», situada en el número 24 de la rue d'Elysée en Lausana. En el listín telefónico figuraba como *Victoria Eugenia, reine d'Espagne*.

El 30 de enero de 1968 los entonces príncipes de España eran padres de un hijo varón. El 7 de febrero, la reina doña Victoria Eugenia llegaba a Madrid por primera vez desde 1931. Al día siguiente se bautizaba al príncipe Felipe, y ella fue la madrina y don Juan de Borbón el padrino. Presentes en el acto estaban el general Franco y su esposa.

Tres días permaneció en Madrid doña Victoria Eugenia, albergándose en el palacio de Liria, propiedad de los duques de Alba.

En Lausana, el 15 de abril de 1969, fallecía Victoria Eugenia de Battenberg, reina viuda de Alfonso XIII.

«Poco antes de su muerte, doña Victoria había confesado: "Yo hice cuanto pude y puse de mi parte todo para agradar a los españoles. Si en alguna medida no lo conseguí, no fue ciertamente por no haber hecho cuanto de mí dependía para lograrlo." Como tantas princesas extranjeras que ocuparon el trono de España, la esposa de don Alfonso XIII había intentado, con la mejor voluntad, servir a su pueblo. La Historia le hará justicia algún día como se merece. A los reyes hay que juzgarlos con perspectiva histórica. Y debemos reconocer que no fue precisamente un camino de rosas el que los españoles abrimos ante aquella bellísima princesa inglesa, Victoria Eugenia de Battenberg, la augusta señora que supo ser reina hasta el fin.»[1]

Fue enterrada en el cementerio de Boix de Vaus, y allí estuvieron sus restos hasta que, reinando en España don Juan Carlos I, fueron trasladados definitivamente al monasterio de El Escorial.

1. Juan Balansó.

Sofía de Grecia

Afortunadamente, la reina Sofía no pertenece aún al campo de la Historia y sí todavía al del periodismo. Ojalá siga así muchos años.

Nació la reina Sofía el 2 de noviembre de 1938, hija del príncipe heredero Pablo de Grecia, casado con la princesa Federica de Hannover. Sus padres pensaban imponerle el nombre de Olga en recuerdo de la primera reina de Grecia. Pero cuando el pueblo rodeaba el palacio de Tatoi, situado en la localidad de Psychiko, cerca de Atenas, supo que la princesa Federica había dado a luz a una niña comenzó a gritar: «¡Sofía, Sofía, Sofía...!», de acuerdo con la costumbre griega de que el primer hijo del matrimonio, en este caso hija, lleve el nombre de la abuela paterna. Fue bautizada con los nombres de Sofía, Margarita, Victoria y Federica. En sus memorias, la reina Federica cuenta que su hija se parecía mucho a ella. «Tardé bastante tiempo en aprender lo que debía decir a las señoras recibidas en audiencia. Desde que nació mi hija Sofía la llevaba en brazos, a fin de iniciar las conversaciones hablando de la niña. Yo solía decir cada vez que la elogiaban: "Bien, sí, es una niña muy bonita, pero es una lástima que haya sacado mi nariz." Un día, en vez de oír, como esperaba: "¡Oh sí, tiene una nariz monísima!", una señora me dijo: "No se preocupe; ¡eso se le corregirá con el tiempo!..."»

En octubre de 1940 las tropas italianas invadieron Grecia y la familia real, encabezada por el rey Jorge II, tuvo que abandonar el país. Los príncipes Pablo y Federica, acompañados de sus hijos Sofía y Constantino, éste de pocos meses de edad, tomaron el camino del exilio pasando a Creta, después a Alejandría, El Cairo y finalmente recalando en El Cabo, en África del Sur. Allí nacería la princesa Irene. El exilio duró cinco años.

Jorge II murió a los pocos meses de regresar a su patria y le sucedió su hermano Pablo, padre de Sofía, con el nombre de Pablo I.

Sofía fue educada en forma democrática en una escuela pública, donde se sentaba al lado de la que fue su mejor amiga en aquellos tiempos, que era hija de una sirvienta. Pasó luego a estudiar a Alemania, donde aprendió idiomas, interesándose especialmente en arqueología, en la que es especialista. Su gran pasión es la música clásica, como saben muy bien los españoles que conocen su asistencia en multitud de conciertos. Tomó clases de puericultura y a su regreso a Atenas trabajó como simple enfermera durante tres años en un hospital.

En junio de 1961 asistió a la boda del duque de Kent, en Londres, y allí se encontró con el príncipe Juan Carlos de Borbón, al que había conocido en 1954, cuando él tenía dieciséis años y ella quince. Fue en un crucero organizado por la reina Federica, que dice en sus memorias: «Había varias razones para organizar ese crucero. En primer lugar, Pablo y yo deseábamos abrir las puertas de Grecia al turismo. El país no se había recuperado aún de los terribles efectos de la guerra comunista y era casi desconocido por los turistas. Realmente no existían muchas facilidades; las carreteras se encontraban en un estado lamentable y no había hoteles modernos. Pero lo primero que necesitábamos era llamar la atención del mundo. Como la prensa mundial se ocupó de hacer una gran propaganda del crucero, todo salió muy bien. Inmediatamente después las compañías navieras empezaron a organizar cruceros siguiendo exactamente el programa y el itinerario del nuestro, y, pronto, los hoteles y otros servicios e instalaciones en tierra empezaron a aportar al país las divisas de los turistas.

»Otra razón era que, desde la primera guerra mundial, traté tan sólo a las familias reales alemanas, pues era difícil conocer a las demás, aunque casi todas estaban emparentadas. Ahora, después de la segunda guerra mundial, deseábamos relacionarnos y ayudar a los miembros de la joven generación a conocerse. Estaban llamados a ejercer en un futuro próximo cierta influencia sobre el mundo y nos parecía conveniente que descubrieran que tenían muchas cosas en común y una misma actitud respecto a la vida. Podrían ver de qué manera Pablo y yo nos enfrentábamos a los problemas de nuestro país. Únicamente una monarquía reinante podría hacer semejante aportación a las familias reales reinantes o en el exilio. El momento parecía el más oportuno para llevar a cabo nuestro proyecto, pues todavía nuestros hijos no estaban en edad de casarse. Lo contrario tal vez hubiese dado otro carácter al crucero.

»El viaje resultó un gran éxito. Éramos ciento diez personas de veinte nacionalidades y hablando unos quince idiomas diferentes, a pesar de lo cual no hubo la menor dificultad en los diez días que duró el crucero. Hicimos largas excursiones por las islas, admirando todas sus bellezas. Por las noches había baile. Habíamos trazado un plan para la distribución de los puestos en la mesa a las horas de las comidas. Para cada una de las señoras sacaban al azar un número, y los caballeros otro, y los que coincidían se sentaban juntos, lo que resultaba divertido y variado. Por ejemplo, la reina Juliana de Holanda podía tener como vecino a un chico de quince años. El procedimiento dio un magnífico resultado, aunque más tarde descubrí que la joven generación se dedicaba a comprar y vender sus parejas...»

En la boda del duque de Kent, el protocolo fue providencial pues emparejó al príncipe Juan Carlos con la princesa Sofía. Surgió el flechazo.

El 12 de septiembre de 1961, en Lausana, en la residencia de la reina doña Victoria Eugenia, se reunieron las familias reales de Grecia y España. En presencia de la reina viuda, don Juan Carlos se dirigió al rey Pablo y le pidió la mano de su hija.

Quedaba el escollo de la religión. Como la Iglesia Ortodoxa y la Católica no difieren en la doctrina revelada, el cambio de una a otra fue fácil.

El texto del comunicado oficial del noviazgo fue el siguiente: «S. M. el rey Pablo de los helenos y S. A. R. el conde de Barcelona anuncian el feliz acontecimiento del compromiso matrimonial de sus hijos SS. AA. RR. la princesa Sofía y el príncipe don Juan Carlos.»

El 14 de mayo de 1962 se celebró la ceremonia nupcial en la catedral católica de Atenas y después tuvo lugar en la basílica ortodoxa de Santa María una ceremonia oficiada por el metropolitano Crisóstomos.

Después del viaje de novios se instaló la pareja en el

palacio de la Zarzuela, en las afueras de Madrid, que continúa hoy en día siendo su residencia.

El 20 de diciembre de 1963 nacía la primera hija, a la que se impuso el nombre de Elena. Dos años después, el 13 de junio de 1965, nacía la segunda hija, bautizada con el nombre de Cristina.

Por fin, el 30 de enero de 1968, doña Sofía dio a luz su primer hijo varón, el infante don Felipe, que días después, en presencia del jefe de Estado y del gobierno de la nación, fue bautizado en el palacio de la Zarzuela, siendo sus padrinos el conde de Barcelona y la reina doña Victoria Eugenia, que regresaba a España tras treinta y siete años de ausencia.

El 20 de noviembre de 1975 fallecía el generalísimo Francisco Franco, Caudillo de España. Dos días después, don Juan Carlos de Borbón y Borbón fue proclamado rey de España. Se instauraba así una nueva monarquía, sucesora de los reyes de las casas de Austria y de Borbón.

Desde entonces la reina Sofía ha dado muestras de su señorío y de su gran inteligencia. Ha llegado al corazón del pueblo y quien esto escribe no puede menos que ofrecerle el homenaje de su respeto y admiración.

BIBLIOGRAFÍA

BALANSÓ, Juan, *La casa real de España.*

BERMEJO, Antonio, *La estafeta de palacio.*

CABANES, doctor, *Le mal héréditaire.*

CABEZAS, Juan Antonio, *La cara íntima de los Borbones.*

CAMBRONERO, Carlos, *Isabel II, íntima.*

CIERVA, Ricardo de la, *El triángulo. Alumna de la libertad.*

CORTÉS CAVANILLAS, Julián, *Alfonso XII.*

—, *Alfonso XIII.*

DÍAZ-PLAJA, Fernando, *La vida cotidiana de los Borbones.*

—, *Historia de España en sus documentos, siglo XVIII.*

—, *Historia de España en sus documentos, siglo XIX.*

GONZÁLEZ-DORIA, Fernando, *Las reinas de España.*

GONZÁLEZ SANTOS, Luis, *Godoy, príncipe de la Paz, siervo de la guerra.*

LAOT, Françoise, *Juan Carlos y Sofía.*

LUZ, Pierre de, *Los españoles en busca de un rey.*

—, *Isabel II.*

MADOL, Hans Roger, *Godoy.*

NOEL, Gerard, *Victoria Eugenia, reina de España.*

OLIVEROS DE CASTRO, María Teresa, *María Amalia de Sajonia.*

PARDO, Cándido, *Manuel Godoy y Álvarez de Faria, príncipe de la Paz.*

PASTEUR, Claude, *Trois mille ans de secrets de beauté.*

PEREYRA, Carlos, *Cartas confidenciales de la reina María Luisa.*

PÉREZ GALDÓS, Benito, *Episodios nacionales.*

REPARAZ, Gonzalo de, *Los Borbones de España.*

ROMANONES, conde de, *María Cristina de Habsburgo. La discreta regente de España.*

—, *Amadeo I. El rey efímero.*

STRYIENSKI, C., *Ferdinand VI, roi d'Espagne.*

TAXONERA, Luciano de, *Felipe V.*

VEGA, Vicente, *Diccionario ilustrado de anécdotas.*

VIDAL SALES, José Antonio, *Los Borbones. Una dinastía trágica.*

—, *Reinas de España.*

VILLA-URRUTIA, marqués de, *Las cuatro mujeres de Fernando VII.*

—, *La reina gobernadora.*

—, *La reina María Luisa de Parma.*

VOLTES, Pedro, *Fernando VII, Vida y reinado.*

—, *Carlos III y su tiempo.*

Índice onomástico

Cabezas, Juan Antonio: 52, 64, 98.
Cádiz, Diego de: 101.
Calabria, duquesa de: 106.
Calixto III: 308.
Calomarde, Francisco Tadeo: 158, 161, 162, 163, 165.
Calvo Asensio: 226.
Cambronero, Carlos: 160, 164, 198, 207, 217, 222, 226.
Campo Sagrado, marqueses de: 178.
Campoamor, Ramón de: 231.
Cánovas del Castillo, Antonio: 240, 256, 257, 258, 261, 262, 263, 264, 266, 280, 281, 282, 285.
Cánovas del Castillo, viuda de Antonio: 285.
Carbonell, gentilhombre: 175.
Carlos I de España y V de Alemania: 250.
Carlos II de España: 15, 18, 26, 28.
Carlos III de España: 22, 23, 26, 28, 41, 47, 48, 53, 63, 69, 73, 75, 76, 77, 78, 79, 80, 81, 82, 83-86, 89, 90, 92, 93, 94, 95, 96, 98, 125, 140, 173.
Carlos IV de España: 44, 76, 80, 89, 91, 94, 95, 96, 97, 99, 101, 103, 104, 107, 109, 110, 111, 112, 113, 114, 115, 116, 117, 118, 119, 121, 122, 123, 124, 125, 126, 128, 130, 137, 141, 159, 166, 172, 173, 177, 204.
Carlos I de Inglaterra y Escocia: 293.
Carlos de Habsburgo, archiduque de Austria: 73.
Carlos Fernando de Austria: 278.
Carlota Joaquina de Portugal: 92, 139, 173.
Carolina de Mónaco: 179.
Castaños, duque de Bailén, Francisco Javier: 207.
Castel-Rodrigo, marqués de: 18, 52.
Castelar, Emilio: 229, 230, 231, 240, 246, 250, 284.
Castelar, marqués de: 111, 112.
Castelldosrius, Manuel Oms de Santa Pau, marqués de: 17.
Castelló y Ginestá, Pedro: 170, 171.
Castiglione, conde de: 244.
Castiglione, condesa de: 244.
Castillofiel, condesa de: véase Tudó, Pepita.
Casto (fraile): 149.
Cervantes y Saavedra, Miguel de: 202.
Cierva y Hoces, Ricardo de la: 199.
Císcar: 151.
Clary, Julia: 138.

Coloma, Luis: 245.
Colombrano, princesa: 74.
Comte, Augusto: 276.
Conquista, Luis, duque de la: 259.
Constantino II de Grecia: 311.
Cook, James: 85.
Coronado, Carolina: 230, 231.
Cortés Cavanillas, Julián: 258, 260, 266, 289.
Cortina, Manuel: 181, 182, 223, 224.
Coxe, William: 15, 83.
Creux (sacerdote): 149.
Czartoryski, Augusto: 228.
Czartoryski, Ladislao: 177.

Chalais, príncipe de: 18, 39.
Chamorro, Pedro Collado, llamado: 145, 149, 157.
Chao, Eduardo: 191.
Cheste, conde de: 256.
Chopin, Fryderyk: 283.

Dampierre, Roger de: 307.
Dampierre y Ruspoli, Manuela de: 307.
Daquieres (las Dehier): 133.
Darmstat, Jorge de Landgrave de Hassir: 27, 28.
Delgado, Mateo: 121.
Desdevises du Dézert, Georges: 95, 96, 100.
Díaz Labi, Manuel: 230.
Díaz-Plaja, Fernando: 25, 31, 66, 121, 148.
Donizetti, Gaetano: 271.
Drago, príncipe de Mazzano, de Antoni y de Trevigno, Felipe de: 178.
Dragonetti, marqués de: 248.
Ducazcal, Felipe: 247.
Dulce, marqués de Castellflorite, Domingo: 191, 195, 196, 214.
Dumas, Alejandro: 200.

Eduardo VII de Inglaterra: 294, 295.
Elduayen (gobernador): 280, 281.
Eleta (sacerdote): 94.
Escoiquiz, Juan: 91, 92, 103, 113, 149.
Escosura, Patricio de la: 203, 204.
Espacaforno, príncipe: 75.
Espartero, Joaquín Baldomero Fernández Álvarez, llamado Baldomero: 90, 180, 181, 182, 189, 190, 191, 193, 216, 238.
Espoz y Mina, Francisco Javier: 188.

322

323

Muñoz y de Borbón, María de los Milagros: 177.
Muñoz y Funes, Juan Antonio: 173.
Muñoz y Sánchez Funes y Ortega, Agustín Fernando: 173, 174, 175, 176, 190, 193, 205, 212, 256, 265.
Murat, Joachim: *véase* Berg, conde de.

Napoleón I Bonaparte: 104, 106, 107, 108, 109, 110, 111, 112, 113, 114, 115, 120, 129, 137, 138, 139, 155.
Napoleón III Bonaparte: 178, 226, 238, 244, 255, 257.
Nápoles, Carolina de: 206.
Narváez, Ramón María de: 190, 191, 193, 195, 196, 206, 210, 221, 224, 232.
Neoburgo, Dorotea Sofía de: 39.
Noel, Gerard: 293, 296, 297, 299.
Novaliches, marqués de: 221.

O'Donnell, Leopoldo: 191, 193, 214, 220, 221, 224, 229, 230.
O'Farril, general: 106.
Olivar Bertrand, Rafael: 243.
Oliveros de Castro, María Teresa: 78.
Olózaga, Salustiano: 192, 194, 195, 196, 197, 198.
Onís, Mauricio Carlos de: 193, 196.
Orleans, Enrique de: 238.
Orleans, Felipe, duque de: 42, 51, 52, 54.
Orleans, Luisa de: 54, 295.
Orleans, Mercedes de: 243.
Orleans y de Borbón, Antonio de: 220.
Oropesa, conde de: 21.
Orsini, princesa: *véase* Tremouille de Noirmoutier, María-Ana.
Orsini, príncipe de: 18, 39.
Ortega, Francisco: 121.
Ostolaza (canónigo): 149.
Osuna, duque de: 208.

Pablo I de Grecia: 311, 312, 313.
Palmerston, Henry J. Temple, vizconde de: 200.
Pantecosti, Roderico de: 10.
Pardo, Cándido: 97.
París, condes de: 295.
Parma, duque de: 90, 92.
Parma, Margarita de: 255.
Pasteur, Claude: 40.
Patricia de Inglaterra: 294.

Patrocinio, María Dolores Quiroga, *llamada* sor: 199, 200, 206, 211, 218.
Pavía y Rodríguez de Alburquerque, Manuel: 172, 230.
Pedrol Rius, Antonio: 243.
Pereyra, Carlos: 98, 121.
Pérez Bayer, Francisco: 77.
Pérez Galdós, Benito: 271, 288.
Pérez de Guzmán, Juan: 90.
Pérez de Rozas, Joaquín: 228.
Pérignon, Dominique Catherine, marqués de: 125.
Pérouse, Jean-François de Galaup, conde de La: 85.
Pidal, Pedro José: 194, 195, 196.
Pierrad, general: 229, 230.
Pignatelli, Juan: 94.
Pinohermoso, conde de: 208.
Pío IX: 203, 244, 258, 259, 264.
Piquer, doctor: 66, 67, 68.
Pitt, William: 66.
Poggio-Suassa, príncipe de: 307.
Polo y Martínez-Valdés, Carmen: 308.
Pompadour, Jeanne Antoinette Poisson, marquesa de: 36.
Pontón, vizconde de: 213.
Pópoli, duque de: 52.
Pórpora, Nicola: 68.
Povar, marquesa de: 208.
Pozzo, príncipe de la Cisterna, Manuel del: 241.
Prim, duquesa de: 249, 250.
Prim y Prats, Juan: 193, 221, 229, 230, 237, 239, 243, 244.
Prim Serentill, José M.ª: 243.
Primo de Rivera y Orbaneja, Miguel: 305.
Puigmoltó y Mayans, Enrique: 219.
Puñoenrostro, condesa de: 286.

Queipo de Llano, José María: 179.
Quevedo y Villegas, Francisco de: 73.
Quintana, Manuel José: 158, 188, 225, 226.

Raniero de Austria: 240.
Reagan, Ronald: 301.
Reparaz, Gonzalo de: 55, 66, 96, 118, 138, 151.
Répide, Pedro de: 211, 231.
Riansares, conde de: *véase* Muñoz, Fernando.
Riba, Ángel de la: 203, 204.
Ribot y Fontseré, Antonio: 217.
Rivas, Natalio: 232.
Rivero, Nicolás María: 229.
Robledo, Antonia: 176.

Roca, condesa La: 18.
Rocafort, Marta: 306.
Rodríguez Rubí, Tomás: 228.
Romanones, Álvaro de Figueroa y Torres, conde de: 237, 241, 247, 248, 275, 276, 279, 281, 284, 285, 305.
Romovieri, Alessandro: 35.
Rubens, Peter Paulus: 277.
Rubio, Carlos: 229, 230, 231.
Ruiz de Arana, José María: 219.
Ruiz Zorrilla, Manuel: 250.
Ruspoli, Victoria: 307.

Saboya, los: 248, 250.
Saboya, Clotilde de: 243.
Saboya, Humberto de: 252.
Saboya, Napoleón Bonaparte de: 243.
Sagasta, Práxedes Mateo: 229, 230, 284, 287, 288.
Saint-Simon, Louis de Rouvroy, duque de: 16, 19, 41, 46, 53.
Saiz de Robles, Federico Carlos: 148.
Sajonia, Maximiliano, duque de: 145.
Salamanca, José, marqués de: 202, 216, 217.
Salinas, Diego de: 28.
Salmerón, Nicolás: 228, 229.
Salle, Juan Bautista de la: 40.
Sampedro, Edelmira: 306.
San Carlos, duque de: 149.
San Luis, conde de: véase Sartorius, José Luis.
San Martín, conde de: 117.
San Miguel, Evaristo: 225.
Sancha, doña: 160.
Sánchez Ortega, Eusebia: 173.
Santa Cruz, Álvaro de Bazán Benavides, marqués de: 52, 55.
Santa Cruz, marquesa de: 189, 195, 196.
Sanz, Alfonso: 281.
Sanz, Dolores: 271.
Sanz, Elena: 271, 272, 273, 274, 279, 280, 281, 289.
Sanz, Fernando: 278, 281.
Sardoni, Baltasar: 272.
Sartorius, conde de San Luis, José Luis: 211, 212, 213, 215, 216.
Savio, baronesa: 241.
Schneider, Hortensia: 232.
Schubert, Franz: 283.
Seco Serrano, Carlos: 90.
Serrano y Domínguez, duque de la Torre, Francisco: 177, 194, 195, 196, 201, 203, 204, 205, 206, 221, 223, 225, 237, 255.

Sesto, duque de: véase Alcañices, marqués de.
Sofía de Schleswig-Holstein Gottorp de Hannover de España: 295, 308, 309-314.
Sozzani, Antonio: 307.
Stanhope (embajador): 55.
Stendhal, Henri Beyle, llamado: 279.
Stryienski, C.: 63.

Talleyrand-Périgord, Charles Maurice de: 112.
Tamames, duque de: 208.
Tanucci, Bernardo: 74.
Tastet: 199.
Tavera, José María: 302.
Tavira, Antonio: 77.
Taxonera, Luciano de: 21, 24, 43, 45, 90.
Teba, Eugenio Eulalio Portocarrero, conde de: 94.
Tejo, brigadier: 95.
Teodoro, santo: 131.
Teresa, archiduquesa de Austria: 276.
Tiberi, cardenal: 175.
Tiberio: 138.
Tiedemann, Carlota: 307.
Tito Flavio Vespasiano: 84.
Topete y Carballo, Juan Bautista: 221.
Toreno, conde de: véase Queipo de Llano, José María.
Torre, duquesa de la: 249.
Torre-Escurra, marquesa de: 52.
Torrefiel, conde de: 219.
Torrepalma, conde de: 90.
Torrepalma, condesa de: 90.
Trapani: 206.
Tremouille de Noirmoutier, María-Ana: 18, 21, 22, 23, 24, 25, 35, 37, 38, 39, 40.
Trubetskoy, viuda de Morny, princesa: 255.
Tudó, Pepita: 107, 116, 125, 126, 127.
Turgot (embajador): 216.
Turín, conde de: 90.
Turín, condesa de: 90.

Ursinos, princesa de los: véase Tremouille de Noirmoutier, María-Ana.

Valcárcel, Teresita: 175.
Valdés: 151.
Vallabriga, Teresa: 44.
Valldemosa (músico): 194, 206.

326

Vancouver, George: 85.
Vargas: 272.
Vasallo, general: 225.
Vega, Vicente: 15, 228.
Vendôme, duque de: 35, 36, 37.
Ventosa (profesor): 187.
Viardot, Luis: 194.
Víctor Manuel II de Italia: 239, 240, 242.
Victoria, duque de la: *véase* Espartero, Baldomero.
Victoria I de Inglaterra: 264, 293, 294.
Victoria Eugenia de Battenberg: 264, 289, 291-308, 313, 314.
Victoria Luisa de Prusia: 294.
Vidal Sales, José Antonio: 19, 21, 147.
Vigodet, Gaspar: 151.
Viluma, marqués de: 213.

Villabriga, María Teresa: 123, 124, 126, 127, 128.
Villadavias, marqués de: 213.
Villafranca, Soledad: 300.
Villa-Urrutia, marqués de: 77, 90, 94, 99, 101, 106, 111, 114, 115, 117, 130, 132, 134, 137, 140, 151, 155, 163, 168, 171, 174, 295.
Visconti: 259.
Voltaire, François M. Arouet, *llamado*: 17.
Voltes, Pedro: 74, 98, 103, 105, 107, 111, 158, 163.

Wattier, general: 112.
Wellington, Arthur C. Wellesley, duque de: 128.

Zabala, general: 229.

Otros títulos de la colección Divulgación:

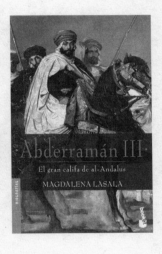

ABDERRAMÁN III

Magdalena Lasala

CLEOPATRA, LA SERPIENTE DEL NILO

Juan Eslava Galán